Verloren wereld

Van Dennis Lehane verscheen eveneens
bij Ambo|Anthos *uitgevers*

Mystic River
Nachtleven
Het loket

Dennis Lehane

Verloren wereld

Vertaald uit het Engels
door Bert Meelker

Ambo|Anthos
Amsterdam

ISBN 978 90 263 3135 0
© 2015 Dennis Lehane
'Stolen Car' by Bruce Springsteen. Copyright © 1980 Bruce Springsteen (ASCAP).
Reprinted by permission. International copyright secured. All rights reserved.
© 2015 Nederlandse vertaling Ambo|Anthos *uitgevers*, Amsterdam en Bert Meelker
Oorspronkelijke titel *World Gone By*
Oorspronkelijke uitgever William Morrow, an imprint of HarperCollins*Publishers*
Omslagontwerp Roald Triebels, Amsterdam
Omslagillustratie © Annie Griffiths Belt / Corbis / Hollandse Hoogte (auto)
© ayakovlevcom / Shutterstock (man)
Foto auteur Diana Lucas Leavengood

Verspreiding voor België:
Veen Bosch & Keuning uitgevers nv, Antwerpen

Voor Keeks
Met de blauwe ogen en de stralende glimlach

I'm driving a stolen car
On a pitch black night
And I'm telling myself I'm gonna be alright.

Bruce Springsteen, 'Stolen Car'

Proloog

December 1942

Voordat de kleine oorlog hen uit elkaar dreef, sloegen ze de handen ineen voor de grote. Een jaar na Pearl Harbor kwamen ze allemaal samen in de Versailleszaal van het Palace Hotel aan Bayshore Drive in Tampa, Florida, om geld in te zamelen voor de Amerikaanse troepen in Europa. De gelegenheid was gecaterd, smoking vereist, en het was een zachte, droge avond.

Een halfjaar later, op een drukkende avond begin mei, stuitte een misdaadverslaggever van de *Tampa Tribune* op foto's van het evenement. Wat hem trof was dat zoveel mensen die recentelijk het lokale nieuws hadden gehaald omdat ze óf iemand hadden vermoord óf zelf waren vermoord, die avond bij de liefdadigheidsbijeenkomst aanwezig waren geweest.

Hij dacht dat er een verhaal in zat; zijn chef dacht van niet. Maar kijk dan, zei de verslaggever, kijk: dat is Dion Bartolo, die daar aan de bar staat met Rico DiGiacomo. En daar? Ik weet haast zeker dat die kleine met de hoed Meyer Lansky in eigen persoon is. Hier, zie je die vent die met die zwangere vrouw staat te praten? Die is in maart in het mortuarium terechtgekomen. En daar heb je de burgemeester en zijn vrouw in gesprek met Joe Coughlin. En op deze foto zie je opnieuw Joe Coughlin, hier handenschuddend met de zwarte gangster Montooth Dix. Boston Joe, zijn hele leven is hij maar zelden gefotografeerd, maar die avond nota bene twee keer! En kijk, deze vent die een sigaret staat te roken naast die schoonheid in het wit. Die is dood. Net als die daar. Zie je die gast op de dansvloer in zijn witte jasje? Die loopt inmiddels mank.

Chef, zei de verslaggever, die avond waren ze allemaal bij elkaar.

De chef bracht naar voren dat Tampa een kleine stad was, vermomd als een middelgrote stad. Men kruiste voortdurend elkaars pad. En dit was een inzamelingsactie voor de oorlog; een verplicht nummer voor oud én nieuw geld, zo'n avond trok iedereen die ook maar iets voorstelde. Hij legde zijn jonge, snel opgewonden verslaggever uit dat talloze anderen die er die avond bij waren geweest – twee beroemde zangers, een honkballer, drie stemacteurs uit de populairste plaatselijke radiosoaps, de directeur van de First Florida Bank, de CEO van Gramercy Pewter en P. Edson Haffe, de uitgever van 'onze bloedeigen krant' – allemaal niets te maken hadden gehad met het bloedbad in maart, dat zo'n smet had geworpen op de goede naam van de stad.

De verslaggever sputterde nog wat tegen, maar merkte de onwrikbaarheid van zijn chef en richtte zich weer op zijn onderzoek naar de geruchten dat Duitse spionnen het havenkwartier van Tampa infiltreerden. Een maand later moest hij in dienst. De foto's zouden achterblijven in het fotomortuarium van de *Tampa Tribune* tot lang nadat iedereen die erop stond van de aardbodem was verdwenen.

De verslaggever, die twee jaar later zou sneuvelen tijdens de landing bij Anzio, kon niet weten dat zijn chef, die pas dertig jaar na hem zou bezwijken aan een hartkwaal, opdracht had gekregen om alles wat te maken had met de Bartolo-familie, Joseph Coughlin of de burgemeester van Tampa, een voortreffelijke jongeman uit een voortreffelijke Tampa-familie, uit de krant te houden. De naam van de stad, was de chef te verstaan gegeven, was al genoeg door het slijk gehaald.

De aanwezigen op die avond in december zouden, voor zover bekend, allemaal slechts betrokken zijn geweest bij een volstrekt onschuldige bijeenkomst van mensen die hun steun betuigden aan de militairen overzee.

Joseph Coughlin, de zakenman, had de gelegenheid georganiseerd omdat veel van zijn vroegere werknemers zich vrijwillig hadden aangemeld of waren opgeroepen voor de actieve dienst.

Vincent Imbruglia, van wie twee broers aan het front zaten – een ergens op de Grote Oceaan en de andere in Europa, niemand wist waar precies – organiseerde de verloting. De hoofdprijs bestond uit twee kaartjes op de eerste rij voor een optreden van Sinatra in het Paramount in New York aan het eind van de maand, plus een retour eerste klas met de Tamiami Champion. Iedereen kocht pakken loot-jes, ook al gingen de meesten ervan uit dat het rad stond afgesteld op winst voor de vrouw van de burgemeester, die een enorme Sinatra-fan was.

De baas der bazen, Dion Bartolo, sloofde zich uit in het soort dans-passen waarmee hij ooit in zijn jeugd in de prijzen was gevallen. En al doende leverde hij de moeders en dochters van sommige van Tam-pa's meest gerespecteerde families stof voor verhalen aan hun klein-kinderen. ('Iemand die zo gracieus danst kan nooit zo verdorven zijn als sommigen wel beweerd hebben.')

Rico DiGiacomo, de snelst rijzende ster van Tampa's onderwe-reld, verscheen in gezelschap van zijn broer Freddy en hun geliefde moeder, en zijn onheilspellende glamour werd slechts overtroffen door het verschijnen van Montooth Dix, een buitengewoon lange ne-ger, die nog langer leek door de bij zijn smoking passende hoge hoed. De meeste leden van Tampa's elite waren op een feest nog nooit een neger zonder een dienblad op de vlakke hand tegengekomen, maar Montooth Dix bewoog zich door de menigte blanke bezoekers met een air alsof hij verwachtte dat zij hem zouden bedienen.

Het feest was net fatsoenlijk genoeg om zonder spijt te bezoeken en net gevaarlijk genoeg om er voor de rest van het seizoen op te kun-nen blijven terugkomen. Joe Coughlin had een talent voor het in con-tact brengen van de voorbeeldige burgers van de stad met haar de-monen en daaraan een schijn van lichtvoetigheid te verlenen. Wat wel meewerkte was dat Coughlin, die zelf naar verluidt een verle-den als gangster had, en geen kleintje ook, de straat duidelijk was ontstegen. Hij was een van de grootste weldoeners van heel West Central Florida, vriend van talloze ziekenhuizen, gaarkeukens, bi-bliotheken en opvangtehuizen. En als de geruchten op waarheid be-rustten, dat hij zijn criminele verleden nooit helemaal achter zich had gelaten, wat dan nog? Je kon iemand een beetje trouw aan hen die hij onderweg naar de top had leren kennen toch niet kwalijk ne-men? En als sommigen van de verzamelde magnaten, fabriekseige-naren en vastgoedreuzen arbeidsonrust wilden sussen of hun aan-voerlijnen wilden ontstoppen, wisten ze precies wie ze moesten bellen. Joe Coughlin was in deze stad de brug tussen alles wat publie-kelijk werd verkondigd en wat achter de schermen werd bekokstoofd. Gaf hij een feestje, dan ging je, al was het alleen maar om te zien wie er kwamen.

Joe zelf hechtte aan festiviteiten geen diepere betekenis. Als je een feestje gaf waarop de elite mengde met tuig van de straat en rechters een praatje maakten met maffiabazen alsof ze elkaar nog nooit in een rechtszaal of in een achterkamertje in de ogen hadden gekeken, waar de pastoor van de Sacred Heart zich liet zien en de zaal zegende alvorens even enthousiast als de rest aan de drank te gaan, waar Vanessa Belgrave, de knappe maar ijskoude vrouw van de burgemeester, met een dankbaar gebaar haar glas hief naar Joe, en waar een ontzagwekkende neger als Montooth Dix een groep suffe oude blanke heren kon vermaken met verhalen over zijn heldendaden in de Eerste Wereldoorlog, en dat alles gebeurde zonder ook maar een onvertogen woord of dronken faux pas, tja, dan was dat feest niet zomaar een succes, maar vrijwel zeker het succes van het seizoen.

Het enige teken van onheil deed zich voor toen Joe naar het gazon achter het hotel liep om een luchtje te scheppen en de kleine jongen zag. Hij bewoog zich heen en weer tussen het licht en donker langs de uiterste rand van het gazon, zigzaggend, alsof hij met andere jongens aan het spelen was. Maar er waren geen andere jongens. Te oordelen naar zijn lengte en bouw moest hij een jaar of zes, zeven zijn. Hij spreidde zijn armen en maakte een geluid als van een propeller, en toen dat van een vliegmachinemotor. Met zijn armen als vleugels scheerde hij schuin langs de bomenrij en riep: 'Vroem, vroem.'

Behalve dat hij als kind alleen op een feest voor volwassenen rondliep kon Joe niet precies zeggen wat er nog meer vreemd was aan de jongen, totdat hij zich realiseerde dat zijn kleren een dikke tien jaar uit de tijd waren. Eigenlijk meer in de richting van twintig jaar: het kind droeg knickerbockers, wist Joe bijna zeker, en een bovenmaatse golfpet, zoals jongens droegen in de tijd toen Joe zelf klein was.

De jongen was te ver weg voor Joe om zijn gezicht duidelijk te kunnen onderscheiden, maar hij had het vreemde gevoel dat het geen verschil zou hebben gemaakt als hij dichterbij was geweest. Hij begreep dat het gezicht van de jongen onherroepelijk vaag zou blijven.

Joe stapte de patio af en stak het gazon over. De jongen bleef zijn vliegtuiggeluiden maken, holde de schaduwen aan de overkant van het gazon in en verdween tussen de bosjes. Ergens diep in al dat donker hoorde Joe hem nog zoemen.

Joe was halverwege het gazon toen iemand rechts van hem fluisterde: 'Pst. Meneer Coughlin, alstublieft? Joe?'

Joe bracht zijn hand tot vlak bij de Derringer in de holte van zijn rug, niet zijn favoriete wapen maar een dat hij handig vond voor dit soort officiële gelegenheden.

'Ik ben het,' zei Bobo Frechetti, die achter de grote ficus aan de rand van het gazon vandaan stapte.

Joe liet zijn hand zakken. 'Bobo, hoe gaat het met die jongen van je?'

'Met mij gaat het goed, Joe. En met jou?'

'Heel best.' Joe keek naar de bomen en zag niets dan duisternis. Het jongetje daarginds hoorde hij niet meer. 'Wie heeft er hier een kind bij zich?' vroeg hij Bobo.

'Hè?'

'Die jongen.' Joe wees. 'Die hier zonet vliegtuigje speelde.'

Bobo staarde hem aan.

'Heb jij dan geen jongen gezien daarginds?' Joe wees opnieuw.

Bobo schudde zijn hoofd. Bobo, die zo klein was dat niemand eraan twijfelde dat hij ooit jockey was geweest, nam zijn pet af en klemde die in zijn handen. 'Heb je gehoord van die kluiskraak in Lutz?'

Joe schudde zijn hoofd, ook al wist hij dat Bobo het had over de roof van zesduizend dollar uit de kluis van een mortelfabriek die een dochteronderneming was van een transportbedrijf van de maffia.

'Mijn maat en ik hadden geen idee dat Vincent Imbruglia de eigenaar was.' Bobo zwaaide met zijn armen als een scheidsrechter. 'Geen idee.'

Joe kende het gevoel. Zijn levensloop had een definitieve wending genomen toen hij en Dion Bartolo, amper droog achter de oren, in al hun argeloosheid een gangstercasino hadden overvallen.

'Nou ja, dat lijkt me niet zo'n probleem.' Joe stak een sigaret op en hield de kleine kluiskraker het pakje voor. 'Geef dat geld terug.'

'Dat hebben we geprobeerd.' Bobo accepteerde een sigaret en een vuurtje van Joe en knikte bij wijze van dank. 'Mijn maat – ken je Phil?'

Phil Cantor, die bekendstond om zijn buitengewoon groot uitgevallen neus. Joe knikte.

'Phil ging naar Vincent. Biechtte hem onze vergissing op. Zei dat we het geld hadden en dat we het meteen terug zouden geven. Weet je wat Vincent deed?'

Joe schudde zijn hoofd, hoewel hij wel een vermoeden had.

'Hij lazerde Phil tussen het verkeer. Midden op Lafayette, tijdens spitsuur. Phil stuiterde tegen de neus van een Chevrolet, als een biljartbal tegen de band. Verbrijzelde heupen, knieën naar de kloten, kaken in mekaar geklapt. En als hij daar ligt, midden op Lafayette, zegt Vincent tegen hem: "Ik wil het dubbele van je terug. Je krijgt een week." En hij spuugt op hem. Wat voor een beest spuugt op iemand? Wie, Joe? Nou vraag ik je. Op iemand die ook nog eens met een stel gebroken botten op straat ligt?'

Joe schudde zijn hoofd en hief zijn handen. 'Wat kan ik voor je doen?'

Bobo gaf hem een papieren zak. 'Het hele bedrag.'

'Het oorspronkelijke bedrag of het dubbele, waar Vincent om vroeg?'

Bobo stond wat onhandig te bewegen, keek om zich heen naar de bomen en toen weer naar Joe. 'Jij kunt met die lui praten. Jij bent geen beest. Je kan ze vertellen dat we ons vergist hebben en dat mijn maat nu, weet ik het, een maand in het ziekenhuis moet liggen? En dat dat al een hoge prijs is. Zou je dat kunnen overbrengen?'

Joe rookte een tijdje in stilte. 'Stel ik trek jullie uit de rotzooi...'

Bobo greep Joe's hand en kuste die, of althans, voornamelijk Joe's horloge.

'Ik zeg "stel".' Joe trok zijn hand terug. 'Wat doe jij dan voor mij?'

'Wat je maar wilt.'

Joe keek naar de zak. 'Alles is er, tot op de laatste dollar?'

'Alles.'

Joe nam een trek en blies traag uit. Hij wilde wachten tot het kind terugkwam, of tot het zich op z'n minst weer liet horen, maar het was duidelijk dat het leeg was tussen de bomen.

Hij keek Bobo aan en zei: 'Prima.'

'Prima? Jezus. Prima?'

Joe knikte. 'Maar niks is gratis, Bobo.'

'Weet ik. Weet ik. Dank je wel, dank je.'

'Als ik je ooit ergens voor nodig heb' – hij deed een stap dichterbij –

'voor wat dan ook, dan aarzel je niet. Is dat helder?'

'Als glas, Joe. Als glas.'

'En als je me laat zitten?'

'Dat zal ik niet doen, echt niet.'

'Dan laat ik een vloek over je uitspreken. En niet zomaar een vloek. Want ik ken een medicijnman in Havana. En die gast is feilloos.'

Net als een hoop jongens die groot waren geworden in de schaduw van de renbaan was Bobo streng bijgelovig. Hij hield zijn handpalmen op naar Joe. 'Maak je geen zorgen.'

'Ik heb het niet over een huis-tuin-en-keukenvloekje, van het soort dat je op je bord krijgt van een Italiaanse oma met een snor in New Jersey.'

'Je hoeft je over mij geen zorgen te maken. Ik sta voor m'n schuld.'

'Ik heb het over een van-hier-tot-Cuba-en-weer-terug soort van vloek. Eentje die doorwerkt tot in je nageslacht.'

'Ik beloof het.' Hij keek Joe aan met een vers laagje klam zweet op zijn voorhoofd en oogleden. 'Moge God me doodslaan.'

'Dat hoeft nou ook weer niet, Bobo.' Joe gaf hem een tikje tegen zijn wang. 'Want hoe moest je me dan terugbetalen?'

Vincent Imbruglia stond op de rol om het tot kapitein te schoppen, ook al wist hij het nog niet en ook al leek het Joe geen lumineus idee. Maar het waren zware tijden, grote verdieners begonnen schaars te worden nu die voor een deel aan het front zaten, en daarom zou Vincent over een maand zijn promotie krijgen. Tot die tijd echter werkte Vincent nog voor Enrico 'Rico' DiGiacomo, hetgeen betekende dat het geld dat was gestolen van zijn als dekmantel dienende mortelbedrijf eigenlijk van Rico was.

Joe trof Rico aan de bar. Hij stak hem het geld toe en legde de situatie uit.

Rico nipte van zijn drankje en fronste toen Joe hem vertelde wat er met de arme Phil Cantor was gebeurd.

'Voor een auto gelazerd, zei je?'

'Klopt,' zei Joe, en hij nam ook een slok.

'Stijlloos, zoiets.'

'Eens.'

'Ik bedoel, een beetje meer cachet had wel gepast.'

'Absoluut.'

Rico liet er even zijn gedachten over gaan en bestelde ondertussen nog een rondje. 'De straf weegt inmiddels wel op tegen het vergrijp, lijkt me, en meer dan dat. Zeg maar tegen Bobo dat hij uit de sores is, maar dat hij nog even een tijdje in geen van onze bars zijn gezicht laat zien. Kan iedereen wat afkoelen. Dus die arme sukkel heeft er zijn kaak bij gebroken?'

Joe knikte. 'Dat is het verhaal.'

'Jammer dat het zijn neus niet was. Misschien dat ze die dan, weet ik veel, hadden kunnen verbouwen of zo, zodat het niet meer leek alsof God dronken was en Phil z'n elleboog had geplakt waar zijn neus had moeten zitten.' Zijn stem ebde weg terwijl hij rondkeek door de zaal. 'Dit is nog eens een feest, baas.'

Joe zei tegen Rico: 'Ik ben je baas niet meer. Van niemand.'

Rico beaamde dat met een snel opgetrokken wenkbrauw en keek nog wat meer om zich heen. 'Niettemin een geweldige partij, meneer. Proost.'

Joe richtte zijn blik op de dansvloer en keek naar de walsende dandy's en de dancing queens, allemaal even sprankelend. En daar zag hij het kind weer, of hij dacht dat hij het zag, tussen de zwaaiende jaspanden en de geplooide hoepelrokken. Het gezicht van de jongen was van hem afgewend en op zijn achterhoofd zag hij een kleine wervel, de pet was nu verdwenen maar de knickerbocker droeg hij nog steeds.

En het volgende moment was hij weg.

Joe schoof zijn glas aan de kant en nam zich plechtig voor die avond niets meer te drinken.

Later zou hij erop terugkijken als het Laatste Feest, het zorgeloze sluitstuk, voordat alles begon af te glijden naar die meedogenloze maart.

Maar voorlopig was het gewoon een geweldig feest.

1

Inzake mevrouw Del Fresco

In het voorjaar van 1941, in Tampa, Florida, trad een man genaamd Tony Del Fresco in het huwelijk met een vrouw genaamd Theresa Del Frisco. Dit was, jammer genoeg, het enige lichtelijk amusante wat ook maar iemand zich van hun huwelijk wist te herinneren. Hij sloeg haar een keer met een fles, zij sloeg hem een keer met een croquethamer. De hamer was van Tony, die hem een paar jaar eerder uit Arezzo had meegenomen en vervolgens een parcours met poortjes had uitgezet in de drassige achtertuin van de Del Fresco's in West-Tampa. Overdag repareerde Tony klokken en 's nachts kraakte hij kluizen. Hij beweerde dat croquet het enige was wat zijn gemoed kalmeerde, een gemoed dat, naar hij zelf toegaf, overliep van een permanente woede die zich niet liet verklaren en die daarom des te zwarter was. Tony had tenslotte twee goede banen, een aantrekkelijke vrouw en de weekenden vrij voor croquet.

Hoe zwart de gedachten in Tony's hoofd ook geweest mochten zijn, ze kwamen allemaal naar buiten stromen toen Theresa in het begin van de winter van 1943 met de croquethamer de zijkant van Tony's schedel insloeg. De forensische recherche kwam tot de conclusie dat Theresa, nadat ze de eerste verlammende slag had toegebracht, een voet op haar mans wang had geplaatst, zijn hoofd stevig tegen de keukenvloer had gedrukt en met de hamer de achterkant van zijn schedel had bewerkt totdat die eruitzag als een pastei die van de vensterbank gevallen was.

Van beroep was Theresa bloemiste, maar het grootste deel van haar werkelijke inkomen kwam van diefstal en nu en dan een moord, beide soorten misdaad gewoonlijk begaan in opdracht van haar baas, Lucius Brozjuola, die algemeen bekendstond als King Lucius.

King Lucius betaalde de nodigde afdrachten aan de Bartolo-familie, maar runde verder een onafhankelijke organisatie waarvan de illegale opbrengsten werden witgewassen via het fosfaatimperium dat hij had opgebouwd aan de Peace River en via zijn bloemengroothandel in de haven van Tampa. King Lucius was trouwens de man die Theresa had opgeleid tot bloemiste en King Lucius was ook haar geldschieter geweest voor de bloemenzaak die ze had geopend in het centrum van de stad, aan Lafayette. King Lucius stond aan het hoofd van een bende dieven, helers, brandstichters en huurmoordenaars die zich allemaal slechts aan één ijzeren regel dienden te houden: geen klussen dicht bij huis. En zo had Theresa in de loop der jaren vijf mannen en één vrouw vermoord, allen onbekenden voor haar: twee in Kansas, een in Des Moines, een in Dearborn, een in Philadelphia en ten slotte een vrouw in Washington D.C. – Theresa had zich omgedraaid en haar in het achterhoofd geschoten nadat ze haar eerst twee stappen had laten passeren, op een zachte voorjaarsavond in Georgetown, in een met bomen omzoomde straat waar het nog drupte van een namiddagbui.

Op de een of andere manier achtervolgden al die moorden haar. De man in Des Moines had een foto van zijn gezin voor zijn gezicht gehouden, zodat ze de kogel erdoorheen moest schieten om bij zijn hersens te komen; die in Philadelphia zei aan één stuk door 'Zeg dan tenminste waarom'; de vrouw in Georgetown had een klaaglijke zucht geslaakt voor ze op het natte trottoir in elkaar zakte.

De enige moord die Theresa niet achtervolgde was die op Tony. Ze wenste alleen dat ze het eerder had gedaan, voordat Peter oud genoeg was om zijn ouders te missen. Theresa had hem bij haar zus in Lutz te logeren gestuurd dat noodlottige weekend, omdat ze hem niet in de vuurlinie wilde hebben op het moment dat ze Tony uit zijn eigen huis zou zetten. Zijn drankgebruik, zijn hoerenbezoek en zijn donkere buien waren sinds de zomer steeds onbeheersbaarder geworden, en voor Theresa was ten slotte de grens bereikt. Maar voor Tony nog niet, wat ertoe leidde dat hij haar een klap met een wijnfles verkocht en zij hem de hersens insloeg met een croquethamer.

Vanuit de plaatselijke gevangenis belde ze met King Lucius. Een halfuur later had ze Jimmy Arnold tegenover zich zitten, de huisadvocaat van King Lucius en diens verschillende ondernemingen. Theresa zat in over twee dingen: dat ze de stoel zou krijgen en het idee dat ze niet in Peters onderhoud zou kunnen voorzien. Met de moord op haar man had ze de regie over haar eventuele elektrocutie in de penitentiaire inrichting van Raiford uit handen gegeven. Maar wat betreft een zekere, financieel zorgeloze toekomst voor Peter wachtte ze nog op uitbetaling voor een klus afkomstig van King Lucius zelf, een klus die een zo rijke buit had opgeleverd dat haar aandeel van vijf procent er garant voor zou staan dat Peters maag, die van Peters kinderen en die van Peters kleinkinderen nooit voor iets anders hoefden te rammelen dan een tweede portie.

Jimmy Arnold verzekerde haar dat het vooruitzicht in beide opzichten rooskleuriger was dan ze veronderstelde. Met betrekking tot de eerste kwestie had hij officier van justitie Archibald Boll al geïnformeerd over de lange voorgeschiedenis van geweldplegingen door wijlen haar echtgenoot, mishandelingen waarvan beide keren dat ze door Tony's woede in het ziekenhuis was beland verbaal was opgemaakt. De officier, die een buitengewoon slim en politiek bewust man was, zou een mishandelde vrouw nooit de doodstraf geven zolang er meer dan voldoende Duitse en Japanse spionnen voorhanden waren die met graagte voorrang zouden krijgen op de stoel. Wat betreft het geld dat haar toekwam uit de Savannah-klus mocht Jimmy Arnold haar vertellen dat King Lucius nog bezig was een koper te vinden voor de goederen in kwestie, maar zodra hij daarin geslaagd was, en het geld was binnen, zou zij de tweede deelnemer zijn die haar aandeel kreeg, na King Lucius zelf natuurlijk.

Drie dagen na haar arrestatie kwam Archibald Boll langs om haar een deal aan te bieden. Hij was een knappe vijftiger in een grof geweven linnen pak met bijpassende gleufhoed; in zijn ogen glinsterde het schalkse licht van een ondeugende adolescent. Theresa begreep al vrij snel dat hij haar aantrekkelijk vond, maar tijdens het gesprek over haar verweer was hij de zakelijkheid zelf. In de rechtbank zou ze schuld bekennen aan doodslag onder verzachtende omstandigheden, een schuldbekentenis die voor iemand met een strafblad als het hare onder normale omstandigheden zou neerkomen op twaalf jaar gevangenisstraf. Maar vandaag, en alleen vandaag, verzekerde Archibald Boll haar, kwam het openbaar ministerie van Tampa met een aanbod van tweeënzestig maanden, uit te dienen in de vrouwenvleugel van de penitentiaire inrichting te Raiford. Inderdaad, daar waar ook de elektrische stoel gehuisvest was, maar Archibald Boll beloofde Theresa dat ze die nooit te zien zou krijgen.

'Vijf jaar.' Theresa kon het nauwelijks geloven.

'En twee maanden,' zei Archibald Boll, wiens dromerige blik van haar heupen naar haar borsten gleed. 'Als je morgen schuld bekent hebben we je overmorgen op de eerste bus hiervandaan.'

Dus dan kan ik je morgenavond verwachten, wist Theresa.

Maar het kon haar niet schelen – voor vijf jaar en de mogelijkheid om nog voor Peters achtste verjaardag weer buiten te staan zou ze niet alleen op haar rug gaan voor Archibald Boll maar voor iedere hulpofficier in zijn kantoor, en zich nog steeds gelukkig prijzen dat ze niet een metalen pet op haar hoofd geplaatst kreeg en er tienduizend volt aan elektriciteit door haar aderen werd gejaagd.

'Hebben we een deal?' vroeg Archibald, zijn blik nu op haar benen.

'We hebben een deal.'

Toen haar in de rechtszaal werd gevraagd of ze schuld wilde bekennen antwoordde Theresa 'ja', waarop de rechter haar een straf oplegde van 'uiterlijk eenduizend achthonderd en negentig dagen, met aftrek van voorarrest'. Ze voerden Theresa weer af naar haar cel in afwachting van de ochtendbus naar Raiford. Toen al vroeg die avond haar eerste bezoeker werd aangekondigd, verwachtte ze Archibald Boll in de schemerige gang voor haar cel te zien staan, met al een flinke bobbel in zijn linnen broek.

In plaats daarvan was het Jimmy Arnold. Hij had een maaltijd van koude geroosterde kip en een aardappelsalade bij zich, beter dan enige maaltijd die ze de komende tweeënzestig maanden tegemoet kon zien. Ze schrokte de kip naar binnen en likte zonder enige gêne het vet van haar vingers. Jimmy Arnold zag het allemaal onbewogen aan. Toen ze hem het bord weer aanreikte gaf hij haar de foto van haar en Peter die op haar ladekast had gestaan. Ook gaf hij haar de tekening die Peter van haar had gemaakt: een kaal en misvormd ovaal boven op een scheve driehoek voorzien van één stakerige arm, geen voeten. Maar hij had het getekend kort na zijn tweede verjaardag, en dat in aanmerking genomen was het een Rembrandt. Theresa keek naar Jimmy Arnolds twee cadeautjes en moest haar best doen de emotie uit haar ogen en keel te weren.

Jimmy Arnold legde zijn enkels over elkaar en rekte zich uit in zijn stoel. Hij gaapte luidruchtig en hoestte droog in zijn vuist. 'We zullen je missen, Theresa,' zei hij.

Ze nam de laatste hap van de aardappelsalade. 'Voor je het weet ben ik er weer.'

'Mensen met jouw talenten zijn dun gezaaid.'

'In het bloemschikken?'

Hij keek haar aandachtig aan. De grijns op zijn gezicht trok langzaam weg. 'Nee, dat andere.'

'Gewoon een grijs hart, meer heb je daar niet voor nodig.'

'Nee, er komt wel meer bij kijken.' Hij zwaaide met een vinger naar haar. 'Je moet jezelf niet tekortdoen.'

Ze haalde haar schouders op en keek opnieuw naar de tekening die haar zoon had gemaakt.

'Nu je zelf een tijdje uit de running bent,' zei hij, 'wie is volgens jou de beste?'

Ze keek naar het plafond en schuin naar de andere cellen. 'In het bloemschikken?'

Hij glimlachte. 'Ja, laten we het daarop houden. Wie is de beste bloemist in Tampa, nu jij niet langer in de race bent voor de titel?'

Ze hoefde er niet lang over na te denken. 'Billy.'

'Kovich?'

Ze knikte.

Jimmy Arnold liet het even tot zich doordringen. 'Vind je hem beter dan Mank?'

Ze knikte. 'Mank zie je aankomen.'

'En tijdens wiens dienst zou het moeten gebeuren?'

Ze begreep de vraag niet. 'Dienst?'

'Rechercheurs,' zei hij.

'Hier in de stad, bedoel je?'

Hij knikte.

'Wou je...' Ze keek om zich heen in haar cel, alsof ze zich ervan moest overtuigen dat ze nog steeds vaste grond onder de voeten had. 'Wou je iemand van hier een plaatselijk contract laten doen?'

'Bang van wel,' zei hij.

Dat druiste in tegen twintig jaar beleid van King Lucius.

'Waarom?' vroeg ze.

'Het moet een bekende zijn van het doelwit. Niemand anders zou dicht genoeg in de buurt kunnen komen.' Hij deed zijn enkels van elkaar en waaierde zichzelf koelte toe met zijn hoed. 'Als jij denkt dat Kovich de juiste man is voor de klus, dan ga ik eens rondvragen.'

'Heeft het doelwit reden om te vermoeden dat zijn leven in gevaar is?' vroeg ze.

Jimmy Arnold dacht even na en knikte. 'Hij zit in onze business. Slapen we niet allemaal met één oog open?'

Theresa knikte. 'In dat geval, ja, dan is Kovich de man die je hebben moet. Iedereen mag hem, ook al begrijpt niemand waarom.'

'En dan nu de kwestie van welk politiebureau over welke wijk gaat en het soort rechercheur dat op de dag in kwestie dienst heeft.'

'Wat voor dag is dat?'

'Een woensdag.'

Ze liep in gedachten een reeks namen, diensten en scenario's langs.

'In het ideale geval,' zei ze, 'zou je Kovich willen inzetten, overdag tussen twaalf en acht, en wel in Ybor, Port Tampa of in Hyde Park. Dan heb je een grote kans dat rechercheurs Feeney en Boatman de oproep binnenkrijgen.'

Hij oefende de namen met zijn lippen en zijn vingers vonden een plooi in zijn broek om aan te frunniken. Op zijn voorhoofd verscheen een lichte frons. 'Nemen politiemensen heiligendagen in acht?'

'Als ze katholiek zijn wel, neem ik aan. Welke dag bedoel je?'

'Aswoensdag.'

'Aswoensdag, daar valt niet zoveel aan in acht te nemen.'

'O nee?' Hij leek oprecht verbaasd. 'Het is al zo lang geleden dat ik zelf iets aan het geloof deed.'

'Je gaat naar de mis, de priester geeft je een kruisje op je voorhoofd met vochtige as en dan ga je weer. Dat is alles.'

'Dat is alles,' herhaalde hij fluisterend. Hij keek met een afwezige glimlach om zich heen in de cel, alsof hij licht verbaasd was zichzelf hier aan te treffen. Hij stond op van zijn stoel. 'Het beste, mevrouw Del Fresco. En tot ziens.'

Jimmy Arnold pakte zijn aktetas van de vloer, en ze wist dat ze het niet moest vragen maar ze kon het niet laten.

'Wie is het doelwit?'

Hij keek haar door de tralies aan. Net als zij wist dat ze de vraag niet had moeten stellen, wist hij dat hij geen antwoord zou moeten geven. Maar Jimmy Arnold stond in hun kringen bekend om een interessante ongerijmdheid in zijn karakter: stelde je hem een volstrekt onschuldige vraag over een van zijn cliënten, dan kreeg je geen antwoord, al stak je zijn ballen in de fik. Vroeg je hem naar het sappigst denkbare detail op elk ander gebied, dan was hij een voorbeeldige roddeltante.

'Weet je wel zeker dat je dat wilt weten?' vroeg hij.

Ze knikte.

Hij wierp een snelle blik naar links en rechts in de donkergroene gang, kwam dicht tegen de tralies aan staan, duwde er zijn lippen tussen en noemde de naam.

'Joe Coughlin.'

De volgende ochtend stapte ze in de bus die haar tweehonderd mijl naar het noordoosten zou brengen. Het binnenland van Florida was niet het Florida van de blauwe zee, de witte stranden en het witte schelpengruis op de parkeerterreinen. Het was door de zon gebleekt en kwijnde weg door te veel droogtes en bosbranden. Zes en half uur lang schokten ze over slecht onderhouden achterafwegen, en de meeste mensen die ze zagen, of ze nu blank, zwart of indiaans waren, leken te mager.

De vrouw die aan Theresa's linkerpols geketend zat deed de eerste vijftig mijl haar mond niet open en stelde zich toen voor als Sarah Nez uit Zephyrhills. Ze schudde Theresa de hand, verzekerde haar dat ze onschuldig was aan alle misdaden waarvoor ze veroordeeld was, viel stil en kwam pas na vijfentwintig mijl weer tot leven. Theresa liet haar voorhoofd tegen het raam rusten en staarde door het stof dat de banden opwierpen naar het geblakerde land. Voorbij weidegrond die zo dor was dat het gras van papier leek, herkende ze moeraslanden aan de geur en de oprijzende groene nevelsluiers. Ze dacht aan haar zoon en het geld dat ze te goed had om zijn toekomst veilig te stellen, en ze hoopte dat King Lucius zijn schuld zou inlossen, want ze had niemand die het geld voor haar zou kunnen innen als hij in gebreke bleef.

Over schulden gesproken, ze was de vorige avond erg verbaasd geweest dat officier Archibald Boll niet in haar cel was verschenen. Met een dankbaar lichaam maar een malend hoofd had ze wakker gelegen. Als hij geen seksuele genoegdoening van haar verwachtte, waarom had hij haar dan om te beginnen zo'n superdeal aangeboden? In haar branche bestond geen vriendelijkheid, alleen bedrog; er waren geen cadeautjes, slechts achterstallige rekeningen. Dus als Archibald Boll geen geld van haar wilde – en hij had op geen enkele manier laten merken dat hij op haar geld uit was – bleven alleen seks en informatie over.

Misschien, hield ze zichzelf voor, had hij haar gunstig gestemd met een lichte straf en gaf hij haar nu de tijd om er wat over te sudderen, om haar gevoel dat ze hem iets verschuldigd was te laten groeien. Vervolgens zou hij haar ergens tegen de zomer in Raiford komen opzoeken om zijn vordering te innen. Alleen, zo werkte dat niet met officieren van justitie; die maakten je lekker met een voorstel tot een mild vonnis, maar gaven je dat niet voordat je hun zin had gedaan. Een mild vonnis kreeg je nooit als voorschot, dat sloeg nergens op.

Wat helemaal nergens op sloeg was het moordcontract op Joe Coughlin. Hoe ze haar best ook deed – en ze had het de hele nacht geprobeerd – Theresa kon het niet bevatten. Sinds hij zich tien jaar geleden had teruggetrokken als baas was Joe Coughlin waardevoller gebleken voor de Bartolo-familie en alle andere families en bendes in de stad dan toen hij de boel nog runde. Hij was de belichaming van het hoogste ideaal voor een man in hun business: hij verdiende geld voor zijn vrienden. Daarom had hij veel vrienden.

Maar vijanden?

Theresa wist dat hij er ooit een stel had gehad, maar dat was tien jaar geleden, en die waren allemaal op één dag weggevaagd. De politie en de man in de straat wisten van de kogel door de strot die een eind had gemaakt aan de hoop, de dromen en de eetgewoonten van Maso Pescatore, een kogel die volgens de geruchten door Coughlin persoonlijk was afgevuurd. Maar buiten mensen als Theresa en haar makkers, mensen uit het Milieu, wist niemand van de twaalf mannen die waren uitgevaren om Joe Coughlin overboord te gooien en die nooit waren weergekeerd, maar neergemaaid door machinegeweren en .45s. Ze waren vervolgens zelf overboord gegooid in de Golf van Mexico om als voer voor de haaien te dienen, op een dag die van zichzelf al heet en hardvochtig was.

Die slachtoffers, en een lang overleden politieman, waren voor zover bekend Coughlins laatste vijanden geweest. Sinds zijn afscheid als baas had hij zich verre gehouden van het zware werk en zich gericht op Meyer Lansky, met wie hij een aantal bedrijven op Cuba had. De zeldzame keren dat hij werd gefotografeerd was het nooit in gezelschap van collega's uit het Milieu; kennelijk bracht hij zijn tijd door met het verzinnen van nieuwe manieren om dit jaar nog meer geld voor iedereen te verdienen dan hij het jaar daarvoor had gedaan.

Lang voordat de jappen Pearl Harbor aanvielen en de oorlog uitbrak, had Joe Coughlin alle grote spelers in de illegale alcoholproductie in Florida en Cuba geadviseerd een begin te maken met het aanleggen van voorraden industriële alcohol, dit met het oog op de productie van rubber. Geen hond die begreep waar hij het over had, want wat had alcohol met rubber te maken en, zelfs al was er een verband, wat moesten zij daar dan mee? Maar omdat hij zoveel geld voor ze had binnengehaald in de jaren dertig luisterden ze naar hem. En omstreeks het voorjaar van 1942, toen de jappen de helft van alle rubbergebieden op de wereld hadden ingenomen, wist Uncle Sam niet hoe snel hij over de brug moest komen met topprijzen voor alles wat de overheid kon gebruiken om laarzen, banden, bumpers en zelfs asfalt van te maken, had Theresa gehoord. De bendes die naar Coughlin hadden geluisterd – waaronder die van King Lucius – verdienden zoveel geld dat ze niet meer wisten wat ze ermee moesten doen. Een van de weinige mannen die niet had geluisterd, Philly Carmona, uit Miami, was zo slecht te spreken over de vent die hem had geadviseerd niet in te stappen, dat hij hem in zijn buik had geschoten.

Iedereen in hun branche had vijanden, natuurlijk, maar af en toe loom wegdommelend in de bus kon Theresa zich er niet een van Joe Coughlin voor de geest halen. Wie zou de kip met de gouden eieren willen slachten?

Door de droge greppel buiten haar raam gleed een slang. De slang was zwart en zo lang als Theresa zelf. Hij kronkelde de greppel uit en verdween in het struikgewas, en Theresa zakte weg in een soort halfdroom waarin het dier over de vloer van haar slaapkamer in de woonkazerne in Brooklyn kroop, waar ze had gewoond toen ze op haar tiende net in dit land was aangekomen. Ze dacht dat het misschien wel een goed idee was om een slang in die kamer te hebben, want ratten waren het werkelijke probleem geweest in die huurkazernes, en slangen aten ratten. Maar toen verdween de slang van de vloer en ze voelde hoe hij over het bed heen naar haar toe kwam. Ze kon hem voelen, maar zien kon ze hem niet, en ze kon zich niet bewegen omdat haar droom het niet toeliet. De schubben van de slang drukten ruw en kil tegen haar nek. Hij wond zich rond haar hals en zijn metalen schakels beknelden haar luchtpijp.

Theresa stak een hand uit naar achteren, kreeg een oor van Sarah Nez te pakken en trok er zo hard aan dat ze het van haar hoofd gerukt zou hebben als ze er de tijd voor had gehad, maar ze kreeg al nauwelijks lucht meer. Sarah had de ketting gebruikt waarmee hun polsen aan elkaar vastzaten. Ze maakte zacht grommende geluiden terwijl ze de ketting als een lier aanhaalde.

'Als je Christus aanneemt,' fluisterde ze, 'als je Christus aanneemt als je Verlosser, zal Hij je met open armen ontvangen. Hij zal van je houden. Accepteer Hem en wees niet bang.'

Theresa draaide zich om naar het raam en wist haar voeten klem te zetten tegen de wand van de bus. Toen ze haar hoofd met een ruk naar achteren bewoog en zich tegelijkertijd afzette met haar voeten, hoorde ze Sarahs neus breken. Op het moment dat ze samen in het gangpad belandden, liet Sarah haar greep net lang genoeg verslappen om Theresa de gelegenheid te geven een kreet te slaken, meer een ijl gilletje eigenlijk, waarna ze meende dat ze een van de bewakers hun kant op zag komen, maar alles werd vaag. Alles werd vaag en vager en ten slotte zwart.

Twee weken later kon ze nog steeds niet fatsoenlijk praten; het enige wat er uit haar kwam was een vervormd en verstopt soort gefluister. De blauwe plekken in haar hals en nek waren pas verschoten van paars naar geel. Eten deed pijn en een hoestje kon de tranen in haar ogen doen springen.

De tweede vrouw die probeerde haar te doden deed dat met een metalen dienblad dat ze uit de ziekenboeg had ontvreemd. Ze sloeg Theresa ermee op haar achterhoofd toen die onder de douche stond, en die klap voelde veel te vertrouwd: als een klap van Tony. Het zwakke punt van de meeste mensen in een vechtpartij – en dat gold voor zowel mannen als vrouwen – was aarzeling. Deze vrouw was geen uitzondering. Door het geweld van de eerste klap sloeg Theresa tegen de grond, met een geluid dat de vrouw leek te verrassen. Ze staarde net te lang naar Theresa voordat ze zich op haar knieën liet vallen en haar dienblad opnieuw hief. Als ze goed was geweest – als ze bijvoorbeeld Theresa was geweest – had ze zich tegelijk met haar slachtoffer op de grond laten vallen, had ze haar dienblad aan de kant gegooid en haar tegen de tegels gerost. Tegen de tijd dat de vrouw op haar knieën zat en haar armen hief, had Theresa een vuist gebald, met de knokkel van haar middelvinger als een punt naar voren. Die punt boorde ze midden in de hals van de vrouw. Niet één keer, niet twee keer, maar vier keer. Het dienblad viel en Theresa gebruikte het lichaam van de vrouw om op te staan terwijl de vrouw wanhopig en tevergeefs naar zuurstof hapte, daar midden in de doucheruimte.

Toen de bewakers arriveerden zagen ze een vrouw op de vloer liggen die blauw aanliep. Er werd een dokter gebeld. De eerste die kwam was een verpleegster, maar tegen die tijd was de vrouw weer haperend en wanhopig begonnen met ademhalen. Theresa stond het vanuit een hoek van het vertrek allemaal kalm op te nemen. Ze had zich afgedroogd en had haar blauwe gevangenispak aangetrokken. Van een van de meiden had ze een sigaret gebietst; als tegenprestatie beloofde ze het meisje te leren hoe je iemand aandeed wat zij zojuist had gedaan met Thelma, zoals ze inmiddels wist dat de gefaalde moordenares heette.

Toen de bewakers zich tot Theresa wendden en haar vroegen wat er gebeurd was, deed ze haar verhaal.

Een van hen vroeg: 'Weet je wel dat je haar had kunnen vermoorden?'

'Kennelijk,' zei ze, 'ben ik wat milder geworden.'

De andere bewakers liepen weg en zij bleef achter met de man die de vraag had gesteld, de jongste van het stel.

'Henry, toch?' vroeg ze.

'Jawel, mevrouw.'

'Henry, denk je dat je een stukje van dat gaas uit de tas van die zuster voor me zou kunnen regelen? Ik heb een wond aan m'n hoofd.'

'Hoe weet u dat er gaas in zit?'

'Nou ja, wat zou er anders in moeten zitten, Henry? Stripboeken?'

Hij glimlachte en knikte tegelijkertijd, waarna hij vertrok om het gaasverband voor haar te halen.

Later die avond, nadat de lichten gedoofd waren, kwam Henry naar haar cel. Ze zat niet voor het eerst vast en wist dat het vroeg of laat zou gebeuren. Hij was tenminste jong, bijna knap en schoon.

Na afloop zei ze tegen hem dat ze een boodschap aan iemand buiten moest doorgeven.

'O jee,' zei Henry Ames.

'Een boodschap,' zei Theresa, 'dat is alles.'

'Ik weet het niet.' Henry Ames, met het eind van zijn maagdelijkheid minder dan twee minuten achter zich, had nu reden te wensen dat hij er nog wat langer aan had vastgehouden.

'Henry,' zei Theresa, 'iemand met een hoop macht doet zijn best om mij te laten vermoorden.'

'Ik kan je beschermen.'

Ze glimlachte. Ze streelde zijn nek met haar rechterhand, en Henry voelde zich groot, sterk en levend als nooit tevoren tijdens zijn drieëntwintig jaar op deze wereld.

Met haar linkerhand zette ze het scheermesje tegen zijn oor. Het sneed aan twee zijden, het soort dat Henry in de koperen houder deed die hij van zijn vader had gekregen voor zijn eindexamen. Tegenwoordig, met de schaarste aan metaal, gebruikte Henry een mesje tot het zo bot was als een lepel, maar dat van Theresa leek nog nooit te zijn gebruikt, tot het moment dat ze het losjes onder zijn oorlel door haalde. Voor hij kon reageren trok ze de zakdoek uit zijn borstzak en bette het sneetje.

'Henry,' fluisterde ze, 'jij kunt jezelf niet eens beschermen.'

Hij kreeg niet de kans om te zien waar ze het mesje wegstopte; ze had het gewoon niet meer in haar hand. Hij keek haar recht in haar ogen. Ze waren groot, donker en warm.

'Goed,' zei ze vriendelijk, 'als ik niet bij iemand een boodschap bezorgd krijg over mijn hachelijke toestand, Henry, zal ik het hierbinnen nog geen maand overleven. En zal mijn zoon als een wees moeten opgroeien. En dat kan ik verdomme niet verdragen. Begrijp je?'

Hij knikte. Theresa was nog steeds bezig met zijn oorlel. Tot zijn eigen niet geringe verbazing en schaamte voelde hij dat hij opnieuw stijf werd. Henry Ames, boerenzoon uit Ocala, Florida, vroeg aan de vrouwelijke gedetineerde 4773 bij wie ze wilde dat haar boodschap bezorgd zou worden.

'Ga naar het kantoor van Suarez Sugar aan Howard Avenue in Tampa en zeg tegen de plaatsvervangend directeur, Joe Coughlin, dat ik hem moet spreken. Breng die man vooral aan z'n verstand dat het een kwestie van leven of dood is. Voor hem en voor mij.'

'Maar ik kan je zeker beschermen hierbinnen.' Henry hoorde de wanhoop in zijn eigen stem, maar toch, hij wilde dat ze het geloofde.

Theresa gaf hem zijn zakdoek terug. Ze keek hem een poosje aan.

'Dat is lief van je,' zei ze. 'Niet vergeten: Suarez Sugar. Howard Avenue in Tampa. Joe Coughlin.'

2

De Winnaar

Vrijdag was Henry Ames' vaste vrije dag, dus zodra zijn donderdag-
dienst erop zat vertrok hij uit Raiford en reed de hele nacht door naar
Tampa. Tijdens de rit had hij ruimschoots de tijd om zijn zonden te
overdenken. Zijn ouders, zo rechtschapen als twee mensen zonder
vleugels maar konden zijn, zouden spontaan een hartverlamming
krijgen als ze wisten dat hun oudste zoon ontucht pleegde met een
veroordeelde moordenares die aan zijn zorg was toevertrouwd. De
andere bewakers knepen een oogje dicht over zijn verhouding met de
vrouwelijke gedetineerde 4773, zij het gniffelend, maar alleen omdat
ze allemaal zelf ook soortgelijke dingen deden, zo niet erger, wat weinig afdeed aan het feit dat ze allemaal de wet overtraden. En niet
alleen een door de mens ingestelde wet, vreesde Henry Ames, maar
die van Onze-Lieve-Heer net zo goed.

Maar toch...

Maar toch...

Wat een feest was het geweest om telkens tegen het eind van de
dienst deze week haar cel binnen te glippen en door haar ontvangen
te worden.

In het dagelijks leven had Henry verkering met Rebecca Holinshed, de dochter van de huisarts in Lake Butler, waar Henry woonde,
twaalf kilometer ten westen van de gevangenis. Het contact tussen
de twee was op touw gezet door Henry's tante, die ook in Lake Butler
woonde, en van haar zus, Henry's moeder, de opdracht had gekregen
om hem een beetje in de gaten te houden. Rebecca Holinshed was een
heel mooi blond meisje met een hagelwitte huid. Ze had Henry met
haar fluwelen stemmetje verteld dat ze van de man met wie ze trouwde verwachtte dat zijn ambitie verder reikte dan het bewaken van een

bende smerige vrouwen die qua moreel besef niet hoger stonden dan een smerige chimpansee. Rebecca Holinshed nam het woord 'smerig' nogal eens in de mond, en zonder uitzondering op die fluwelen toon, alsof ze het woord maar met moeite over haar lippen kreeg. Ook had ze Henry nog nooit recht in de ogen gekeken, niet één keer zolang ze met elkaar omgingen. Als iemand hen samen zou zien tijdens hun wandelingetje op de vroege avond, zou je het die getuige niet kwalijk nemen als hij dacht dat Rebecca niet met Henry praatte maar met de weg, een veranda of een willekeurige boomstam.

Hoe dan ook, om te bewijzen dat hij inderdaad ambitie had, was Henry begonnen aan een avondcursus strafrecht helemaal in Gainesville. In plaats van op zijn vrije avonden samen met de andere bewakers een paar biertjes te drinken in Dickie's Roadhouse, zijn achterstallige was te doen of, God verhoede, gewoon wat rond te hangen, reed Henry anderhalf uur heen en anderhalf uur terug om in een snikheet zaaltje op het achterterrein van de universiteit van Florida te horen hoe zijn docent Blix, een geroyeerde advocaat met een drankprobleem, zich met dikke tong door zijn colleges 'misrepresentatie' en 'dwangbevel' werkte.

Maar Henry wist dat het goed voor hem was. En hij wist dat Rebecca goed voor hem was. Ze zou een goede moeder worden. Binnenkort, hoopte hij, zou ze zich misschien zelfs door hem laten kussen.

Ondertussen had de vrouwelijke gedetineerde 4773 Henry Ames gekust op zo ongeveer elk plekje waar hij over huid beschikte. Ze had hem verteld over haar zoon, Peter, en de hoop die ze koesterde om over vijf jaar weer bij hem te zijn, en misschien samen terug te gaan naar Italië, als er tenminste ooit een eind kwam aan deze oorlog en Mussolini en zijn zwarthemden werden afgezet. Henry wist dat ze hem gebruikte – hij mocht een dorpsjongen zijn, maar dat maakte hem nog niet achterlijk – maar ze gebruikte hem voor haar veiligheid en die van haar zoon, wat hem een alleszins verdedigbaar motief leek. Ze vroeg hem in ieder geval niet om iets te worden wat hij niet wilde worden – jurist –, ze vroeg hem alleen maar haar te helpen haar leven te redden.

Dus ja, hij beging een fout door met haar naar bed te gaan. Misschien de grootste fout van zijn leven. Een die hij nooit meer te boven zou komen als het uitkwam. Hij zou er zijn familie door kwijtraken.

Hij zou Rebecca kwijtraken. Zijn baan kwijtraken. Hij zou er vermoedelijk meteen op uitgestuurd worden om tegen de nazi's te vechten, platvoeten of geen platvoeten. Hij zou sterven in een of ander aan puin geschoten dorp, aan een traag stromende rivier waarvan geen mens ooit had gehoord. Hij zou geen nageslacht achterlaten en geen bewijs dat hij ooit had bestaan. Een totaal verspild leven.

Waarom had hij dan die onuitwisbare grijns op zijn gezicht?

Joe Coughlin, de in Tampa gevestigde zakenman met zijn twijfelachtige verleden en zijn reputatie als groot weldoener van Ybor City, de plek die hij als zijn thuis was gaan beschouwen, had die ochtend in zijn kantoor bij Suarez Sugar een afspraak met luitenant Matthew Biel van de Marine Inlichtingendienst.

Biel was een jonge vent met blond haar dat hij zo kort liet knippen dat zijn roze hoofdhuid erdoorheen schemerde. Hij droeg een kaki broek met een messcherpe vouw en een zwarte blazer met opvallende, grijs geruite mouwen boven een wit overhemd. Er hing een geur van stijfsel om hem heen.

'Als je probeert er als een burger uit te zien,' zei Joe tegen hem, 'zou je misschien nog eens een catalogus van J.C. Penney moeten doorbladeren.'

'Is dat waar u uw inkopen doet?'

Joe overwoog even deze boer te vertellen wat hij van J.C. Penney vond – zelf droeg hij verdomme een handgemaakt maatpak uit Lissabon – maar zag ervan af, schonk een kop koffie in voor Biel en liep om zijn bureau heen om die voor hem neer te zetten.

Biel bedankte met een knikje en zei: 'U hebt een erg sober kantoor voor iemand van uw kaliber.'

Joe ging achter zijn bureau zitten. 'Precies goed, lijkt me, voor de onderdirecteur van een suikerfabriek.'

'U hebt ook nog drie importbedrijven, toch?'

Joe nam een slok van zijn koffie.

Biel glimlachte. 'Twee distilleerderijen en een fosfaatmijn, en u bent partner in verschillende bedrijven in uw thuisstad Boston, waaronder een bank.' Hij keek nogmaals om zich heen in het kantoor. 'Daarom vind ik uw pogingen tot nederigheid hier zo boeiend.'

Joe zette zijn kopje op het bureau. 'Als u mij eens vertelde waarom u gekomen bent, luitenant.'

Biel boog voorover. 'Onlangs is er 's avonds op de kade van Port Tampa een vent in elkaar geslagen. Wist u dat?'

'Er wordt daar bijna elke avond wel iemand in elkaar geslagen, het is tenslotte de haven.'

'Maar ja, nu ging het om een van onze mensen.'

'En wie zijn wij?'

'Marine Inlichtingendienst. Kennelijk stelde hij een vraag te veel aan een paar van uw mannen en...'

'Mijn mannen?'

Biel sloot een paar tellen zijn ogen, zuchtte, en opende ze weer. 'Prima. Mannen van uw vriend Dion Bartolo. Havenarbeidersvakbond, afdeling 126. Komt u dat bekend voor?'

Dat waren jongens van Dion, kon niet missen.

'Dus een van uw dekzwabbers is op zijn bek geslagen. Wilt u dat ik de stomerijkosten betaal?'

'Nee, dank u. Hij zal er wel weer bovenop komen.'

'Fijn om te horen, dat is goed voor mijn nachtrust.'

'Het punt is,' zei luitenant Biel, 'dezelfde verhalen bereiken ons van overal: Portland, Boston, New York, Miami, Tampa, New Orleans. Het scheelde toch verdorie niet veel of onze man in New Orleans was eraan bezweken. Hij is wel een oog kwijt.'

'Ja, nou ja,' zei Joe. 'Met New Orleans moet je ook oppassen. Die man van u mag blij zijn dat hij niet blind én dood is, zeg dat maar tegen hem.'

'We komen er maar niet tussen bij de havens,' zei Biel. 'Iedere man die we binnenkrijgen wordt afgerost en naar ons teruggestuurd. Ondertussen begrijpen we dat de havens van u zijn – dat is uw terrein. Maar daar doen we nu niet moeilijk over. We zitten niet achter u aan. Achter geen van uw mensen.'

'Wie ben ik?' vroeg Joe. 'Wie zijn "onze mensen"? Ik ben een legitieme zakenman.'

Biel trok een gezicht. 'U bent de *consigliere* – sprak ik dat goed uit zo? – van de Bartolo-familie, meneer Coughlin. U bent de regelaar voor het criminele syndicaat in heel Florida. En daarbij houden u en Meyer Lansky het toezicht op Cuba en drugsroutes die ergens in Zuid-Amerika beginnen en doorlopen tot ergens in Maine. Dus wat dacht u, moeten we nu echt dit spelletje volhouden waarin u "met pensioen bent" en ik een domme lul?'

Joe staarde hem over de tafel aan tot de stilte ongemakkelijk begon te worden. Op het moment dat Biel er niet meer tegen kon en zijn mond opendeed om iets te zeggen, vroeg Joe: 'Achter wie zit u dan wel aan?'

'Nazi-saboteurs, jap-saboteurs en iedereen die de havens zou kunnen infiltreren en zich met geweld tegen onze regering richt.'

'Ach, ik zou zeggen, maakt u zich verder geen zorgen over infiltrerende jappen. Die vallen nogal op, zelfs in San Francisco.'

'Toegegeven.'

'Ik zou me eerder zorgen maken over een mof van eigen bodem,' zei Joe, 'een die zichzelf kan laten doorgaan voor een kind van Ierse ouders, of Zweedse. Zo'n vent zou een probleem kunnen zijn.'

'Is het voorstelbaar dat die bij u infiltreert?'

'Dat zeg ik net. Ik zei niet dat het waarschijnlijk is, maar het zou kunnen.'

'En dus heeft het vaderland uw hulp nodig.'

'En wat gaat het vaderland daarvoor terugdoen?'

'De dankbaarheid van een opgeluchte natie en het uitblijven van obstructie.'

'Dat noemt u obstructie, dat u uw mannen met vaste regelmaat bij ons laat aftuigen? Ik zou zeggen, geneert u zich niet met uw obstructie en kom zo vaak langs als u wilt.'

'Uw legale ondernemingen, meneer Coughlin, overleven op dit moment bij de gratie van contracten met de overheid.'

'Voor een deel, ja.'

'We zouden die verhouding wat kunnen laten bekoelen.'

'Een halfuur nadat u hier bent vertrokken, luitenant, heb ik een gesprek met een meneer van het ministerie van Oorlog, dat zijn orders aan mij wil opvoeren, in plaats van terugschroeven. Dus als we gaan bluffen, knaap, zou ik zeggen, zorg eerst maar eens dat je beter geïnformeerd raakt.'

Biel zei: 'Prima. Zeg maar wat u in gedachten had.'

'U weet wat we willen.'

'Nee,' zei Biel, 'daar ben ik niet zo zeker van.'

'We willen de vrijlating van Charlie Luciano. Simpel zat.'

Biels engelengezicht betrok. 'Dat is uitgesloten. Lucky Luciano mag de rest van zijn leven wegrotten in Dannemora.'

'Oké. Zelf heeft hij trouwens liever dat je Charlie zegt. Alleen zijn naaste vrienden noemen hem Lucky.'

'Doet er niet toe hoe hij zichzelf noemt, wij gaan hem geen amnestie geven.'

'Amnestie hoeft voor ons ook niet,' zei Joe. 'Na de oorlog – tenminste, als jullie de boel niet verkloten en wij inderdaad winnen – zetten jullie hem het land uit. Hij zal hier nooit meer één voet aan land zetten.'

'Maar...'

'Maar,' zei Joe, 'voor de rest is hij vrij om te gaan en staan waar hij wil en om de kost te verdienen zoals hij belieft.'

Biel schudde zijn hoofd. 'Roosevelt zal dat nooit pikken.'

'Maar het is toch niet zijn beslissing?'

'Uit pr-oogpunt? Ik dacht het wel. Luciano runde het meest gewelddadige misdaadsyndicaat dat het land ooit gekend heeft.' Biel dacht er nog wat over na en schudde toen beslist zijn hoofd. 'Vraag om iets anders. Maakt niet uit wat.'

Typisch de overheid. Die waren zo gewend gratis geld neer te tellen voor wat ze hebben wilden dat ze geen idee hadden hoe je een echte zakendeal moest smeden. *We zouden graag iets voor niets willen hebben, alstublieft; dus geef het ons, rot op, en wees ons dankbaar voor het geboden voorrecht.*

Joe nam luitenant Biels open, typisch Amerikaanse gezicht aandachtig in zich op. Ooit op school ongetwijfeld een ster op het sportveld. De meiden hadden gevochten om zijn wedstrijdshirt.

'Iets anders dan dat willen we niet,' zei Joe.

'Dus dat is alles?' Biel leek oprecht met stomheid geslagen.

'Dit is alles.' Joe liet zich achteroverzakken in zijn stoel en stak een sigaret op.

Biel stond op. 'Dan zult u de volgende stap die wij zetten niet leuk vinden.'

'Jullie zijn de overheid. Leuk vinden wat jullie doen is nooit mijn zwakte geweest.'

'Zegt u straks niet dat u niet gewaarschuwd was.'

'U kent onze prijs,' zei Joe.

Biel bleef in de deuropening staan, zijn blik naar de vloer gericht.

'We hebben een dossier over u, meneer Coughlin.'

'Daar ging ik al van uit.'

'Het is niet zo dik als de meeste dossiers want u weet zich heel goed onzichtbaar te maken. Ik heb nog nooit iemand ontmoet die dat zo gelikt doet als u. Weet u hoe ze u noemen bij ons op het bureau?'

Joe haalde zijn schouders op.

'De Winnaar. Omdat niemand zich kan herinneren wanneer u voor het laatst een slechte hand had. Maar u bent eigenaar van een casino in Havana, toch?'

Joe knikte.

'Dan weet u dat geluk eindig is.'

Joe glimlachte. 'Boodschap begrepen, luitenant.'

'Zou het?' vroeg Biel, waarna hij zichzelf uitliet.

Tien minuten nadat Biel was vertrokken zoemde Joe's intercom.

Hij drukte op de knop. 'Margaret, zeg het eens.'

Margaret Toomey, zijn secretaresse, zei: 'Er staat hier een meneer voor u. Hij is gevangenisbewaarder in Raiford, zegt-ie. Hij wil u dringend spreken.'

Joe pakte de hoorn van het toestel. 'Zeg tegen hem dat hij opsodemietert,' zei hij op vriendelijke toon.

'Dat heb ik geprobeerd,' zei Margaret, 'met andere woorden dan.'

'Dan moet je de mijne gebruiken.'

'Wat ik tegen u moest zeggen is: "Theresa Del Fresco verzoekt om een gesprek."'

'Shit, echt waar?'

'Shit, echt waar,' zei Margaret.

Joe dacht er even over na en slaakte een zucht. 'Stuur maar door. Wat is het, een boerenlul of een bedrieger?'

'Dat eerste, meneer. Hij komt eraan.'

De jongen die binnenkwam, zag eruit alsof hij zo uit de kinderstoel was geklommen. Zijn haar was lichtblond, op het witte af, en één blonde lok stond als een kromme vinger overeind op zijn kruin. Zijn huid was zo smetteloos dat het leek alsof hij die deze middag voor het eerst aangetrokken had. Zijn ogen waren groen en helder als van een baby en zijn tanden waren even wit als zijn haar.

En dit kind was een bewaker? In een vrouwenvleugel?

Theresa Del Fresco zou op deze knul af zijn geschoten als een stadskat op een veldmuis.

Joe schudde de jongen de hand en wees hem een stoel. De jongen trok zijn broekspijpen op bij de knieën en ging zitten.

Hij legde uit dat hij inderdaad bewaker was op de vrouwenafdeling van de penitentiaire inrichting in Raiford en dat de vrouwelijke gevangene 4773, oftewel Theresa Del Fresco, zoals ze in de vrije buitenwereld bekendstond, hem had verzocht de heer Coughlin te bezoeken, meneer, omdat ze geloofde dat zijn leven – en dat van haarzelf – in gevaar was.

'Jouw leven?' vroeg Joe.

De jongen was van de wijs gebracht. 'Nee, nee, meneer. Dat van u.'

Joe lachte.

'Maar meneer,' zei de jongen.

Joe lachte nog harder. Hoe langer hij erover nadacht, hoe vermakelijker het werd.

'Zo wou ze het spelen?' vroeg hij, terwijl zijn lach wegebde.

'Spelen, meneer? Ik begrijp u niet.'

Joe veegde zijn oog af met de muis van zijn hand. 'Ach, jezus. Dus, ja, ja, mevrouw Del Fresco gelooft dat mijn leven ernstig bedreigd wordt?'

'En dat van haar.'

'Nou ja, ze brengt het tenminste niet als iets zonder eigenbelang.'

'Ik snap u niet zo goed, meneer Coughlin, dat durf ik u gerust te vertellen. Mevrouw Del Fresco heeft me het hele eind laten rijden om u te waarschuwen dat uw leven gevaar loopt en dat van haar ook, en u doet gewoon alsof het een of andere geweldige grap is. Maar erg om te lachen is het niet, meneer, dat kan ik u wel zeggen.'

Joe keek de knul over zijn bureau aan. 'Ben je klaar?'

De jongen verplaatste zijn hoed van zijn ene knie naar de andere en plukte zenuwachtig aan zijn rechteroorlelletje. 'Dat weet ik eigenlijk niet precies, meneer.'

Joe liep om zijn bureau heen tot voor de jongen en bood hem een sigaret aan. De jongen trok er met licht bevende vingers een uit het pakje, waarna Joe eerst hem vuur gaf en vervolgens zijn eigen sigaret aanstak. Hij trok een asbak over het bureau tot naast zijn heup, nam een lange haal en richtte zich opnieuw tot Henry Ames.

'Jongen, ik twijfel er geen moment aan dat mevrouw Del Fresco om vrienden te worden met jou een feestmaal aan wellustige verrukkingen voor je heeft aangericht. En ik...'

'Meneer, ik kan niet toestaan dat u ongepaste insinuaties doet ten aanzien van mijzelf of mevrouw Del Fresco.'

'Och, hou nou toch je mond, knul,' zei Joe vriendelijk terwijl hij hem op de schouder klopte. 'Waar was ik gebleven? Goed. Ik weet zeker dat mevrouw Del Fresco neuken en door haar geneukt worden het hoogtepunt van je leven tot nu toe is geweest en, als ik je zo bezie zal dat ook tot aan je dood het hoogtepunt blijven.'

De jongen was zo mogelijk nog bleker geworden. Als door een plotselinge embolie verstard keek hij Joe aan.

'En als ik jou was zou ik er eens bij stilstaan of je, in plaats van mevrouw Del Fresco behulpzaam te zijn bij haar plan om uit het gevang te komen, er niet veel beter alles aan zou kunnen doen om haar binnen te houden om jou in haar bed te noden en de veren te laten kraken zolang zij daar zin in heeft.' Hij glimlachte, klopte de jongen nog eens op zijn schouder en begaf zich weer achter zijn bureau. 'Ga naar huis, knul. Vooruit.' Joe ging zitten en wapperde met zijn vingers naar de jongen.

Henry Ames knipperde een paar keer met zijn ogen en stond op. Frunniken aan de voering van zijn hoed liep hij naar de deur, waar hij bleef staan, nu aan de rand van zijn hoed plukkend. 'Ze hebben al twee keer geprobeerd haar te vermoorden. Een keer in de bus erheen, de tweede keer onder de douche. Mijn oom heeft zijn hele leven in Raiford gewerkt en hij zei dat als ze eenmaal zijn begonnen met proberen je te vermoorden, ze uiteindelijk hun werk zullen afmaken. En dus zullen ze...' Hij keek naar de deurknop en toen opnieuw naar de vloer – zijn kaken maalden. 'Zullen ze haar doden. Ze weet het zeker, heeft ze me gezegd. En daarna zullen ze u doden.'

'Wie zijn "ze", jongen?' Joe tikte de as van zijn sigaret in de asbak.

'Dat weet zij alleen.' De jongen keek Joe met een starende blik aan. Hij had meer pit dan Joe hem op het eerste gezicht gegeven zou hebben. 'Maar ik moest u één naam geven.'

'De naam van de persoon die me komt vermoorden? Of van de man die hem ervoor inhuurde?'

'Ik heb geen idee, meneer. Ik moest u alleen de naam noemen.'

Joe doofde zijn sigaret. Hij voelde dat de jongen overwoog de deur uit te lopen nu hij Joe aan de haak had, al was het nog zo'n klein haakje. Hij had iets opstandigs dat de meeste van zijn vrienden en buren waarschijnlijk nooit te zien kregen. Deze jongen liet tot op zekere hoogte met zich sollen, maar hem te zeer in een hoek duwen zou een vergissing zijn.

'Nou?' zei Joe.

'Zult u haar dan helpen? Als ik u de naam noem?'

Joe schudde zijn hoofd. 'Dat zei ik niet. Die vriendin van jou is opgeklommen van valsspeler en zwendelaar tot een verdraaid goeie inbreker en huurmoordenaar. Vrienden heeft ze niet omdat die te bang zijn dat ze hen vroeg of laat zal bedriegen, beroven of vermoorden. Of alle drie. Dus sorry, jongen, wat mij betreft maak je dat je wegkomt met naam en al, en ik zal er geen seconde van wakker liggen. Maar, als je het graag aan me kwijt wilt, dan...'

De jongen knikte en liep de deur uit.

Joe kon zijn ogen niet geloven. Die knaap had ballen!

Hij pakte de telefoon en belde naar beneden, naar Richie Cavelli, die de achterdeur bemande, waardoor het merendeel van hun zakelijke goederen het gebouw binnenkwam. Hij vroeg hem om naar voren te lopen en de blonde knul op te vangen die door de hoofdingang naar buiten zou komen.

Joe pakte zijn colbert van de rugleuning van zijn stoel, trok het aan en liep zijn kantoor uit.

Maar Henry Ames stond hem op te wachten bij de ontvangstbalie, zijn hoed nog in de hand.

'Belooft u dat u haar zult opzoeken?'

Joe keek om zich heen in de receptie: Margaret, druk aan het tikken op haar Corona, haar ogen half dichtgeknepen tegen de rook van haar eigen sigaret. Een vertegenwoordiger van een graangroothandel in Naples. Een loopjongen van het ministerie van Oorlog. Joe knikte ze vriendelijk toe – *Steek je neus terug in je tijdschrift, niets te zien hier* – en keek de jongen recht aan.

'Natuurlijk, knul,' zei hij, om hem de deur uit te krijgen.

De jongen knikte en liet de rand van zijn hoed opnieuw door zijn vingers gaan. Hij keek op naar Joe. 'Gil Valentine.'

Joe wist de glimlach op zijn gezicht vast te houden, terwijl een plens ijswater de weg naar zijn hart en naar zijn ballen vond.

'Dus dat is de naam die je van haar moest noemen?'

'Gil Valentine,' zei de jongen nogmaals, waarna hij zijn hoed op-
zette. 'Nog een goeie dag, meneer.'

'Jij ook, knul.'

'Ik verwacht u gauw te zien, meneer.'

Joe zei niets. De jongen lichtte zijn hoed naar Margaret en liet
zichzelf uit. Joe zei: 'Margaret, bel even naar Richie beneden. De opdracht van daarnet mag hij vergeten, laat hem doorgaan met waar hij
mee bezig was. Hij staat bij de telefoon bij de hoofdingang.'

'Goed, meneer Coughlin.'

Joe glimlachte naar de loopjongen van het ministerie van Oorlog.
'David, toch?'

De man ging staan. 'Ja, meneer Coughlin.'

'Kom binnen,' zei Joe. 'Ik hoor dat het vaderland om extra alcohol
verlegen zit.'

Tijdens het gesprek met de knakker van het ministerie van Oorlog
en vervolgens dat met Wylie Wholesale, kon Joe de gedachte aan Gil
Valentine geen moment van zich afschudden. Gil Valentine was een
soort voorbeeld geweest in hun wereld. Zoals de meesten van hen
was hij opgekomen tijdens de hoogtijdagen van de drooglegging, en
hij was zowel een heel goede destillateur als dranksmokkelaar. Maar
zijn echte gave was die van het gehoor. Gil kon op de achterste rij bij
een show zitten en dan in een groep van twintig zanger-dansers de
ene eruit pikken die een ster zou worden. Hij zwierf langs nachtclubs
en schimmige danstenten door het hele land – in St. Louis, St. Paul,
Cicero, Chicago, Helena, Greenwood en Memphis, tot in de glitter-
wereld van New York en het sprankelende Miami – en kwam terug
met een paar van de grootste studioartiesten die de maffia ooit had
bezeten. Tegen de tijd dat alcohol weer mocht van de wet, was hij een
van de weinige mannen die zich, net als Joe, hadden voorbereid op
een rimpelloze overgang naar voornamelijk legale zaken.

Gil Valentine had zijn hele bedrijf naar de westkust verhuisd. Toen
hij aankwam in Los Angeles betaalde hij de juiste afdrachten aan
Mickey Cohen en Jack Dragna, ook al deed hij nauwelijks nog iets ille-
gaals. Hij richtte Cupid's Arrow Records op en rolde een schijnbaar

eindeloos lint van hits uit. Hij bleef percentages afdragen aan de mannen in Kansas City die hem op weg geholpen hadden en betaalde commissie aan elke maffiafamilie die eigenaar was geweest van de clubs waar hij zijn artiesten had ontdekt. In het voorjaar van 1939 organiseerde hij een tournee met de Hart Sisters en het Johnny Stark Orchestra, de zwarte zangers Elmore Richards en Toots McGeeks, en met de twee grootste smartlapartiesten van het land, Vic Boyer en Frankie Blake. In elke stad die werd aangedaan moesten ze twee extra optredens inlassen om aan de vraag te kunnen voldoen. Het was de grootse muziektournee in de geschiedenis van Noord-Amerika, en de jongens in Kansas City en alle andere jongens door het hele land die er een aandeel in hadden, hoe groot of klein ook, kregen hun geld.

Gil Valentine was de Centrale Bank met een draaideur in plaats van een kluis; hij verdiende geld als water voor zijn vrienden. En die hoefden niets anders te doen dan het uit te geven. Gil maakte geen vijanden. Samen met zijn vrouw Masie, twee dochters met een beugel en een zoon die baanwedstrijden liep, leidde hij een teruggetrokken leven in Holmby Hills. Hij had geen maîtresse, geen verslavingen, geen vijanden.

In de zomer van 1940 liet iemand Gil Valentine verdwijnen van een parkeerterrein in West-Los Angeles. Een halfjaar lang kamden de mannen van Cohen en van Dragna en maffiosi van naam uit stad en land Los Angeles uit op zoek naar hun eigen gouden jongen. Er werden handen gebroken, koppen ingeramd en knieën geknakt, maar niemand die ook maar iets wist.

En op een dag, terwijl de meeste speurders achter een gerucht van onduidelijke herkomst aanholden dat Gil Valentine zich bier drinkend ophield in het Mexicaanse vissersdorp Puerto Novo, net ten zuiden van Tijuana, kwam zijn zoon 's ochtends thuis van een vroeg klusje en trof zijn vader in canvas zakken verspreid aan in de achtertuin van de woning in Holmby Hills. Er was een zak voor elke arm, een zak voor elke hand. Een grote zak die zijn torso bevatte en een kleinere met zijn hoofd. Alles bij elkaar dertien zakken.

En niemand – noch de bazen in Kansas City, noch de bazen in Los Angeles en geen van alle honderden mannen die naar hem hadden gezocht, noch een van zijn partners in legale of illegale ondernemingen – wist waarom hij dood was.

Drie jaar later hoorde je de naam Gil Valentine nauwelijks meer noemen. Wie zijn naam in de mond nam gaf daarmee te kennen dat er dingen waren die buiten het bereik van het machtigste zakensyndicaat van de westerse wereld lagen. Omdat de boodschap van Gil Valentines dood duidelijker werd naarmate de tijd verstreek, en omdat het een eenvoudige boodschap was: iedereen kan vermoord worden. Op elk moment. Om elke reden.

Na het vertrek van de vertegenwoordiger van Wylie Wholesale bleef Joe alleen in zijn kantoor achter en staarde door het raam naar de wirwar van pakhuizen en fabrieken tot aan de haven. Toen pakte hij de telefoon en liet Margaret zoeken naar ruimte in zijn agenda van de volgende week voor een uitstapje naar Raiford.

3

Vader en zoon

De zoon van Joe Coughlin, Tomas, was bijna tien en kon niet liegen, een gênante eigenschap die hij zeker niet van zijn vader had. Joe had een stamboom waarvan de takken sinds eeuwen doorbogen onder het gewicht van troubadours, cafébazen, schrijvers, revolutionairen, magistraten en politiemannen – zonder uitzondering leugenaars – en nu had zijn zoon hen beiden in de problemen gebracht bij juffrouw Narcisa toen die hem had gevraagd hoe hij haar haar vond, en Tomas had gezegd dat het er wat onecht uitzag.

Juf Narcisa Rusen was hun huishoudster in Ybor. Ze zorgde voor een altijd volle ijskast, waste twee keer per week de lakens, kookte voor hen en paste op Tomas wanneer Joe weg moest voor zaken, wat vaak voorkwam. Ze was vijftig, minstens, maar ze verfde om de paar maanden haar haar. Veel vrouwen die zo oud waren als zij deden dat, maar de meesten hielden daarbij enigszins rekening met hun werkelijke leeftijd. Juffrouw Narcisa, daarentegen, liet haar kapper bij de Continental Beauty Shop haar haar zo zwart verven als een natte asfaltweg bij nieuwe maan, wat haar krijtwitte huid des te opvallender maakte.

'Het lijkt nep,' zei Tomas, zondagochtend in de auto onderweg naar de Sacred Heart, hun kerk in het centrum van Tampa.

'Maar zoiets zeg je niet tegen haar.'

'Ze vroeg het.'

'Precies, en dan vertel je haar wat ze graag horen wil.'

'Maar dat is liegen.'

'Nou ja,' Joe moest zijn best doen om de frustratie niet in zijn stem te laten doorklinken, 'het is een leugentje om bestwil. Dat is iets anders.'

'Waarom is dat iets anders?'

'Een leugentje om bestwil is onschuldig en klein. Gewone leugens zijn groot en gemeen.'

Tomas keek zijn vader met halfdichtgeknepen ogen aan.

Zelfs Joe begreep zijn eigen uitleg niet. Hij probeerde het opnieuw. 'Als je iets hebt gedaan wat niet mag, en ik, of een van de nonnen of priesters of juffrouw Narcisa, vragen je of je het gedaan hebt, dan zeg je ja, want anders vertel je een leugen en dat is niet goed.'

'Dat is een zonde.'

'Dat is een zonde,' stemde Joe in, maar het voelde alsof zijn negenjarige zoon een val voor hem zette. 'Maar als je een vrouw vertelt dat ze er mooi uitziet in een bepaalde jurk, ook al vind je van niet, of je zegt tegen een vriend...' Joe knipte met zijn vingers. 'Hoe heet dat vriendje van jou ook weer? Met die grote bril.'

'Bedoel je Matthew?'

'Matthew Rigert, die. Dus als je tegen Matthew zegt dat hij goed kan honkballen, dan bedoel je dat als iets aardigs. Eens?'

'Maar dat zou ik nooit tegen hem zeggen. Hij kan niet slaan. Hij kan niet vangen. En hij werpt twee meter over mijn hoofd.'

'Maar als hij je nou vroeg of hij misschien wel beter zou kunnen worden?'

'Dan zou ik zeggen dat ik dacht van niet.'

Joe keek schuin naar zijn zoon en vroeg zich af hoe zij tweeën familie van elkaar konden zijn. 'Je lijkt op je moeder.'

'Dat zeg je heel vaak de laatste tijd.'

'O ja? Nou, dan zal het wel waar zijn.'

Tomas was donker als zijn moeder, maar had de fijne trekken van zijn vader: een smalle neus, dunne lippen, een scherpe kaaklijn en uitstekende jukbeenderen. Hij had de donkere ogen van zijn moeder maar helaas ook haar zicht; al sinds zijn zesde liep hij met een bril. Hij was over het algemeen een rustige jongen, maar achter die rust gingen een passie en een flair voor dramatiek schuil die Joe aan zijn moeder toeschreef. En er lag ook een gevoel voor humor achter, een zekere voorliefde voor het absurde die zo kenmerkend was geweest voor Joe toen hij die leeftijd had.

Joe draaide de hoek om, waarna ze de toren van de Sacred Heart in zicht kregen. Het verkeer vertraagde tot een slakkengangetje en

44

kroop bumper aan bumper voort, hoewel het nog drie huizenblokken was naar de kerk, waarvan de parkeerterreinen langzaam volliepen terwijl de wachtrijen aangroeiden tot op straat. Op zondag was parkeerruimte bijna niet te krijgen, of je moest een halfuur voor aanvang van de mis komen. En zelfs dat was krap. Joe keek op zijn horloge: drie kwartier te vroeg.

In het voorjaar van 1943 bad iedereen. De kerk bood plaats aan achthonderd zielen, en de gelovigen zaten bank voor bank dichter opeengepakt dan stuivers in een rol. Sommige moeders baden voor hun zonen overzee. Anderen voor de ziel van degenen die onlangs in een kist waren teruggekomen. Vrouwen en vriendinnen deden hetzelfde. Niet-opgeroepen mannen baden voor een oproep van de dienstplichtcommissie of, heimelijk, dat ze nooit een oproep zouden krijgen. Vaders baden dat hun zoon thuis mocht komen of, als dat niet kon, dat hij zich wist te gedragen aan het front, maar wat er ook van hem worden moge, Heer, laat hem alstublieft geen lafaard zijn. Mensen van alle soorten en gezindten knielden en baden dat de oorlog Ginds mocht blijven en nooit meer Hier zou komen. Sommigen, die het einde der dagen voelden naderen, vroegen God nota van hen te nemen en hen te herkennen voor wat ze waren: leden van Zijn club, vroom en nederig smekend.

Joe rekte zijn hals om te zien hoeveel auto's er nog tussen hem en de dichtstbijzijnde ingang naar een parkeerterrein stonden. Het terrein net voorbij Morgan Street was nog steeds een dikke twintig auto's verderop. Voor hem gingen remlichten aan en hij moest opnieuw abrupt stoppen. Op de stoep passeerden het hoofd van politie en zijn vrouw, druk in gesprek met Rance Tuckston, de directeur van de First National Bank. Net achter hen liepen Hayley Gramercy, eigenaar van een supermarktketen, en zijn vrouw Trudy.

'Hé,' zei Tomas zwaaiend, 'daar is oom D.'

'Hij kan ons niet zien,' zei Joe.

Dion Bartolo, hoofd van de misdaadfamilie die zijn naam droeg, kwam uit een parkeerterrein een eindje verderop aan de rechterkant, waar naast de ingang een bord geprop stond: VOL. Hij werd geflankeerd door twee lijfwachten, Mike Aubrey en Geoff the Finn. Dion was een grote en doorgaans goedgevulde kerel, maar de laatste tijd begonnen zijn kleren wat om zijn lijf te slobberen en had hij ingevallen wangen gekregen. In kringen van handlangers en partners ging het gerucht over een ziekte. Joe, die hem beter kende dan wie ook, wist dat het niet waar was. Maar niet dat iemand dat iets aanging.

Dion deed de knopen van zijn colbert dicht en gebaarde zijn mannen hetzelfde te doen; zoals ze in de richting van de kerk liepen was het drietal een toonbeeld van brute macht. Joe had zulke macht ook gekend en dag en nacht lijfwachten om zich heen gehad. Hij miste het niet. Geen seconde. Wat ze je niet vertelden over absolute macht was dat het nooit absoluut was. Zodra je het had, was een ander al plannen aan het beramen om het van je af te pakken. Een prins sliep als een roos, een koning nooit. Je was altijd gespitst op het knerpen van een vloerplank of de piep van een scharnier.

Joe telde opnieuw de auto's voor hem: tien, misschien negen.

Alle bekende mensen uit de voorste banken liepen hier op straat of dromden samen voor de kerk. De knappe jonge burgemeester Jonathan Belgrave en zijn mooie en zelfs nog jongere vrouw Vanessa stonden beleefdheden uit te wisselen met Allison Picott en Deborah Minshew, twee jonge vrouwen wier mannen overzee dienden. Als de mannen van Allison en Deborah niet levend terug zouden komen, werd er gefluisterd, zouden zij die klap beter te boven komen dan de meeste anderen; deze vrouwen stamden uit twee van Tampa's oudste families, families waar straten en ziekenhuisvleugels naar waren vernoemd. De beide echtgenoten, daarentegen, waren omhoog getrouwd.

Tomas sloeg een pagina van zijn geschiedenisboek om – het joch zat altijd te lezen – en zei: 'Ik zei toch dat we te laat zouden komen?'

'We zijn niet te laat,' zei Joe. 'We zijn nog steeds vroeg. Andere mensen zijn gewoon nog vroeger vroeg.'

Zijn zoon trok een wenkbrauw naar hem op.

Joe zag het stoplicht op de volgende kruising van rood naar groen springen. En vanwaar ze stonden zag hij het ook weer naar oranje en rood springen zonder dat ze ook maar één plek waren opgeschoven. Om wat afleiding te hebben en rekenend op oorlogsnieuws, dat continu doorging, alsof er geen ander nieuws was, alsof mensen geen weerberichten of beurskoersen meer nodig hadden, zette hij de radio aan. Hij was echter onaangenaam verrast bij het horen van een hijgerig verslag van een massa-arrestatie in de drugswereld de vorige avond in een buitenwijk van Ybor City.

'Hier in de zwarte wijk van onze stad, net ten zuiden van Eleventh Avenue,' zei de verslaggever op een toon alsof hij het over een buurt had waar alleen overmoedige mensen of domkoppen een voet durfden te zetten, 'heeft de politie naar schatting zeven kilo narcotica in beslag genomen en schoten gewisseld met genadeloze gangsters, zowel negers als Italianen. Korpscommandant Edson Miller, van het hoofdbureau van politie van Tampa, meldt dat zijn mannen op dit moment onderzoek verrichten naar de achtergrond van alle gearresteerde Italianen, teneinde zich ervan verzekerd te weten dat zich onder hen geen saboteurs bevinden die door Mussolini zelf naar onze kust zijn gestuurd. Vier verdachten werden door de politie gedood, terwijl een vijfde, Walter Grimes, zelfmoord pleegde in zijn cel. Korpscommandant Miller bevestigde ook dat de politie het drugspakhuis al een paar maanden observeerde alvorens men gisteravond binnenvie...'

Joe deed de radio uit om niet nog een leugen te hoeven aanhoren. Wally Grimes was ongeveer zo suïcidaal als de zon, alle 'Italianen' waren hier geboren en het 'drugspakhuis' was in het geheel geen pakhuis. Het was een kookgelegenheid die pas sinds vrijdagavond in gebruik was, zodat niemand het al een week had kunnen observeren, laat staan een maand.

Maar erger dan alle leugens waren de verloren manschappen, onder wie een meesterkok en verschillende prima soldaten, en dat in een tijd waarin dappere en geschikte krachten steeds moeilijker te krijgen waren.

'Ben ik een neger?' vroeg Tomas.

Joe draaide zijn hoofd met een ruk zijn kant op. 'Wat?'

Tomas maakte een gebaar met zijn kin in de richting van de radio. 'Nou?'

'Wie zei dat je dat was?'

'Martha Comstock. Sommige kinderen noemden me een latino, maar Martha zei: "Nee, hij is een nikker."'

'Is dat die kleine trol met de drie onderkinnen die verdomme nooit haar snavel houdt?'

Er gleed een glimlach over Tomas' gezicht. 'Ja, die.'

'En zij noemde jou dat?'

'Het kan me niet schelen,' zei hij.

'Ik weet dat het je wel kan schelen. De vraag is alleen hoe erg.'

'Oké, hoe erg ben ik een nikker?'

'Hé,' zei Joe, 'heb je me dat woord ooit horen gebruiken?'

'Nee.'

'Weet je ook waarom?'

'Nee.'

'Niet omdat ik er een probleem mee heb, maar je moeder had er een hekel aan.'

'Nou, hoe zwart ben ik dan?'

Joe haalde zijn schouders op. 'Wat ik weet is dat sommige van haar voorouders slaven waren. Dus haar stamboom is vast begonnen in Afrika en toen kwam er Spaans bloed bij, en misschien zijn er ook ergens onderweg wel een paar blanken in terechtgekomen.' Zijn vader trapte op de rem omdat de auto voor hen abrupt tot stilstand kwam. Hij legde zijn hoofd een ogenblik tegen de rugleuning van zijn stoel. 'Waar ik zo van hield in je moeders gezicht was dat je er de hele wereld in kon zien. Soms keek ik naar haar en dan zag ik een *condesa* door haar wijngaard in Spanje wandelen. Maar soms ook zag ik een inheemse vrouw die water uit de rivier haalde. Ik zag jouw voorouders woestijnen en oceanen oversteken of in de oude stad over straat lopen met pofmouwen en een zwaard in de schede.' Toen de auto voor hen in beweging kwam haalde hij voorzichtig zijn voet van de rem, schakelde en ging rechtop zitten. Hij zuchtte zo licht dat Tomas niet goed wist of hij het wel gehoord had. 'Je moeder had een prachtig gezicht.'

'En jij kon er al die dingen in zien?'

'Niet elke dag. Meestal zag ik gewoon je moeder.' Hij keek opzij naar zijn zoon. 'Maar na een paar glaasjes wist je nooit wat er kwam.'

Tomas lachte en Joe kneep hem even stevig in zijn nek.

'Zeiden de mensen nikker tegen mijn moeder?'

Zijn vaders ogen vulden zich met een koude gloed die kokend water kon doen bevriezen. 'Niet waar ik bij was.'

'Maar je wist dat ze het dachten.'

Zijn vaders gezicht verzachtte en zijn blik werd vriendelijk. 'Wat onbekenden dachten deed me nooit zoveel, jongen.'

'Maar papa,' zei Tomas, 'kan het je ook maar iets schelen wat anderen denken?'

'Wat jij denkt vind ik belangrijk,' zei Joe. 'En je moeder.'

'Die is dood.'

'Ja, maar ik stel me graag voor dat ze ons ziet.' Zijn vader draaide het raampje omlaag en stak een sigaret op. Hij nam de sigaret in zijn linkerhand en liet zijn arm naar buiten hangen. 'Het kan me schelen wat je oom Dion vindt.'

'Ook al is hij niet je broer.'

'In veel opzichten is hij meer een broer voor me dan mijn echte broers.' Zijn vader haalde zijn hand naar binnen om een trek van zijn sigaret te nemen en liet hem, uitblazend, weer uit het raam zakken. 'Wat mijn vader vond, dat kon me ook schelen, hoewel hij daar wel van opgekeken zou hebben. En daarmee is mijn lijstje wel zo'n beetje compleet.' Hij schonk zijn zoon een bedroefde glimlach. 'Voor de meeste mensen heb ik geen plek in mijn hart. Ik heb niks tegen ze, maar ook niks voor.'

'Zelfs niet voor de mensen die in de oorlog zijn?'

'Die mensen ken ik niet.' Zijn vader staarde uit het raam. 'Eerlijk gezegd zou het me een zorg zijn of ze het overleven of niet.'

Tomas dacht aan alle doden en Europa en Rusland, en in de Stille Zuidzee. Soms droomde hij dat ze bij duizenden bebloed en kapot verspreid lagen over donkere velden of stenen pleinen, met hun armen en benen vreemd gedraaid, met open mond en stijf bevroren. Hij wilde dat hij een geweer kon oppakken om voor hen te vechten en al was het maar één van hen te redden.

Maar zijn vader keek naar de oorlog zoals hij naar de meeste dingen keek: als een kans om meer geld te verdienen.

'Dus ik moet me er niks van aantrekken?' vroeg Tomas na een tijdje.

'Nee,' zei zijn vader. 'Schelden doet geen zeer, onthoud dat maar.'

'Oké. Dat zal ik proberen.'

'Grote kerel.'

Zijn vader keek hem aan met een zelfverzekerde glimlach, alsof hij daarmee alles kon fiksen, en ten slotte draaiden ze het parkeerterrein op.

Ze passeerden Rico DiGiacomo, die net het terrein af kwam lopen.

Rico was Joe's lijfwacht geweest totdat Joe zich een jaar of zes geleden realiseerde dat hij geen lijfwacht meer nodig had, en zelfs al had hij er een nodig, dan was Rico te slim en te getalenteerd om in die baan te blijven hangen. Rico roffelde met zijn knokkels op Joe's motorkap en schonk hem zijn bekende grijns, het soort smile dat een heel stadion kon verlichten. Naast hem liepen zijn moeder, Olivia, en zijn broer, Freddy. De oude dame leek een rekwisiet uit een griezelfilm, een volledig in het zwart gehulde boze geest die uit het moeras was komen aan zweven toen iedereen sliep.

Toen de DiGiacomo's doorliepen vroeg Tomas: 'Wat nou als er geen plaats meer is?'

'Er is nog maar één auto voor ons,' zei Joe.

'Maar wat als dat de laatste auto is die er nog bij kan?'

'Wat schiet ik ermee op om daarover in te zitten?'

'Ik dacht alleen dat je met die mogelijkheid rekening moest houden.'

Joe staarde zijn zoon aan. 'Zeg, weet je wel zeker dat wij familie van elkaar zijn?'

'Dat weet jij beter dan ik,' zei Tomas, en hij kroop weer in zijn boek.

4

Afwezigheid

Joe en Tomas gingen achter in de kerk zitten, niet alleen omdat ze later waren dan de meeste andere gelovigen, maar ook omdat Joe in elke ruimte het liefst de achterwand opzocht.

Behalve Dion (voorste bank links) en Rico DiGiacomo (vijfde bank rechts), ontdekte Joe nog een paar compagnons in de menigte – stuk voor stuk moordenaars – en hij vroeg zich af wat Jezus ervan zou vinden als Hij werkelijk van boven op hen neer keek en hun gedachten kon lezen.

Wacht, zou Jezus denken, jullie hebben het niet begrepen.

Op het altaar ging de preek van pastoor Ruttle over de hel. Hij werkte het hele rijtje af, van vuur en demonen met hooivorken tot vogels die hun snavel in je lever zetten, maar toen sloeg hij een weg in die Joe niet voorzien had.

'Maar wat is erger dan al die straffen? Genesis leert ons dat de Heer neerzag op Adam en zei: "Het is niet goed dat de mens alleen is." En dus schiep de Heer Eva. En Eva bracht opschudding en verraad in het paradijs, dat is waar, en daarmee veroordeelde ze ons allemaal tot het dragen van de gevolgen van de erfzonde. Ook dat is waar. En de Heer zal geweten hebben dat die dingen zouden gebeuren omdat Hij immers alwetend is. Maar toch schiep Hij haar voor Adam. Waarom? Stel uzelf die vraag: waarom?'

Joe keek vluchtig om zich heen in een poging om behalve Tomas nog iemand te vinden die oprecht over die vraag leek na te denken. De meeste kerkgangers keken alsof ze in gedachten met hun boodschappenlijstje bezig waren, of met het avondeten.

'Hij schiep Eva,' zei pastoor Ruttle, 'omdat Adam zo alleen te zien meer was dan Hij verdragen kon. Want alleen zijn is de ergste van alle hellestraffen.' Hij sloeg met zijn vuist op de kansel en de gemeente schrok wakker. 'Hel is de afwezigheid van God.' Weer die vuist op het fraaie houtsnijwerk. 'Het is de afwezigheid van licht. Het is de afwezigheid van liefde.' Hij strekte zijn nek zo ver mogelijk om zijn blik over alle achthonderd zielen in zijn gehoor te laten glijden. 'Begrijpt u dat?'

Ze waren geen baptisten, dus er werd van hen geen antwoord verwacht. Maar er klonk wel gemompel in de schare.

'Heb vertrouwen in de Heer,' zei de pastoor.

'Eer Hem, toon berouw voor uw zonden,' zei hij, 'en u zult Hem kennen in de hemel.

Maar toon geen berouw?' Hij keek opnieuw rond. 'En u zult uit Zijn ogen verstoten worden.'

Het kwam door zijn stem, realiseerde Joe zich, dat ze zich zo gegrepen voelden. Anders sprak de pastoor vlak en goedaardig, maar de preek van deze ochtend had daar iets aan veranderd, had hem veranderd. Hij had gesproken met een ondertoon van wanhoop en verlies, alsof wat hij had verkondigd – de hel als een oneindige en ondoordringbare leegte – voor de ouder wordende priester bijna te hopeloos was om bij stil te staan.

'Gaat allen staan.'

Samen met de hele gemeente stonden Joe en Tomas op. Joe had het nooit moeilijk gevonden om berouw te tonen. Voor zover het een man met zijn soort zonden gegeven was berouw te tonen had hij tienduizenden dollars in ziekenhuizen, scholen, tehuizen, wegen en sanitaire voorzieningen gestoken, en niet alleen in Boston, waar hij was opgegroeid en waar hij verschillende belangen had, of in Ybor City, zijn aangenomen thuis, maar ook op Cuba, waar hij een groot deel van het jaar doorbracht te midden van de tabaksvelden in het westen.

Maar gedurende een paar minuten geloofde hij inderdaad dat de oude pastoor wellicht een punt had. Een van Joe's diepste geheimen was zijn allesomvattende angst voor eenzaamheid. Voor alleen zijn was hij niet bang – in feite was hij erop gesteld – maar die zelfgekozen afzondering was iets wat hij op elk moment met een vingerknip kon verbreken. Hij omringde zijn afzondering met werk, liefdadigheid en het ouderschap. Hij kon het zelf regelen.

Als kind had hij dat niet gekund. De eenzaamheid was hem opgedrongen, samen met de ironie dat zij die er het meest toe hadden bijgedragen dat hij als een eenzaam kind zou opgroeien in de kamer naast de zijne sliepen.

Hij keek naar zijn zoon en gaf hem een aai over zijn bol. Tomas keek hem een moment licht geschrokken en verbaasd aan, maar glimlachte toen, waarna hij zijn blik weer op het altaar richtte.

Je zult je vast het nodige over me afvragen als je groter wordt, dacht Joe, en hij legde zijn hand in de nek van zijn zoon, maar je zult je nooit niet liefgehad, niet gewenst of eenzaam voelen.

5

Onderhandelingen

Het napraten na de mis duurde vaak even lang als de mis zelf.

Buiten, in het heldere ochtendlicht, bleven burgemeester Belgrave en zijn vrouw boven aan de trap staan, waar ze algauw omgeven waren door een wirwar van kerkgangers. Dion groette Joe met een knikje en Joe reageerde met eenzelfde knikje. Hij en Tomas werkten zich door de menigte en liepen om naar het achterterrein. Achter de kerk was de parochieschool met een omheind schoolplein waar de mannen elkaar elke zondag troffen om zaken te bespreken. Aan het schoolplein grensde een tweede en kleiner plein voor de leerlingen uit de lagere klassen, en dat was de plek waar de vrouwen en kinderen bij elkaar kwamen.

Joe bleef bij het eerste plein staan en Tomas liep door naar het tweede om zich bij de andere kinderen te voegen. Toen Joe zijn zoon nakeek bekroop hem een gevoel van hulpeloosheid of zelfs een milde vorm van verdriet. Het leven bestond uit verlies; Joe begreep dit. Maar de laatste tijd was hij zich daar scherper van bewust dan ooit. Zijn zoon was acht jaar verwijderd van zijn gang naar de universiteit, en telkens wanneer hij ergens heen liep – waarheen deed er niet toe – had Joe het gevoel dat hij rechtstreeks zijn leven uit liep.

Joe was bang geweest dat een jongen die opgroeide zonder een moeder te hard en te flink zou worden. Tomas had het moeten stellen met uitsluitend mannelijke invloed om zich heen – zelfs juffrouw Narcisa, met haar bruuske manieren, haar strenge gezicht en haar ijzige weerzin tegen gevoelens was, zoals Dion al meermalen had opgemerkt, meer een kerel dan de meesten van hen. Daarbij was de jongen opgegroeid in een soldatencultuur, waarin de mannen in zijn dagelijkse omgeving ergens op hun lichaam een wapen droegen

– hij had wel blind moeten zijn om er in de loop van de jaren niet een stel opgemerkt te hebben – en een paar van die mannen waren verdwenen. Waar ze gebleven waren kon Tomas niet weten, omdat niemand het ooit nog over ze had. Joe was verbaasd te zien hoe zijn zoon zich zonder enige zachtheid in zijn leven ontwikkelde tot een rustige en vriendelijke jongen. Als hij een door de hitte bevangen hagedis vond op de veranda (waar je ze meestal 's zomers vond, al haast versteend), schoof hij er een luciferdoosje onder en nam hem mee naar de tuin, om het diertje op de vochtige aarde in de schaduw onder de bladeren te zetten. Op jongere leeftijd sloot hij voortdurend vriendschap met jongens die thuis of op school gepest werden. Erg atletisch was hij niet, of misschien had hij gewoon geen belangstelling voor sport. Zijn cijfers waren maar matig, en toch waren zijn leraren het erover eens dat hij in inzicht zijn leeftijd vooruit was. Hij hield van schilderen. En tekenen met een dik potlood. Zijn schilderijen waren meestal stadsgezichten, met gebouwen die om de een of andere reden altijd scheef stonden, alsof alle steden op los zand gebouwd waren. De tekeningen waren allemaal van zijn moeder. Ze hadden maar één foto van haar in huis, waarop de helft van haar gezicht beschaduwd was, maar de tekeningen die hij maakte kregen in de loop van de jaren een bijna griezelige gelijkenis, voor een jongen van negen die amper twee was toen ze stierf.

Joe had hem er een keer naar gevraagd. 'Hoe weet je hoe ze eruitziet van één foto? Herinner je je haar?'

'Nee,' zei de jongen. Er klonk geen verlies door in zijn stem. Het was alsof Joe hem naar zomaar iets willekeurigs uit die periode had gevraagd: Herinner je je wieg nog? Je teddybeer? De hond die we hadden op Cuba en die onder een vrachtwagen met tabak kwam? Nee.

'Maar hoe komt het dan dat je haar gezicht zo goed kunt tekenen?'

'Door jou.'

'Door mij?'

Tomas knikte. 'Je vergeleek altijd van alles met haar. Je zei: "Je moeders haar was die kleur, maar dikker," of: "Je moeder had zulke sproeten, maar die liepen langs haar sleutelbeen."'

Joe zei: 'Deed ik dat echt?'

Weer een knik. 'Ik geloof niet dat je weet hoeveel je vroeger over haar praatte.'

'Vroeger?'

Zijn zoon keek hem aan. 'Je doet het niet meer. Nou ja, niet zoveel meer.'

Joe wist wel waarom, ook al wist zijn zoon dat niet, en hij stuurde een stil excuus naar Graciela. Ja, lief, je zakt weg, zelfs jij.

Dion gebaarde zijn lijfwachten een stap opzij te doen, waarop hij en Joe elkaar de hand schudden en in de lange schaduw van de kerk gingen staan om op de broertjes DiGiacomo te wachten.

Dion en Joe waren al vrienden sinds de tijd dat ze als jongens de straten van Zuid-Boston onveilig maakten. Ze hadden samen opgetrokken als bandieten, criminelen en uiteindelijk gangsters. Ooit had Dion voor Joe gewerkt. Nu werkte Joe voor Dion. In zekere zin. Hoe het precies in elkaar zat was niet altijd even helder. Joe was niet langer een baas en Dion wel. Maar Joe was een actief lid van de Commissie. Een baas bezat meer macht dan ieder individueel lid van de Commissie, maar de Commissie was machtiger dan enige baas afzonderlijk. Soms kon dat tot lastige situaties leiden.

Rico en Freddy lieten niet lang op zich wachten, hoewel Rico, met zijn filmsterrenuiterlijk en zijn charme, onderweg links en rechts handen schudde. Maar Freddy zag er even nors en verward uit als altijd. Hij was de oudste van de twee, maar zijn jongere broer had alle opbrengsten uit de genetische jackpot toebedeeld gekregen. Rico had het knappe uiterlijk, de charme en de intelligentie getrokken, Freddy het eeuwige gevoel dat de wereld hem iets verschuldigd was. Iedereen was het erover eens dat Freddy goede verdiensten genereerde, hoewel niet half zo goed als zijn broer, natuurlijk, maar met zijn hang naar nodeloos geweld en een paar vraagtekens omtrent zijn seksuele voorkeuren, wist iedereen dat hij zonder zijn broer Rico nog steeds een gewone voetsoldaat zou zijn.

Ze schudden elkaar de hand – Rico deed er nog een klap op Joe's schouder en een kneepje in Dions wang bij – en kwamen ter zake.

Het eerste agendapunt was de vraag wat ze konden doen voor het gezin van Shel Gold, nu Shel een of andere spierziekte had en in een rolstoel terecht was gekomen. Shel was joods en dus geen lid van de Familie, maar in de loop van de jaren had hij een hoop geld voor ze binnengebracht, en je kon geweldig met hem lachen. In het begin, toen hij soms zomaar viel en een van zijn oogleden begon te hangen, dachten ze nog dat hij iedereen voor de gek hield. Maar nu hing hij in een rolstoel, kon niet al te best uit zijn woorden komen en verkrampte van tijd tot tijd. Hij was pas vijfenveertig, had drie kinderen bij zijn vrouw, Esther, en nog eens drie verspreid over de donkerder wijken van de stad. Ze besloten Esther vijf honderdjes en een fruitmand toe te stoppen.

Het volgende punt van overweging was of de Commissie de deur naar het lidmaatschap moest openzetten voor Paul Battalia, die de boel had gladgestreken met de lui van de reinigingsdienst en binnen een halfjaar de omzet had verdubbeld in de wijk die hij had geërfd van Salvy LaPretto, wat veel mensen bevestigde in hun oordeel dat Salvy, nu zes maanden dood na drie beroertes in één week, de meest werkschuwe gangster was sinds Ralph Capone.

Rico DiGiacomo vroeg zich af of Paul niet te jong was om al een gemaakt lid te zijn. Zes jaar geleden had Joe Rico – toen nog een snotneus van een jaar of negentien, jezus – aangespoord om ambitieuzer te worden. Nu had Rico verschillende wedkantoren, twee bordelen en een fosfaattransportbedrijf. Bovendien, en wel zo lucratief, had hij het overgrote deel van de havenarbeiders in zijn zak. En net als Joe leek hij daarin geslaagd te zijn zonder al te veel vijanden te maken, wat een wonder mocht heten in hun branche, veel indrukwekkender dan water in wijn veranderen of het scheiden van de wateren in een bijna drooggevallen zee bij afgaand tij. Toen Dion naar voren bracht dat Paul een jaar ouder was dan Rico zelf was geweest toen hij tot de Familie werd toegelaten, keken ze allebei naar Joe. Joe kon als Ier nooit een gemaakt lid worden, maar als lid van de Commissie wist hij beter dan de rest hoe Battalia's kansen zouden liggen.

'Ik zal niet zeggen dat er geen uitzondering gemaakt kan worden,' zei Joe, 'maar de boel zit toch behoorlijk op slot zolang die toestand in Europa voortduurt. De vraag is of Paul die uitzondering moet zijn.' Hij keek Dion aan. 'Nou?'

'Hij kan nog een jaartje op de reservebank,' zei Dion.

Ginds op het andere schoolplein deelde mevrouw DiGiacomo een tik uit aan een kind dat te dicht langs haar holde. Freddy, de meer plichtsgetrouwe van de twee zonen, hield haar nauwlettend in het oog. Maar, vroeg Joe zich niet voor het eerst af, was zij de enige aan wie zijn blik bleef kleven daarginds? Soms vond Freddy het nodig om zijn moeder op te gaan halen voordat ze uit zichzelf vertrok, en hij kwam er altijd vandaan met zweet op zijn bovenlip en een wazige blik in zijn ogen.

Maar deze keer keek hij tamelijk alert weg van zijn moeder en het schoolplein vol kleine kinderen en hield de ochtendkrant op voor zijn borst. 'Is er iemand die hier iets over wil zeggen?'

Rechtsonder op de voorpagina stond een artikel over de inval bij het drugslab in Brown Town.

'Hoeveel heeft die grap ons gekost?' vroeg Dion met een blik op Joe en Rico.

'Nu al?' zei Joe. 'Ongeveer tweehonderdduizend.'

'Wat?'

Joe knikte. 'Er is daar twee maanden voorraad naar de kloten gegaan.'

Rico zei: 'Maar dat is dus nog zonder rekening te houden met wat er gebeurt als onze concurrenten in het gat springen en wat klantenvertrouwen opbouwen. En wat je ook niet meetelt is het verlies aan personeel – een van Montooth z'n jongens dood, een van ons, plus negen in de bak. De helft van die gasten runden wedkantoortjes en de andere helft gokhallen. We moeten die lui hun wijken afdekken, vervangers vinden, jongens een schop omhoog geven en andere lui vinden om die dan weer te vervangen. Het is een puinhoop.'

Dion stelde de vraag die niemand wilde stellen: 'Hoe wisten ze het?'

Rico maakte een krachteloos gebaar met zijn handen. Joe slaakte een diepe zucht.

Freddy zei wat voor de hand lag: 'We hebben een godvergeten verrader in huis, een rat. Of de nikkers hebben er een bij hen. Ik durf te wedden de nikkers.'

'Waarom?' vroeg Joe.

Freddy begreep hem niet. 'Omdat het nikkers zijn, Joe.'

'Denk je niet dat zij ook wel weten dat we hen als eerste zouden verdenken als we voor bijna een kwart miljoen aan handel het schip in gingen? Montooth Dix is een slimme vent. Een halve legende. En die gast zou ons verlinken? Waarvoor?'

'Wie zal het zeggen,' zei Freddy. 'Misschien kwam hij knijp zonder dat wij er iets van wisten. Hebben ze een van zijn vrouwen betrapt zonder verblijfsvergunning. Wie zal het zeggen wat ervoor nodig is om van een nikker een informant te maken.'

Joe keek naar Dion, die zijn handen hief, als om te zeggen dat Freddy hier wel een punt had.

'De enige twee mensen buiten ons die wisten waar dat drugslab ging komen,' zei Dion, 'waren Montooth Dix en Wally Grimes.'

'En Wally Grimes,' zei Rico, 'is niet meer onder ons.'

'Wat heel goed uitkomt,' zei Joe, met een blik op Freddy, 'voor iemand die, laten we zeggen, Montooth Dix uit de goktenten en uit de drugsbusiness in Brown Town zou willen drukken.'

'Wou je zeggen dat iemand Montooth erin heeft geluisd als mogelijke verrader, zodat wij hem zouden verdenken?' vroeg Freddy met een vreemde grijns op zijn gezicht.

'Nee,' zei Joe. 'Ik wil alleen maar zeggen dat als Montooth inderdaad de informant is, dat heel gunstig zou zijn voor iemand die aast op de cash die hij daar binnenhaalt.'

'Ik sta hier om een paar centen te verdienen. Precies waarom Onze-Lieve-Heer' – Freddy sloeg snel een kruisje – 'ons op de wereld heeft gezet.' Hij haalde zijn schouders op. 'Ik ga me hier niet lopen verontschuldigen. Montooth Dix haalt zoveel binnen dat hij een bedreiging is voor ons allemaal.'

'Of alleen voor jou?' vroeg Joe. 'Ik hoor dat jouw mensen een paar zwarten daar lelijk hebben toegetakeld, Freddy.'

'Zij doen moeilijk, Joe, dan wij ook.'

'En denk je niet dat zij datzelfde gevoel hebben over jullie?'

'Maar Joe,' zei Freddy, de redelijkheid zelf, 'het zijn maar nikkers.'

Behalve dat hij ijdel en arrogant was, en er heimelijk van overtuigd dat hij nog nooit iemand was tegengekomen die zo slim was als hijzelf, had Joe Coughlin zich met moord, diefstal, mishandeling en aanslagen een weg door zijn zevenendertig jaar op deze planeet gebaand. Daarom voelde hij zich zelden moreel superieur aan wie ook. Maar nooit zou hij begrip hebben voor de racisten in zijn omgeving, al had hij nog honderd levens te gaan. Het scheen hem toe dat elk ras op een bepaald moment in de geschiedenis wel een keer de plaatselijke nikker was geweest. En zodra de zwarte nikkers salonfähig waren zou prompt het volgende ras van verschoppelingen worden aangewezen, misschien zelfs door de nikkers die net de vluchthaven van achtenswaardigheid bereikt hadden.

Hij vroeg zich af, en niet voor de eerste keer, hoe het kon dat ze een vent als Freddy zijn eigen ploeg hadden toegestaan. Maar het was hetzelfde probleem waar iedereen mee zat door deze oorlog: goede krachten waren gewoon niet te vinden. Plus, hij was Rico's broer, en soms moest je het goede binnenhalen en het slechte op de koop toe nemen.

Joe zei tegen Dion: 'Dus, wat doen we?'

Dion stak opnieuw de brand in zijn sigaar, een oog toegeknepen. 'We kijken hoe we die rat kunnen vinden. Tot dan doet niemand iets. Niemand zorgt voor problemen.' Hij deed zijn oog open en richtte het op Freddy en Rico. 'Helder?'

'Als glas,' zei Rico.

Tomas trof zijn vader op het buitenste schoolplein, en ze liepen samen naar de voorkant van de kerk. Toen ze de richting van Twiggs Street insloegen, kruisten de burgemeester en zijn vrouw hun pad. De burgemeester groette Joe met een tikje tegen zijn hoed. Zijn jonge vrouw schonk Joe en Tomas een opgewekte, zij het wat afstandelijke glimlach.

'Meneer de burgemeester,' zei de burgemeester met een joviale lach, terwijl hij Joe stevig de hand schudde.

In de tijd van Joe's regentschap, in de jaren twintig tot vroeg in de jaren dertig, hadden de Cubanen en de Spanjaarden hem de titel 'Burgemeester van Ybor' gegeven. En zelfs nu nog zag je dat soms tussen haakjes in de krant staan als hij werd genoemd.

Aan de zuinige blik op Vanessa Belgraves gezicht merkte Joe dat zij geen fan was van die bijnaam.

'U staat aan het roer in deze stad, meneer. Daar bestaat geen twijfel over. Kent u mijn zoon, Tomas?'

Jonathan Belgrave boog voorover om Tomas een hand te geven. 'Hoe gaat het met je, Tomas?'

'Goed, meneer. Dank u wel.'

'Ik hoor dat je vloeiend Spaans spreekt.'

'Ja, meneer.'

'Dan moet jij maar naast me zitten als ik de volgende keer met de

Circulo Cubano en de vakbonden van sigarenmakers onderhandel.'

'Ja, meneer.'

'Afgesproken, knul. Goed.' De burgemeester lachte, gaf Tomas een klopje op zijn schouder en richtte zich op. 'En u kent Vanessa natuurlijk.'

'Mevrouw de burgemeester,' zei Joe.

'Meneer Coughlin.'

Zelfs in de beste kringen van Tampa, waar snobisme en een ijskoude houding de norm waren, was de kilte die Vanessa Belgrave paraat had voor mensen die zij als tweederangs beschouwde legendarisch.

En van Joe moest ze al helemaal niets hebben. Hij had ooit een verzoek van haar geweigerd omdat ze zich had gepresenteerd als iemand die recht had op een gunst in plaats van iemand die om een gunst kwam vragen. Haar man was toen net tot burgemeester gekozen en bezat nog op geen stukken na de macht die hij nu had, maar Joe had uit overwegingen van hoffelijkheid toch de zaak met hem gladgestreken door hem een hijskraan te lenen waarmee het standbeeld van majoor Francis Dade voor het nieuwe gebouw van het waterleidingbedrijf geplaatst kon worden. Tegenwoordig ontmoetten de burgemeester en Joe elkaar af en toe voor een borrel en een maaltijd, maar Vanessa Belgrave liet er geen onduidelijkheid over bestaan dat er met háár niets glad te strijken viel; haar mening zou niet veranderen. Men had haar over Joe horen praten als 'de Yankee-gangster met zijn Yankee-gebrek aan manieren en Yankee-gebrek aan tact'.

De burgemeester richtte zich met een afwachtende glimlach tot zijn vrouw. 'Vraag het hem.'

Joe hield zijn hoofd een tikje schuin en wendde zich naar de jonge vrouw. Haar reputatie was zo intimiderend dat hij vaak vergat hoe mooi ze was, haar lippen even rood als haar haar – een rood zo donker als geronnen bloed.

'U wilde mij iets vragen?'

Ze zag hoe hij van het moment genoot en het bracht een nauwelijks zichtbaar trekje teweeg van haar linkermondhoek, waarop ze hem met haar helderblauwe ogen aankeek. 'U bent op de hoogte van mijn stichting?'

'Natuurlijk,' zei Joe.

'Net als de meeste liefdadigheidsinstellingen tijdens een oorlog is die bijna blut, durf ik u wel te zeggen.'

'Het spijt me dat te moeten horen.'

'Maar die van u schijnen te floreren.'

'Hoe bedoelt u?'

'Kom nou toch, meneer Coughlin, uw liefdadige werken hier in Tampa. Ik zag dat u net een nieuw opvangtehuis voor vrouwen hebt laten bouwen in Lutz.'

'Maar dat is een direct gevólg van de oorlog,' zei Joe. 'Steeds meer vrouwen moeten het plotseling zonder man stellen, of middelen om hun kinderen te onderhouden. En zelfs nog meer kinderen raken hun vader kwijt.'

'Zeker, natuurlijk,' zei Jonathan Belgrave, 'daar zit een hoop waarheid in, Joe. Maar toch is het zo dat alle charitatieve fondsen die niet bijdragen aan de oorlogsinspanning een flinke tik hebben gekregen in hun portemonnee. Maar die van jou gaan kennelijk nog steeds als een trein. En potverdorie, dat feest dat je gaf vlak voor kerst, ik durf te wedden dat dat een flinke duit heeft opgeleverd.'

Joe grinnikte en stak een sigaret op. 'Maar goed, wat zou u van me willen hebben – een lijstje van mijn donoren?'

'Eigenlijk,' zei Vanessa, 'is dat precies wat ik graag zou hebben.'

Joe blies kuchend uit. 'Meent u dat?'

'Nou ja, ik zal niet zo tactloos zijn u te vragen mij die lijst hier ter plekke even te overhandigen. Ik zou u graag een plaats aanbieden in het bestuur van de Sloane Foundation.'

Vanessa Belgraves geboortenaam was Vanessa Sloane. Ze was opgegroeid als enig kind van Arthur en Eleanor Sloane uit Atlanta. De familie Sloane – die van de houthandelaren, de bankiers, de textielbaronnen, de dure zomerhuizen en elk jaar twee galafeesten die telkens weer de lat legden voor alle societyevenementen in het hele zuiden – kon bogen op generaals in zowel de Onafhankelijkheidsoorlog als de Burgeroorlog. Koninklijker dan de Sloanes waren ze in Georgia niet te vinden.

'Is er een vacature?'

De burgemeester knikte. 'Jeb Toschen is overleden.'

'Gecondoleerd.'

'Hij was tweeënnegentig,' zei de burgemeester.

Joe keek Vanessa recht in haar heldere ogen. Ze stond zich overduidelijk te verbijten. Maar het was waar dat geen van de andere plaatselijke goede doelen het hoofd boven water hield hoewel die van Joe zo niet floreerden, dan toch zeker standhielden. Dit had gedeeltelijk te maken met Joe's talent als fondsenwerver, maar vooral ook met de mate waarin een man z'n kosten laag kon houden als hij de helft van zijn voorraden en bouwmaterialen onder enige druk had kunnen regelen.

'Laat iemand mijn secretaresse bellen,' zei hij uiteindelijk.

'Wil dat zeggen dat u het doet?' vroeg Vanessa.

'Het komt in de buurt, lieverd.' Haar man glimlachte naar Joe. 'Ze moet nog leren dat de afwezigheid van een ontkenning een halve toezegging is, maar daar wordt aan gewerkt.'

Vanessa glimlachte. 'Eigenlijk wordt er gewerkt aan het deel waarin ik graag gewoon "ja" hoor.'

Joe stak haar zijn hand toe, die ze aannam.

'Laat u morgenvroeg iemand mijn secretaresse bellen. We zullen er serieus naar kijken.'

Haar greep om zijn hand verstevigde en het zou hem niet verbaasd hebben als zijn botten of haar tanden luid krakend waren versplinterd.

'Dat zal ik doen,' zei ze. 'En dank u voor uw welwillendheid.'

'Graag gedaan, mevrouw Belgrave.'

6

Namen in de wind

Freddy DiGiacomo kreeg Wyatt Pettigrue te pakken op de kraam-afdeling van St. Joseph's Hospital, met zijn pasgeboren dochter in beide armen. In de asbak naast zijn knie smeulde zijn sigaret. Over de naam van het meisje waren ze het nog niet eens, hoewel zijn vrouw, Mae, een voorkeur had voor Velma, naar haar grootmoeder. Wyatt had aangedrongen op Greta, maar voor die naam was Maes enthousiasme bekoeld nadat ze haar man al te traag een nummer van *Photoplay* met Greta Garbo op het omslag had zien doorbladeren.

Toen zuster Mary Theodore kwam om zijn dochter weer van hem over te nemen, keek Wyatt ze na; zijn trots over het feit dat hij nieuw leven op de wereld had gezet streed om voorrang met zijn opluchting dat hij haar, krijsend als een speenvarken dat in een put was gevallen, niet langer hoefde vast te houden. De hele tijd dat ze in zijn armen had gelegen had hij zeker geweten dat hij haar zou laten vallen. Hij kreeg ook het gevoel dat ze hem niet mocht; ze keek niet naar hem – eigenlijk keek ze helemaal nergens naar – maar hij had het gevoel dat ze hem kon ruiken en dat ze niet dol was op zijn geur. Hij had geen idee wat er nu van hem verwacht werd, hoe hij zijn leven en zijn ver-wachtingen moest bijstellen om er dit kleine, redeloze schepseltje in te passen. Haar komst, wist hij zeker, betekende dat er voor hem voortaan zelfs nog minder ruimte zou zijn in Maes hart.

Jezus, dacht hij, en ze wil er nog drie.

Freddy DiGiacomo zei: 'Het is een prachtig meisje, Wyatt. Een hartenbreker, dat kind. Dat zie je zo.'

'Dank je.'

'Je zult wel supertrots zijn.'

'Klopt.'

Freddy gaf hem een klap op zijn rug. 'Hé, waar zijn de sigaren?'

Wyatt vond ze in de zak van zijn tweedjasje. Hij sneed de punt van een sigaar en stak hem aan voor Freddy, die trekjes nam tot de brand er goed in zat.

'Ik wil dat je even dat klusje voor me doet, Wyatt.'

'Nu?'

'Vanavond is vroeg genoeg.'

Maes hele familie zat óf bijeengepakt in de ziekenhuiskamer bij haar óf wachtte thuis op zijn komst. Zij die thuiszaten verwachtten dat hij de ijskast zou volpakken die ze gisteravond hadden leeggedronken. Zij die in het ziekenhuis zaten verwachtten dat hij voor zijn vrouw zou zorgen, die een zware bevalling achter de rug had, of dat hij ten minste in de buurt zou zijn terwijl zij voor haar zorgden. Hij kon het niet goed doen. De hele familie – vijf broers, vier zussen, de verwijtend zwijgzame moeder en de verwijtend luidruchtige vader – hadden Wyatt al lang geleden als minderwaardig afgedaan. En nu ze eindelijk een keer aandacht voor Wyatt hadden, was dat niet langer dan ze nodig hadden om hun oorspronkelijke indruk bevestigd te zien.

Wyatt zei tegen Freddy: 'Ik zou niet weten hoe ik haar vertel dat ik moet werken.'

Er verscheen een glimlach op Freddy's gezicht, zijn ogen stonden vriendelijk. 'Weet je wat ik ontdekt heb? Dat je een vrouw makkelijker om vergiffenis kunt vragen dan om toestemming.' Hij trok zijn regenjas van de stoelleuning. 'Ga je mee?'

Wyatt Pettigrue had de laatste paar weken doorgebracht met het schaduwen van Montooth Dix in het zwarte deel van Ybor City. In de meeste gevallen zou zoiets voor een blanke een onmogelijke opgave zijn geweest, maar al sinds zijn vroegste jeugd was Wyatts enige onderscheidende kenmerk zijn talent om niet op te vallen. Op school hadden de leraren hem niet alleen nooit voor het bord geroepen, maar waren ze zelfs twee keer vergeten hem een rapport te geven. Busjes vertrokken zonder hem, collega's spraken hem gewoonlijk aan met een verkeerde naam (William, Wesley of, om de een of andere reden, Lloyd), en zelfs van zijn eigen vader was bekend dat hij een paar keer met zijn vingers moest knippen voor hij de naam van zijn zoon kon opdiepen. De afgelopen drie weken was Wyatt Pettigrue elke dag naar Ybor City gereden om bij Eleventh Avenue de zwartblankgrens over te steken en rond te rijden in straten waar de enige witte mannen die de bewoners in vijf jaar hadden gezien melkboeren, ijsverkopers, brandweerlui, agenten en af en toe een huurbaas waren.

Vanaf het appartementencomplex boven de poolhal waar Montooth woonde had Wyatt de grote neger gevolgd naar de koffietent in Tenth Street, naar de wasserij aan Eighth Avenue, naar de drogist aan Nebraska, naar het kiprestaurant aan Meridian en naar de kleine maar keurige begraafplaats in Ninth Street. Behalve de begraafplaats, waar, had Wyatt ontdekt, de vader, de moeder, twee tantes en een oom van Montooth lagen, betaalden alle andere instellingen en gelegenheden hem voor bescherming, droegen gokschulden aan hem af of waren een façade voor zijn clandestiene stokerijen, die nog steeds gouden handel betekenden voor wie drank wilde slijten aan gasten die het geen moer kon schelen of hun fles ooit een accijnszegel had gezien of niet. De klanten van Montooth Dix vielen in die categorie. De klanten van Montooth Dix waren de enigen die minder wisten op te vallen dan Wyatt Pettigrue. In Ybor City, op zich al een afgesneden gemeenschap, stonden de Afro-Cubanen en de Afro-Amerikanen nog verder buiten de wereld door het extra beetje donker dat de grens markeerde tussen zwart en karamelkleurig.

Montooth Dix was hun burgemeester, hun gouverneur en hun koning. Hij legde een heffing op voor zijn diensten, maar leverde die diensten ook. Als ze in staking gingen beschermde hij ze tegen knokploegen, hij bezorgde voedsel bij hun achterdeur als ze ziek waren en hij haalde zelfs een streep door een paar schulden toen tijdens de ergste crisisjaren de mannen vertrokken om nooit meer terug te keren. De meeste van zijn mensen hielden van hem, zelfs zij die hem geld schuldig waren.

En dat waren er de laatste tijd meer dan het in tijden geweest waren, tenminste sinds de opleving van '38 had ingezet. Voor de tweede keer deze maand hadden verschillende schuldenaren die in het wekelijkse betalingsprogramma zaten zich op hun armoede beroepen, zodat Montooth besloot zich persoonlijk met die accounts te bemoeien. Kincaid, de fruitverkoper in Ninth, gaf zich gewonnen op het moment dat Montooth zijn winkel betrad. Montooth, met zijn één meter vijfentachtig en een voorliefde voor hoeden die hem tien centimeter groter deden lijken, was een imposante verschijning, en Kincaid was de eerste van drie schuldenaren die op miraculeuze wijze en halsoverkop het verschuldigde geld vonden.

Waardoor Montooth, die zich de laatste tijd moe had gevoeld – niet ziek-moe, maar ziek-van-al-die-shit-moe, ziek van wat ervoor nodig was om een stevige vinger aan een wispelturige pols te houden – al te makkelijk naliet om te vragen waarom de schuldenaren dan toch de laatste twee weken zo slordig waren geweest met betalen. Montooth was precies even oud als de eeuw, maar de laatste tijd voelde hij zich ouder. Van ouder worden scheen je niet meer te leren dan dat er voortdurend nieuwe lichtingen mensen achter je opdoken die dezelfde stomme streken uithaalden als de vorige lichting. Niemand die er ene fuck wijzer op werd. Niemand die vooruitging.

Jezus. Montooth verlangde terug naar de tijd dat alles op rolletjes liep, dat iedereen tevreden zijn geld verdiende, en zijn geld uitgaf en de volgende dag opstond om het verdomme gewoon allemaal opnieuw te doen. De tijd dat Joe Coughlin de boel runde, besefte Montooth nu al een hele tijd, was de gouden eeuw geweest. Nu stonden ze in de wachtstand, in ieder geval tot deze oorlog ophield hun beste mannen en hun beste klanten weg te trekken. Niets mis met een wachtstand, althans niet op het eerste gezicht, maar het maakte iedereen gespannen en trok de zenuwen strakker aan dan prikkeldraad.

Pas tegen het eind van de avond, toen hij Pearl Eyes Milton, de kleermaker in Tenth Street, bezocht en Pearl Eyes zei dat hij hem niet kon betalen, 'althans niet deze week en volgende week waarschijnlijk ook niet', stelde Montooth de vraag waarop hij het antwoord niet had willen horen.

'Waarom flik je me dit, Pearl?'

'Ik probeer u niks te flikken, meneer Dix, dat weet u.'

'Nou nee.'

'Maar ik heb het niet.'

Montooth trok een zijden das uit het rek naast zich, liet de geïmporteerde zijde over zijn handpalm glijden. Goeie god. Sinds de oorlog was begonnen, was hij vergeten hoe zacht zijde aanvoelde. 'Waarom heb je het niet?'

Pearl Eyes, een vriendelijke oude man en grootvader van negen kleinkinderen, zei: 'Ik heb het gewoon niet. Het zijn zware tijden.'

Montooth keek naar de vloer aan zijn kant van de toonbank. 'Maar je laat wel een briefje van tien op de vloer slingeren.'

'Een wat?'

'Een briefje van tien, neger.' Montooth wees naar de vloer en deed een stap terug.

Pearl Eyes zette zijn ellebogen op de toonbank en strekte zijn hals om over de rand te kijken. Montooth sloeg de zijden das om zijn nek en begon de ouwe vent te wurgen. Hij boog voorover en richtte zich tot Pearl Eyes' harige roze oor.

'Mij betaal je niet, maar wie wel? Wie?'

'Niemand. Ik...'

Montooth rukte hard aan beide uiteinden van de das en trok Pearl Eyes over de toonbank heen. Hij liet de das los. De oude man viel stuiterend op de vloer en bleef een ogenblik kreunend en steunend liggen.

Montooth stofte de vloer af met een zakdoek uit een ander rek. Hij ging tegenover Pearl Eyes zitten.

'Wat verkoop je hier, ouwe?'

'Wat?' vroeg hij onder een hoop gehoest en gesputter. 'Wat?'

'Vertel wat je verkoopt.'

Pearl Eyes sjorde aan de das om zijn nek alsof het iets levends was. Hij kreeg hem los en smeet hem op de vloer. 'Kleding.'

'Kleding is wat je in de rekken hebt.' Montooth schudde zijn hoofd en klakte met zijn tong. 'Wat jij verkoopt is kwaliteit. Onze jongens komen hier binnen lopen en verwachten elegantie. Een tikje verfijning. Ik bedoel, kijk naar het pak dat je aanhebt. Wat doet zoiets in de winkel?'

Weer een hoestje, droger nu. 'Een dollar of tachtig.'

'Tachtig dollar. Zo.' Montooth floot. 'De meeste zwarten die ik ken verdienen zoveel in een maand niet bij elkaar, maar jij draagt het, en dan zeg je tegen mij dat je je schuld niet kunt betalen.'

'Ik...' Pearl Eyes keek naar de vloer.

Montooth zei: 'Wie haalt mijn geld uit jouw zak voordat je het aan mij kunt geven?'

'Niemand.'

'Oké,' zei Montooth. 'Best.'

Hij stond op en liep naar de deur.

'Oké?' vroeg Pearl Eyes.

Bij een tafel met stapels witte overhemden bleef Montooth staan en keek om. 'Je kunt een van mijn jongens verwachten, misschien vanavond nog bij je thuis en anders morgenvroeg hier, maar in ieder geval snel. Ik zou het zelf doen, maar je krijgt bloed op je kleren, hoe je ook je best doet om het te vermijden, en ik heb vanavond nog een afspraakje met mijn bijvrouw in de Gin Gin Club.'

'Bloed?'

Montooth knikte. 'We gaan je gezicht openleggen, Pearl. Aan stukken snijden als kip voor een barbecue. Eens zien hoeveel kwaliteit en elegantie je dan nog te koop hebt. Fijne avond.'

Naar de deurknop reikend zag hij een eindje verderop in de straat een grijze Plymouth in noordelijke richting wegrijden. Er was iets aan die auto wat Montooth niet beviel, maar hij kon er niet meteen de vinger op leggen omdat Pearl Eyes op de grond bij de toonbank zijn mond opendeed en zei: 'Little Lamar.'

Montooth keek naar de oude man, die traag overeind kwam.

Pearl Eyes wreef in zijn nek. 'Little Lamar zegt dat hij het overneemt. Jouw tijd is voorbij, zegt-ie. Er is hier een nieuwe baas nu, zegt-ie.'

Montooth glimlachte. 'En als ik hem deze buurt uit sodemieter, recht z'n graf in, wat zou je dan zeggen?'

'Little Lamar zegt dat-ie ruggensteun heeft.'

'Heb ik ook.'

'Jongen,' zei de oude man met een vermoeid soort medelijden in zijn stem dat Montooth tot in zijn ziel raakte, 'wat ze zeggen is dat de enige ruggensteun waar jij nog op kunt rekenen je eigen ruggengraat is. Wat je ook maar had lopen in de blanke wereld, het is over en uit.'

Montooth zag hoe de oude man zijn kant op kwam schuifelen. Pearl Eyes Milton trok zijn manchetten bloot en toonde de antieke diamanten manchetknopen die hij altijd droeg, een paar dat naar verluidt een eeuw of langer geleden had toebehoord aan een of andere blanke man in Philadelphia, ooit locoburgemeester. Pearl Eyes deed de manchetknopen uit en hield ze Montooth voor.

'Ze zijn op z'n minst goed voor een maand van wat ik je schuldig ben. Hier. Het is alles wat ik heb.'

Montooth hield zijn hand op en Pearl Eyes liet de knopen erin vallen.

'Lamar regel ik,' zei Montooth. 'Wat jij hoort is gewoon het ruisen van de wind.'

'Een wind die verandering brengt misschien,' zei Pearl Eyes zacht.

'Ik ben oud genoeg om het te weten als ik die in mijn haren voel.'

Montooth glimlachte. 'Veel haar heb je niet meer.'

'Omdat de wind het heeft meegenomen,' zei Pearl Eyes, waarop hij Montooth de rug toekeerde en verdween in zijn winkel.

Op het moment dat Montooth de deur van de modewinkel uitstapte gleed de grijze Plymouth P4 uit het zachte donker tevoorschijn. Deze keer bewoog hij in zuidelijke richting, vlak voor hem langs. Het achterraampje was al omlaag gerold, en dus wachtte Montooth niet tot hij de loop zag van wat voor wapen daar maar naar buiten mocht leunen. Hij liet zich op zijn knieën achter de dichtstbijzijnde geparkeerde auto vallen en begon te kruipen.

Het staal sloeg tegen de andere kant van de auto alsof iemand er een emmer vol moeren over uitstortte. Veel kogels troffen de gebouwen achter zijn rug, de vonken sprongen van de bakstenen. Links en rechts in de straat gingen autoruiten aan splinters. Montooth bleef dicht bij de grond terwijl hij over de stoep in de richting van de steeg kroop. Hij was eerder onder vuur genomen door een machinegeweer, in de oorlog, maar dat was bijna twintig jaar geleden, en dit soort herrie, deze dodelijke hagelbui, de kogels die godverdomme aan alle kanten langs hem ketsten – *ping ping ping* – konden je radeloos maken. Lieve god, heel even was hij vergeten wat hij ook weer in deze straat te zoeken had, en zowat ook zijn eigen naam.

Maar niets kon hem beletten te bewegen. Zoals een baby weet hoe te huilen om te laten weten dat hij honger heeft, wist hij dat hij zich kruipend en klauwend en schuivend over de stoep moest blijven voortbewegen. Hij bereikte de laatste auto voor de ingang van de steeg en op datzelfde moment begon die te schudden en scheef te zakken; de klootzak met zijn mitrailleur had de banden aan de passagierskant aan flarden geschoten.

Het schieten stopte.

Mogelijkheid 1: klootzak was aan het herladen. Mogelijkheid 2: klootzak wist ongeveer waar Montooth zat, hield zijn vizier nu op de ingang van de steeg gericht en wachtte tot Montooth zich zou vertonen. Montooth trok een van zijn eigen pistolen: de .44 met de lange loop die hij in 1923 van zijn oom Romeo had gekregen. Zijn betrouwbaarste wapen.

Maar er was nog een derde mogelijkheid: de schutter wist precies waar Montooth zich schuilhield en maakte zich nu op om uit zijn auto te stappen en de klus af te maken.

Dat was het ergste scenario. Als de schutter uit z'n auto kwam kon hij met drie flinke passen pal achter Montooth' zwarte reet komen staan. Met een mitrailleur. Einde verhaal. Toen de echo's van de kogelregen in zijn oren wegebden, hoorde hij de stationair draaiende motor van de Plymouth en vervolgens onmiskenbaar het geluid van een nieuw magazijn dat in de Thompson werd geklikt.

Klootzak was gestopt om te herladen.

God in de hemel, dacht Montooth. Hij richtte zijn blik op naar de donkere lucht en de laaghangende grijze wolken, achteraf is het makkelijk raden.

Montooth stopte zijn pistool weg, zette de muizen van zijn handen schrap tegen de stoep en spoot er als een atleet uit de startblokken vandoor, recht op de steeg af. Eenmaal daar hoorde hij de twee blanke gasten roepen. Verstaan hoefde hij hun woorden niet, want de strekking werd duidelijk toen het donker opnieuw werd opengebroken door drilboorgebrul.

Montooth rende. De kogels bliezen muursplinters en stof in zijn gezicht. Hij rende zoals hij sinds de loopgraven in Frankrijk niet meer had gerend. Hij rende alsof hij weer jong was, alsof zijn longen het nooit zouden opgeven en zijn hart nooit zou stoppen. *Waar zat jij, snotneus*, wilde hij de schutter vragen, *toen ik jong was? Al had je tien levens, nooit zul je half zoveel goeie seks hebben als ik heb gehad, nooit half zoveel plezier, nooit half zoveel van het leven maken. Jij bent niks, hoor je me? Ik ben Montooth Dix, de koning van Zwart Ybor, en jij stelt geen ruk voor.*

Hij had de steeg gekozen vanwege de vuilcontainers. Aan beide kanten stonden er precies twaalf, en zelfs als je erlangs kwam – en

voor zover Montooth wist was er geen auto waarmee dat zou lukken –
dan stak tegen het eind van de steeg logement Little Bo's zijn kont
nog eens drie meter verder achteruit dan al zijn buren. Daar kreeg je
geen scheet langs zonder hem eerst in tweeën te hakken.

Ping ping ping ping ping ping.

En vervolgens niets dan het geluid van een automotor die te veel
toeren maakte: de witte jongens die wat moeite hadden met het feit
dat er in deze steeg niet te rijden viel. Vanavond niet en nooit niet.

Montooth zat halverwege de steeg, achter de door een opticien en
een slager gedeelde container, toen de Plymouth zich achterwaarts
uit de steeg losmaakte. Hij hoorde hem met een noodgang omrijden
via Tenth Street, in de hoop hem te pakken als hij aan de achterkant,
bij het logement, naar buiten zou komen. In plaats daarvan liep hij
dezelfde weg terug door de steeg, sloeg links af en stapte het eerste
portiek aan zijn linkerhand in, het portiek van een tent die net als zoveel andere in het voorgaande decennium op de fles was gegaan en
nooit had weten op te krabbelen. De ramen waren vervangen door
donkergroene metalen platen en de fitting boven de deur had al sinds
1938 geen lamp meer gezien. Tenzij je een halve meter verderop stond
met een schijnwerper op je schouder, zou je nooit een vent in dat portiek zien staan, totdat hij wilde dat je hem zag, totdat het misschien
goddomme gewoon te laat was om er nog iets aan te doen.

De Plymouth kwam de hoek om voor een tweede inspectie. Toen
hij de steeg tot op een meter of drie genaderd was, stapte Montooth
de straat op, haalde diep adem, legde nauwkeurig aan en schoot
recht door de voorruit.

Toen ze na hun rondje de straat weer in reden en Wyatt, op de achterbank met zijn Thompson, eens goed keek naar de auto's die hij tijdens
de eerste doortocht had doorzeefd, kon hij de schade niet met zichzelf in verband brengen. Het leek onmogelijk dat de kleine Wyatt Pettigrue, van Slausen Avenue, had kunnen uitgroeien tot een man die
een machinegeweer leegschoot op andere mannen. Maar het was een
rare wereld. Als Wyatt ergens overzee ditzelfde aan het doen was omdat zijn regering het hem had opgedragen, zou hij een held zijn. Maar
hij deed het op straat in Ybor omdat zijn baas het hem had opgedragen. Wyatt zelf zag geen enkel verschil, ook al zou de gewone wereld
dat waarschijnlijk wel zien.

Kermit, de chauffeur, had Montooth Dix zelfs de straat niet op zien stappen. Het was opnieuw zacht gaan regenen en Kermit wilde juist de knop van de ruitenwisser omdraaien, toen Wyatt zag – of eigenlijk alleen vermoedde – dat er links van hen iets bewoog. Het enige wat hij daarna zag was Montooth' gezicht in de lichtflits van het schot, verschenen in het donker als iets wat met Montooth' lichaam niets te maken had, als een dodenmasker in het spookhuis, en meteen daarop was de voorruit in een zee van barsten veranderd. Kermit gromde, vochtige klodders Kermit spatten in Wyatts gezicht. Kermit zakte voorover, zijn hoofd verspreidde zich door de hele auto en er kwam een geluid als van een verstopte afvoer uit hem, terwijl de auto zelfs vaart meerderde. Wyatt gaf een ruk aan Kermits schouder om zijn voet van het gaspedaal te krijgen, maar ze vlogen tegen de stoeprand en vervolgens een paal. Wyatt brak zijn neus tegen de stoelleuning voor hem en werd meteen weer naar achteren geworpen, waar hij een ogenblik kronkelend bleef hangen.

Zijn haar vatte vlam. Zo voelde het in ieder geval. Maar toen hij zijn hoofd beklopte vond hij een hand in plaats van vlammen. Een grote hand, en vingers die zich in zijn haar begroeven, aanspanden en trokken. Wyatt werd van de achterbank van de Plymouth getild, door het raam gesjord, rugwervels schrapend over de sponning. Toen zijn voeten naar buiten kwamen, draaide Montooth Dix hem om en liet hem vallen. Wyatt belandde op zijn knieën midden op Tenth Street en keek recht in de loop van een .44 Smith.

'Heb ik van mijn oom gekregen,' zei Montooth Dix. 'Dit pistool zou me nooit laten zitten, zei die, en hij had gelijk. Wat ik maar wou zeggen, witneus, is dat ik geen honderd kogels nodig heb om mijn doelwit en verder verdomme alle auto's in de straat te raken. Wie heeft je gestuurd?'

Wyatt wist dat hij dood was zodra hij de vraag beantwoord had. Maar als hij Montooth aan de praat kon houden was er een kans dat de politie of de hemel mocht weten wie ter plekke zou komen. Hij had tenslotte de afgelopen paar minuten een hels kabaal gemaakt hier op straat.

'Ik ga het je geen twee keer vragen,' zei Montooth Dix.

'Dus dat pistool heb je van je oom?' vroeg Wyatt.

Dix knikte, het ongeduld schitterde helder als daglicht in zijn ogen.

'Hoe oud was je?'

'Veertien.'

'Ik heb je een paar keer bij zijn graf gezien,' zei Wyatt. 'Bij dat van je ouders ook. Familie is belangrijk.'

'O ja?'

Wyatt knikte plechtig. Hij voelde het natte wegdek in zijn knieën kruipen. Hij wist bijna zeker dat zijn rechteronderarm gebroken was. Was dat geen sirene, daar in de verte?

'Ik ben vandaag vader geworden,' zei Wyatt tegen de man.

'O ja?' Montooth schoot Wyatt twee keer in zijn borst – en een extra keer in zijn voorhoofd, voor alle zekerheid, waarna hij de dode jongen in de ogen keek en op straat spuugde. 'Maar wie zegt of je er wat van gebakken zou hebben?'

7

Kamer 107

De Sundowner Motor Lodge in St. Petersburg was al sinds halverwege de jaren dertig voor het publiek gesloten. De twee lage, witgepleisterde hoofdgebouwen en de kleine receptie vormden een hoefijzer rond een ellipsvormig perk waar geen grasspriet wilde groeien en geen palmboom aarden. De gebouwen stonden nu al zeven of acht jaar achter een winkel in visgerei aan Gandy Boulevard, en langs de grenzen van het perceel schoot het onkruid hoog op. De eigenaren van de winkel in visserijspullen, de broers Patrick en Andrew Cantillon, bezaten ook de aangrenzende sandwichbar en de werf achter het motel. De Cantillons waren eigenaar van de meeste steigertjes die daar de Tampa Bay in staken en ze verdienden een goede boterham aan de verkoop van blokken ijs en koel bier aan de vissers die elke ochtend voordat de eerste zonnestralen de hemel kleurden vanaf hun stukje kust uitvoeren. Rond het middaguur kwamen ze terug, roder dan robijn en hun huid zo ruw als het touw waaraan ze hun boten vastlegden.

De Cantillons hadden met Joe gewerkt in de tijd dat ze allemaal nog rum over de Florida Straits smokkelden. Joe was verantwoordelijk voor het leeuwendeel van hun persoonlijk vermogen. Als bescheiden bewijs van dankbaarheid hielden Patrick en Andrew de beste kamer in het voormalige Sundowner-motel gereserveerd voor Joe, uitsluitend voor Joe. De rest van de kamers werd even fris en schoon gehouden en gebruikt door oude vrienden van de broers die tijdelijk in zwaar weer waren geraakt – en dat kon om van alles gaan, van een stukgelopen huwelijk tot een vlucht voor justitie.

Maar kamer 107, met uitzicht op de baai, was van Joe. Het was de plek waar hij laat op de maandagochtend, op lakens die geurden naar bleek, stijfsel en zeezout, de liefde bedreef met Vanessa Belgrave. Buiten vochten de meeuwen om garnalenstaartjes en visgraten. Binnen piepte en klakte een zwarte ijzeren tafelventilator.

Tijdens de seks met Vanessa voelde Joe zich soms alsof hij werd opgenomen in een soort onderstroming en zacht rondwentelde in een donkere, warme wereld, zonder de garantie dat hij weer zou bovenkomen. En op zulke momenten, zolang hij niet aan zijn zoon dacht, merkte hij dat hij gelukkig zou kunnen zijn bij het vooruitzicht dat hij de gewone wereld nooit terug zou zien.

De Vanessa Belgrave die het publiek te zien kreeg – koel, hooghartig en zo goed opgevoed dat al het interessante of spontane aan haar verloren was gegaan – stond mijlenver af van de ware Vanessa Belgrave. Achter gesloten deuren liet ze zich vrijelijk gaan in zinnelijke nieuwsgierigheid en malle observaties en was ze met gemak de grappigste vrouw die Joe ooit had ontmoet. Soms lachte ze zo hard dat ze het uitproestte en een luid, vochtig, snaterend geluid uitstootte dat des te verrukkelijker was omdat het voortkwam uit een overigens zo bevallige bron.

Haar ouders hadden geen goed woord over voor die lach of haar puberale voorliefde voor broeken, maar ze slaagden er nooit in een tweede kind op de wereld te zetten. Zeven miskramen, geen zonen, geen andere dochters. Dus zou Sloane Industries – een metaalbedrijf dat al honderdvijftig jaar bestond – na de dood van de ouders overgaan op deze dochter.

Tegen Joe had ze gezegd: 'Als de zuidelijke heren aandeelhouders mij zien als een maf mens dat liever Emily Dickinson leest dan een transactiesamenvatting, dan zal de strijd om het bedrijf van me af te pakken onmiddellijk losbarsten. En die zal beslist zijn voor hij goed en wel begonnen is. Maar als ze denken dat ik mijn vader ben met alleen iets andere aanhangsels, en als ze net zo bang zijn voor mij als voor hem, dan zal het bedrijf nog honderd jaar voortbestaan, mits ik op een gegeven moment een zoon krijg.'

'En dat is wat je wilt, het familiebedrijf runnen?'

'Nee. God, nee. Maar heb ik een keus? Moet ik een miljoenenbedrijf tijdens mijn wacht laten afglijden tot iets wat niets meer voorstelt? Alleen een kind gelooft dat het leven draait om wat het wil.'

'Maar wat wil jij? Als je het zou kunnen krijgen?'

'Jeetje, Joe,' had ze met knipperende ogen gezegd, 'ik wil alleen jou, grote sufferd die je bent.' Waarop ze boven op hem was gesprongen en hem een kussen op zijn gezicht had geduwd. 'Geef toe: dat was wat je wilde horen.'

Hij had zijn hoofd geschud en zwaar gedempt 'nee' uitgebracht. Ze had zijn hoofd nog een paar keer heen en weer gerammeld en toen het kussen aan de kant gegooid. Schrijlings op hem en lichtelijk buiten adem had ze een slok wijn genomen. 'Ik wil dat het afgelopen is met wensen die niet met elkaar te verenigen zijn.' Ze had hem met grote ogen en open mond aangekeken. 'Probeer dat maar eens te snappen, wijsneus.' En daarop had ze de rest van haar wijn over zijn borst uitgegoten en opgelikt.

Dat was drie maanden geleden, op een kille en regenachtige middag.

Nu, op een warme, heldere dag met wat vochtigheid in de lucht maar zonder dat het drukkend werd, stond Vanessa bij het raam met het laken om haar heupen en keek door de kier in de gordijnen naar buiten.

Joe kwam naast haar staan en keek naar de werf, naar de troosteloze motorblokken die stonden te blakeren in de zon, naar de afbladderende koelboxen en de wegterende dieselpompen. En verderop had je de wankele steiger en de altijd aanwezige zwermen donkere insecten die als glanzende vuisten boven dit stinkende deel van de baai hingen.

Joe liet het gordijn los en stuurde zijn handen langs Vanessa's bovenlijf naar beneden, opnieuw in een roes over haar, minuten nadat hij zich aan haar had gegeven. Hij voelde zich stijf worden toen hij het laken van haar heupen wikkelde en tegen haar aan kwam staan. Tot zover ging het voor dit moment, meer hoefde hij niet dan haar rug tegen zijn borst te voelen en haar kont tegen zijn dij, terwijl hij zacht haar onderbuik streelde en zijn neus diep in haar haren duwde.

'Hebben we het er niet een beetje al te dik bovenop gelegd gisteren?' vroeg ze.

'Wat bedoel je?'

'Onze zogenaamde afkeer van elkaar.'

'Nee.' Joe schudde zijn hoofd. 'Dit is het begin van onze ontdooiperiode. De volgende stap is dat er een morrend soort respect tussen ons ontstaat. Gezworen vrienden zullen we nooit worden, maar de mensen zullen ons bewonderen om onze professionaliteit als we onze zichtbare afkeer van elkaar opzijzetten om van jouw stichting een succes te maken.' Hij legde zijn hand op haar schaambeen en liet zijn vingers door het haar op die plek gaan.

Ze gooide haar hoofd achterover en kreunde in zijn hals. 'Ik word hier zo moe van.'

'Hiervan?' Hij trok zijn hand terug.

Ze pakte zijn hand en legde hem terug. Ze liet een korte zucht ontsnappen toen hij het juiste plekje vond met zijn middelvinger. 'Ben je gek? Nee, ik heb er genoeg van die rol te moeten spelen. Van de bekakte trut, het rijke papa's kindje.' Weer een zucht. 'O, ja. Daar, ga door.'

'Daar?'

'Hmm-mm.'

Hij voelde haar borstkas uitzetten toen ze lucht opsnoof door haar neus. Ze ademde traag uit door haar mond.

'Als je genoeg hebt van die rol,' fluisterde hij in haar oor, 'stop er dan mee.'

'Kan niet.'

'Waarom niet?'

'Dombo, je weet best waarom.'

'Ach ja, het familiebedrijf.'

Ze draaide zich om in zijn omarming. Ze greep zijn pols, legde zijn hand terug waar die lag, liet zich, haar blik recht in de zijne, op de vensterbank zakken en zette zich schrap tegen zijn vingers. Er verscheen een uitdagende glinstering in haar blauwe ogen. Hij had een gevoelige snaar geraakt, wat hem eraan herinnerde dat je nooit zo goed kon zijn in het veinzen van een persoonlijkheid als Vanessa, tenzij een deel ervan niet geveinsd was.

'Zou jij jouw carrière achter je laten?' Ze begon sneller te ademen en in haar blik lag een nauwelijks ontwarbare mengeling van verontwaardiging en verlangen.

'Hangt ervan af.'

Ze zette haar nagels in zijn billen. 'Je lult.'

'Om de juiste redenen zou ik eruit stappen.'

'Wat een gelul,' zei ze. Ze huiverde en beet op haar lip. Haar nagels, op zijn heupen nu, duwden dieper in zijn vlees. 'Je moet...' Ze pufte haar wangen bol en blies uit. 'Je moet er nooit van uitgaan dat ik iets zou opgeven wat je zelf ook niet zou opgeven.'

Ze wierp haar hoofd opzij en greep zijn schouder. Toen hij bij haar binnendrong werden haar ogen groter. Ze beet hem zacht in zijn onderlip terwijl hij haar van de vensterbank tilde. In de zeven jaar sinds de dood van Graciela had hij het geen seconde voor mogelijk gehouden, maar hij had geen enkel verlangen om deze vrouw ooit te laten gaan. Hij had zelfs geen enkel verlangen om deze kamer ooit te verlaten.

Ze lieten zich weer op het bed vallen. Ze kwam klaar met een reeks korte huiveringen en een lang aangehouden lage kreun. De blik in haar ogen werd helderder en ze keek glimlachend op hem neer terwijl ze haar ritmische bewegingen voortzette.

'Lach eens,' zei ze.

'Ik dacht dat ik lachte.'

'Maar ik wil duizend watt zien.'

Hij gehoorzaamde.

'God,' zei ze, 'als je die glimlach combineert met die blik in je ogen, dan is het onbegrijpelijk dat je ooit ergens voor veroordeeld bent. Ik wed dat die grijns je als jongen honderd keer uit de nesten heeft gered.'

'Valt wel mee,' zei Joe.

'Onzin.'

Joe schudde zijn hoofd. 'Toen had ik dat niet. Als kind noemde een van mijn broers me Grand Canyon.'

Ze schoot in de lach. 'Waarom dat?'

'Mijn beide voortanden waren weg. Echt. Kwijtgeraakt toen ik, nou, ik zal nog geen drie geweest zijn. Ik kan me het moment niet herinneren, maar mijn broer zei dat ik een duikeling maakte en met m'n gezicht op de stoeprand kieperde. Dus, zodoende, Grand Canyon.'

Vanessa zei: 'Ik kan me jou met de beste wil van de wereld niet lelijk voorstellen.'

'O, ik was niet om aan te zien. En het mooiste was... de meeste kinderen krijgen hun blijvende tanden als ze zes zijn, toch? In die buurt? Ik ook, alleen niet die twee voortanden. Die kwamen pas toen ik al bijna acht was.'

'Nee!'

'Ja. Ik geneerde me dood, echt waar. En ik heb mijn tanden nooit bloot durven lachen tot ik een jaar of twintig was.'

'Zijn we verliefd?' vroeg ze hem.

'Wat?' Hij probeerde zich onder haar vandaan te wurmen.

Zij verstevigde haar greep. 'Of alleen maar heel goed hierin?'

'Dat laatste,' zei hij.

'Zelfs als we verliefd waren...'

'Ben jij verliefd?'

'Op jou?' Ze zette grote ogen op. 'Lieve help, nee.'

'Nou dan.'

'Maar zelfs als ik het was...'

'Wat niet zo is.'

'En jij ook niet.'

'Precies.'

'Maar als we het wel waren' – ze nam zijn handen en legde ze met een droevige glimlach op haar heupen – 'dan zou ons dat niet beschermen, of wel?'

'Waartegen?'

'Tegen wat de wereld daarbuiten van ons wil.'

Hij zei niets. Ze bracht haar borst vlak boven de zijne.

'Er is weer een schietpartij geweest.' Vanessa's vingers kropen over zijn sleutelbeen, haar adem voelde warm in zijn hals.

'Wat bedoel je met "weer"?'

'Nou, die mannen van eergisternacht. Die drugsdealers die door de politie zijn neergeschoten. De man die zelfmoord pleegde in zijn cel.'

'Ja, en...'

'En nu heeft vanochtend, hoorde ik op de radio toen ik hier aankwam, een neger twee blanken doodgeschoten in Ybor.'

Montooth Dix, dacht Joe. Shit. Die domme zak van een Freddy DiGiacomo is waarschijnlijk na het overleg bij de kerk rechtstreeks naar Brown Town gegaan om rotzooi te trappen.

Kloot. Zak.

'Wanneer was dat?' vroeg hij.

'Jonathan werd erbij geroepen. Dat zal om...' Ze moest even denken. 'Om een uur of twee 's nachts geweest zijn.'

'In Brown Town?'

Ze knikte. 'Hij wil naam maken als een burgemeester die erbij is.'

Maar wie was er nu bij zijn vrouw, dacht Joe. Hij liet haar prompt los, maar veranderde van gedachten, legde zijn handen op haar heupen en liet ze traag rondgaan. Wat er ook aan de hand was in de zwarte wijk van Ybor, Joe kon er op dit moment niks aan doen.

'Als jij naar de kapper gaat,' vroeg Vanessa, 'en je gaat zitten, welke deur hou je dan in de gaten? Voor of achter?'

Shit. Het oude gevecht. Het gevecht dat was begonnen vijf minuten nadat ze voor het eerst de liefde hadden bedreven.

'Ik ben niet van het soort dat wordt neergeschoten,' zei Joe.

'Nee?' Ze klonk helder en nieuwsgierig. 'Wat ben je wel?'

'Ik ben een zakenman die net iets corrupter is dan gemiddeld.' Hij streelde met beide handen haar ribben.

'In de krant noemen ze je een gangster.'

'Omdat ze niet genoeg fantasie hebben. Wou je het hier echt over hebben?'

Ze rolde van hem af. 'Ja.'

'Ik heb nooit tegen je gelogen.'

'Voor zover ik weet niet.'

'Zeg,' zei hij zacht.

Ze sloot haar ogen, sloeg ze weer op. 'Oké, je hebt nog nooit tegen me gelogen.'

'Goed, dus of ik een gangster was?' Hij knikte. 'Ja. Nu ben ik een soort adviseur voor allerlei mensen.'

'Criminelen.'

Hij haalde zijn schouders op. 'Een vriend van me was staatsvijand nummer drie, een jaar of zes geleden...'

Ze kwam met een schok overeind. 'Zie je, dat bedoel ik. Wie kan er nou een zin beginnen met "Een vriend van me was staatsvijand" enzovoort?'

Joe antwoordde met vlakke stem. 'In de villa naast hem woonde een vent die de kost verdiende met mensen op straat zetten omdat ze de hypotheek niet meer konden betalen. En de reden waarom ze dat niet meer konden was omdat de banken hun geld roekeloos hadden belegd in de optiehandel in '29 en alles waren kwijtgeraakt. En dus zaten die mensen zonder spaargeld en zonder baan omdat of hun werkgever of de bank hun spaargeld en hun huis erdoor had gejast. Maar de mensen die andere mensen uit hun huis zetten, die ging het voor de wind. En die vriend van me? Die sjoemelde wat bij de drafbaan en verkocht drugs. De FBI schoot hem dood toen hij bij Pass-a-Grille een boot aan het lossen was. En wat deed zijn buurman? Die kocht zijn huis. En hij stond ook met zijn kop in de krant vorige week, toen jouw man hem een eremedaille voor goed burgerschap opspeldde. Dus als je 't mij vraagt is het enige verschil tussen een dief en een bankier een goede opleiding.'

Ze schudde haar hoofd. 'Bankiers schieten elkaar niet overhoop op straat, Joe.'

'Omdat ze liever geen kreukels in hun pak krijgen, Vanessa. Dat ze hun vuiligheid uitspoken met een pen maakt nog niet dat ze schonere handen hebben.'

Ze keek hem met grote, verschrikte ogen aan. 'Jij gelooft dat echt.'

'Ja,' zei hij. 'Dat geloof ik.'

Allebei zwegen ze een poosje.

Ze leunde over hem heen en pakte haar horloge van de tafel. 'Het is al laat.'

Hij vond haar bh en vervolgens haar slipje tussen de lakens, en gaf ze aan haar.

'Ruilen?' Ze gaf hem zijn onderbroek.

Ze had haar slip nog niet aangetrokken en haar armen door de bh-bandjes gestoken of hij wilde haar weer uitkleden. Opnieuw voelde hij een irrationele aandrang om deze kamer nooit meer te verlaten.

Ze glimlachte. 'Telkens wanneer we dit doen, raken we meer bij elkaar betrokken.'

'Vind je dat lastig?'

'O, nee. Wat haal je je nou weer in dat lieve hoofdje van je?' Ze lachte en liet haar blik rond het bed gaan. 'Zie jij mijn blouse ergens, schat?'

Hij vond hem achter een stoel. 'En zoals je zei: we zijn hier erg goed in.'

Ze nam haar blouse aan. 'Ja, hè? Maar je weet ook dat dat eindig is.'

'De waardering of de seks?'

'O, dus zo noemen we het, "waardering"?'

Hij knikte.

'Nou, in dat geval, allebei, nu en dan. En wat zou ons dan nog kunnen binden, als die twee dingen wegvielen? Niet onze gemeenschappelijke opvoeding.'

'Niet onze gemeenschappelijke waarden.'

'Niet ons gemeenschappelijke beroep.'

'Nou ja, shit.' Hij grinnikte en schudde zijn hoofd. 'Wat moeten we nog met elkaar?'

'Geen idee.' Ze gooide een kussen naar hem en kegelde een lamp omver. 'Joseph Coughlin, we zijn de lul.' Ze maakte de laatste knoopjes van haar blouse dicht. 'En trouwens, jij vergoedt die lamp.'

Ze vonden haar rok en zijn broek en trokken hun schoenen aan terwijl ze elkaar als een idioot toe grijnsden en licht gegeneerde, licht begerige blikken wisselden. Ze waagden zich nooit samen op de parkeerplaats, dus was hun afscheidskus bij de deur. Deze keer was die kus bijna even gulzig als de eerste van die ochtend, en toen ze loslieten hield ze haar ogen gesloten en haar hand tegen de deurpost.

Ze opende haar ogen en keek naar het bed, de oude stoel naast de oude radio, de witte gordijnen, de porseleinen wastafel en de omgevallen lamp.

'Ik ben dol op deze kamer.'

'Ik ook,' zei hij.

'Zo gelukkig als hier ben ik waarschijnlijk nog nooit geweest, nee, ben ik zéker nog nooit geweest.' Ze nam zijn hand en kuste de binnenkant. Ze stuurde zijn handpalm over haar wang en langs haar hals. Ze liet los en keek opnieuw naar de kamer. 'Maar denk niet dat als de dag komt dat papa zegt "Lieve schat, het wordt tijd dat je de boel overneemt en de naam Sloane een volgend tijdperk binnenloodst en wat kroost op de wereld zet voor als jij er niet meer bent", dat ik dan niet precies doe wat er van me verwacht wordt.' Ze keek hem aan met een paar ogen zo blauw dat ze brons konden snijden. 'Want, knul, ik verzeker je van wel.'

Zij vertrok als eerste. Joe gaf haar tien minuten voorsprong. Hij ging bij het raam zitten en luisterde naar het nieuws op de radio. De steiger verderop kraakte zonder aanleiding, misschien gewoon door een zuchtje wind en ouderdom. Het hout was weerloos tegen het onfaire geweld van termieten, golven en de nooit aflatende opmars van rot door vocht. De eerste de beste krachtige windvlaag zou hem invalide maken en de volgende tropische storm zou hem uit de herinnering blazen.

Aan het uiteinde stond een jongen.

Een paar tellen geleden nog was de steiger verlaten geweest. En nu niet meer.

De jongen. Dezelfde die hij op het feest in december langs de bomenrij had zien hollen. Om de een of andere reden had Joe steeds geweten dat hij zich opnieuw zou laten zien.

Hij stond met zijn rug naar Joe toe. Hij droeg geen pet. De kuif die Joe eerder was opgevallen was getemd, hoewel nog één plukje als een gebogen vinger omhoog stond. Zijn haar was zo blond dat het bijna wit was.

Joe schoof het raam omhoog en zei: 'Hé.'

Een warm en loom briesje deed het water rimpelen maar niet de haren van de jongen.

'Hé,' zei Joe nogmaals, een beetje harder.

Geen reactie van de jongen.

Joe boog zijn hoofd en staarde vijf tellen naar de scheuren in de vensterbank. Toen hij weer opkeek stond de jongen nog op dezelfde plaats, zijn gezicht langzaam van Joe afkerend. Net als Joe de vorige keer had vermoed toen hij hem zag, was het weinige wat hij van het profiel van de jongen opving vaag, alsof zijn trekken zich nog aan het vormen waren.

Joe verliet de kamer en liep om het gebouw heen naar de steiger. De jongen was er niet meer. De doorzakkende steiger kraakte nog wat. Joe stelde zich voor hoe die door een kolkende zee zou worden weggevaagd. Iemand zou een nieuwe steiger neerzetten. Of niet.

Mannen hadden deze steiger gebouwd. Ze hadden palen de grond in gedreven, ze hadden gemeten en gezaagd, ze hadden geboord en gehamerd. Toen hij af was, waren zij de eersten die er een voet op hadden gezet. Ze waren trots geweest. Misschien niet erg, maar zeker een beetje. Ze hadden zich voorgenomen iets te bouwen en dat hadden ze gebouwd. Het ding bestond omdat zij bestaan hadden. Ondertussen waren ze er waarschijnlijk niet meer. Net als de steiger binnenkort. Op een dag zouden ze dit motel platgooien. Tijd heb je te leen, dacht Joe, die heb je nooit in eigendom.

Tegenover de steiger, een meter of veertig verderop, was een zandheuveltje met een paar bomen, het soort babyeilandje dat gewoonlijk alleen bij laagtij niet onder water lag. Daar stond de jongen. De jongen met zijn blonde haren en onduidelijke trekken. Hij stond met zijn gezicht naar Joe toegekeerd en staarde hem met gesloten ogen aan.

Tot de hoge rietstengels en de dunne bomen hem opzogen.

Alsof ik nog niet genoeg aan mijn hoofd had, dacht Joe, heb ik nu ook nog een schim.

8

Een gelijkenis

Joe's plannen voor een tripje naar Raiford stuitten onmiddellijk op problemen toen hij bij terugkomst uit het Sundowner hoorde dat Tomas waterpokken had. Narcisa had de jongen naar boven gestuurd en liep rond met een natte doek die ze met een eindje touw voor haar neus en mond gebonden had. Ze vertelde Joe dat ze het virus als kind nooit had opgelopen en niet van plan was zich dat nu als volwassene alsnog te laten gebeuren.

'Nee,' zei ze, waarbij ze een afwerende hand in de lucht stak en met de andere haar spullen in een canvas tas smeet. 'Nee, nee en nog eens nee.'

'Natuurlijk niet,' zei Joe, die heimelijk hoopte dat ze het al onder de leden had, zijn onwillekeurige reactie op iedereen die zijn zoon als een paria behandelde. *En dat je maar onder de blaren mag komen.*

Maar toen ze zei dat ze voor drie dagen had gekookt en alles in de ijskast had gezet, vier van zijn pakken had gestreken en het hele huis had gedaan, wist hij weer hoe nuttig het was om haar over de vloer te hebben.

Bij de deur moest hij zijn best doen om de wanhoop uit zijn stem te houden toen hij haar vroeg: 'En, wanneer zien we je weer?'

Ze keek hem aan, haar gezicht zo vlak als de bodem van een koekenpan. 'Als hij niet meer ziek is.'

Joe, die als jongen waterpokken had gehad, liep naar Tomas' kamer en ging bij hem zitten. 'Ik vond je er gisteren al wat pips uitzien.'

Tomas sloeg een bladzijde om in *Twintig jaar later* van Dumas. 'Hoe erg zie ik eruit?'

'Dan moet je toch even achter dat boek vandaan komen, jochie.'

Tomas liet het boek zakken en keek zijn vader aan met een gezicht dat leek te zijn geteisterd door bijen en vervolgens te veel felle zon had gehad.

'Prima,' zei Joe. 'Je ziet het nauwelijks.'

Tomas tilde het boek weer voor zijn gezicht. 'Haha.'

'Oké, je ziet er beroerd uit.'

Hij liet het boek zakken en trok een wenkbrauw op naar zijn vader.

'Nee,' zei Joe, 'echt waar.'

Tomas trok een gezicht. 'Op dit soort momenten had ik toch graag een moeder gehad.'

Joe kwam overeind uit zijn stoel en ging naast zijn zoon op het bed liggen. 'Och, lieverdje van me, doet het zo'n pijn? Zal ik een bekertje warme melk voor je halen?'

Tomas haalde uit naar zijn vader en Joe kietelde hem zo stevig dat hij het boek op de vloer liet vallen. Joe stond op om het op te pakken. Hij wilde het aan zijn zoon teruggeven, maar zag Tomas' vreemde en aarzelende blik.

'Wat is er?' vroeg Joe. Er gleed een glimlach over zijn gezicht.

'Wil je me voorlezen?'

'Wat?'

'Zoals je vroeger altijd deed. Weet je nog?'

Joe wist het nog. De gebroeders Grimm, fabels van Aesopus, Griekse en Romeinse mythen, Verne, Stevenson, H. Rider Haggard en, natuurlijk, Dumas. Hij keek neer op zijn zoon en streek de kuif op de kruin van de jongen glad.

'Natuurlijk.'

Hij schopte zijn schoenen uit, installeerde zich naast zijn zoon en sloeg het boek open.

Toen Tomas sliep trok Joe zich terug in zijn werkkamer aan de achterkant van het huis op de eerste verdieping. Vooral 's avonds, wanneer hij alleen was, moest hij denken aan wat de boerenpummel uit Raiford hem vrijdag in zijn kantoor had verteld. Hij wist dat het nergens op sloeg – niemand zou zo stom zijn te proberen hem te vermoorden – en toch deed hij de gordijnen voor de balkondeuren dicht, hoewel de dikte van het glas en de hoogte van de muur om de tuin het onwaarschijnlijk, zo niet onmogelijk maakten dat iemand hem vanaf de straat zou kunnen zien.

Maar iemand die bijvoorbeeld met een geweer op de muur was geklommen zou door het glas gemakkelijk zijn silhouet herkennen.

'Jezus,' zei hij, terwijl hij zich een whisky inschonk uit de karaf, 'nou moet je ophouden.' Toen hij de stop op de karaf deed ontmoette hij zijn eigen blik in de spiegel boven de bar. 'Oké? Gewoon ophouden.'

Hij gaf zichzelf opdracht de gordijnen weer te openen, maar deed het niet.

In plaats daarvan nam hij plaats achter zijn bureau met het voornemen niets anders te doen dan wat na te genieten van zijn laatste ontmoeting met Vanessa, toen de telefoon ging.

'Godver.' Hij tilde zijn voeten van het bureau en nam op. 'Hallo?'

'Ik ben het.'

Dion.

'Hé, Dion. Hoe is het?'

'Zwaar klote op het moment, Joseph.'

'Verklaar je nader, Dionysus.'

'Haha.' Dion grinnikte. 'Je hebt liever dat ik "Joe" zeg.'

'Altijd, beste man. Altijd.' Joe legde zijn voeten weer op het bureau. Hij en Dion waren vrienden sinds hun dertiende. Ze hadden meer dan eens elkaars leven gered. Ze begrepen elkaars stemmingen en gedachten beter dan de meeste getrouwde stellen. Joe wist dat Dion bezig was het op z'n hoogst tot een middelmatige maffiabaas te schoppen – zoals dat vaak ging met de beste soldaten, en Dion was een uitzonderlijk goede soldaat geweest. Hij wist dat Dions woedeaanvallen, altijd al angstaanjagend, met het ouder worden alleen maar erger waren geworden en dat de meeste mensen met enig gezond verstand als de dood voor hem waren. Hij wist ook – in tegenstelling tot veel anderen – dat Dions voorliefde voor de cocaïne die ze eens in de maand uit Bolivia haalden, een rol speelde bij zijn stemmingswisselingen en geweld. Hij wist dit soort dingen allemaal over zijn vriend, en toch was Dion gewoon zijn vriend. Zijn oudste vriend. De enige man die hem nog kende van voor de maatpakken, de dure kappers en de verfijnde smaak in eten en drank. Dion had hem gekend toen hij iemands zoon was, iemands jongere broer, toen hij onervaren, onbesuisd en ongepolijst was. En hij had Dion gekend toen die nog een stuk vrolijker, veel dikker en zoveel speelser was. Dat was de Dion die hij miste, al vertrouwde hij erop dat die diep vanbinnen nog ergens sluimerde.

'Heb je gehoord wat er is gebeurd in Brown Town?' vroeg Dion.

'Ja.'

'En, wat vind je?'

'Freddy DiGiacomo is een ongelofelijke zakkenwasser.'

'Nu nog iets wat ik niet al lang weet, graag.'

'Montooth brengt al veertien jaar heel veel geld binnen. Sinds de dag dat jij en ik hier aankwamen, D.'

'Absoluut waar.'

'In een normale wereld zouden we hem onze excuses aanbieden voor de overlast. En als boetedoening zouden we Freddy met een kei z'n hoofd inslaan en in de baai dumpen.'

'Absoluut,' zei Dion, 'in een normale wereld. Maar twee van ons zijn dood. Daar moeten we wat mee. Morgen even bij elkaar komen.'

'Hoe laat?'

'Laten we zeggen vier uur.'

Joe rekende uit hoeveel tijd het zou kosten om heen en weer naar Raiford te gaan. 'Zou vijf uur ook lukken, denk je?'

'Ik zou niet weten waarom niet.'

'Dan ben ik er.'

'Mooi.' Dion nam een trek van een van zijn eeuwige sigaren. 'Hoe is het met mijn jonge makker?'

'Die heeft de waterpokken.'

'Zo!'

'Inderdaad. En Narcisa wil niet op hem passen totdat hij weer beter is.'

'Wie werkt er voor wie daar bij jullie?'

'Ze is de beste huishoudster die ik ooit heb gehad.'

'Dat moet haast wel, die bepaalt zelf haar uren.'

'En hoe is het met jou?'

Dion gaapte. 'Hetzelfde gedoe en gekloot als altijd.'

'Ach. Is de kroon je te zwaar?'

'Hij was jou te zwaar.'

'Helemaal niet. Charlie zette me aan de kant omdat ik geen Italiaan ben.'

'Zo herinner jij je dat het ging.'

'Zo is het gegaan.'

'Hm. Ik weet nog dat iemand liep te mekkeren over dat hij het allemaal niet meer aankon, al het bloed, alle verantwoordelijkheid. Bla, bla, bla.'

Joe lachte. 'Ik zie je morgen.'

'Tot morgen.'

Toen hij ophing overwoog hij om de gordijnen alsnog open te schuiven. Meestal zette hij 's avonds de balkondeuren open om de geur van munt en bougainville op te snuiven en uit te kijken over de ondiepe vijver, de tuin vol schaduwen en de gestuukte muur met klimop en Spaans mos.

Maar als er iemand op de muur zat met een geweer...

Wat zou die zien? Hij had nog geen lamp aangedaan. Hij kon op z'n minst even gaan kijken.

Hij draaide zijn stoel en liet een vinger tussen de gordijnen glijden. Hij tuurde door de kier naar de muur met de kleur van glanzend koper en de ene sinaasappelboom die in zijn blikveld stond.

De jongen stond voor de boom. Hij droeg een wit matrozenpakje met een wijde, witte korte broek. Hij hield zijn hoofd schuin, alsof hij verrast was Joe te zien, en huppelde ervandoor. Hij liep niet. Hij huppelde.

Voor hij wist wat hij deed rukte Joe de gordijnen wijd open en tuurde naar zijn stille, lege tuin.

Het volgende moment had hij een schrikbeeld van een kogel die uit een geweerloop kwam, en hij duwde zijn stoel naar achteren en liet de gordijnen terugvallen.

Hij rolde in zijn stoel bij het raam vandaan tot waar de twee boekenkasten in een v bij elkaar kwamen. Op dat moment liep de jongen langs de deur van zijn werkkamer, op weg naar de trap.

De stoel tolde toen Joe opstond. Hij kwam in de hal en beklom de lege trap. Hij ging bij Tomas kijken en trof hem slapend aan. Hij keek onder zijn bed. Hij keek in zijn kast. Nog een keer op zijn knieën om onder het bed te kijken. Niets.

Hij maakte een ronde langs de andere slaapkamers. In zijn keel klopte een ader. Hij had een gevoel alsof er onderhuids mieren langs zijn ruggengraat rondkropen en de lucht in huis was zo koud dat hij het tot in zijn tanden voelde.

Hij doorzocht het hele huis. Toen hij klaar was, ging hij zijn slaapkamer in, waar hij verwachtte de jongen aan te treffen, maar er was niemand in het vertrek.

Joe bleef tot diep in de nacht op. Toen de jongen de deur van zijn werkkamer passeerde, waren zijn trekken duidelijker geweest dan bij vorige verschijningen. Dit gaf Joe de gelegenheid een duidelijke familiegelijkenis vast te stellen. Hij had de lange kaaklijn en de kleine oren van de Coughlins. Als hij zich op dat moment had omgedraaid en hem recht had aangekeken, zou Joe niet verbaasd zijn geweest als hij in het gezicht van zijn vader had gekeken.

Maar waarom zou zijn vader de gedaante van een kind aannemen? Joe betwijfelde zelfs of zijn vader in zijn kinderjaren ooit iets kinderlijks had gehad.

Joe had nooit te maken gehad met een geest. Had dat ook niet echt verwacht. Na de dood van Graciela had hij gedacht – en er zelfs om gebeden – dat ze in enige vorm bij hem terug zou komen. Maar de meeste nachten weigerde ze zelfs in zijn dromen te verschijnen. Als hij wel van haar droomde, waren het zonder uitzondering banale dromen. De meeste speelden zich af op de boot die ze vanaf Havana hadden genomen op de dag van haar dood. Tomas was een uitgelaten jongetje van net twee. Joe was de hele overtocht bezig geweest hem overal achterna te rennen omdat Graciela zeeziek was. Ze had één keer overgegeven. De rest van de reis had ze puffend doorgebracht met een vochtige handdoek tegen haar voorhoofd. Toen de eerste daken van Tampa boven een door zware luchten bedekte horizon uit kropen, bracht Joe Graciela een verse vochtige handdoek, maar ze wimpelde hem af. 'Ik ben van gedachten veranderd. Twee is genoeg.'

In zijn dromen lagen de andere vochtige handdoeken gewoonlijk verspreid over het hele dek, hingen over de reling en wapperden van de mast. Vochtige handdoeken en droge, witte en rode, sommige niet groter dan een zakdoek en andere zo groot als een matras.

In werkelijkheid had Joe naar zijn beste weten geen andere handdoek gezien, alleen de ene die ze tegen haar voorhoofd hield.

Nog geen uur later zou Graciela liggen doodbloeden op de pier, haar moordenaar verpletterd onder de wielen van een steenkooltruck. Joe wist niet eens meer hoelang hij op zijn knieën naast haar had gezeten. Tomas verzette zich in zijn armen, liet een paar keer een schril geluid horen, en het licht verdween uit de ogen van zijn vrouw. Hij zag haar over de drempel gaan naar wat voor wereld of leegte er ook maar lag voorbij de bestaande. In de laatste dertig seconden van haar leven hadden haar oogleden negen keer geknipperd. En toen nooit meer.

Toen de politie arriveerde zat hij nog steeds op zijn knieën. En ook nog toen een ambulancebroeder een stethoscoop op de borst van zijn vrouw zette, en vervolgens de rechercheur van dienst aankeek en zijn hoofd schudde. Tegen de tijd dat de lijkschouwer kwam stond Joe op een paar passen van haar lichaam en de lichamen van Seppe Carbone en Enrico Pozzetta, en gaf antwoord op de vragen van rechercheur Poston en zijn collega.

Toen het moment kwam om haar lichaam weg te halen richtte de lijkschouwer, een onverzorgde jonge vent met een bleekgele huid en sluik, donker haar, zich tot Joe.

'Ik ben dokter Jefferts,' zei hij zacht. 'Ik zou nu graag uw vrouw meenemen, meneer Coughlin, maar ik ben bang dat het voor uw zoon misschien te moeilijk is om daarbij te zijn.'

Tomas had zich om zijn vaders been gevouwen en in die houding volhard tijdens de ondervraging door de rechercheur.

Joe nam de jongeman in zijn gekreukte pak in zich op. Zijn overhemd en das zaten onder de opgedroogde soepvlekken, en het eerste wat Joe dacht, was dat het weinig professioneel was om de autopsie op zijn vrouw aan zo'n slonzige man toe te vertrouwen. Maar na nog een blik in de ogen van de man en het medeleven dat hij daarin zag voor een kleine jongen die hij nog nooit had gezien en voor de rouwende vader van die jongen, knikte hij dankbaar.

Joe maakte zijn zoon los van zijn been, tilde hem op en drukte hem stevig aan zijn borst. Tomas begroef zijn kin in Joe's schouder. Hij had nog steeds geen traan gelaten. Hij had alleen in een soort gespannen mantra het woord 'mama' herhaald. Soms viel hij even stil, om dan opnieuw te beginnen. 'Ma-ma, ma-ma, ma-ma...'

Dokter Jefferts zei: 'We zullen haar met respect behandelen, meneer Coughlin. Dat beloof ik u.'

Uit angst dat hij het niet droog zou houden schudde Joe hem zwijgend de hand, waarop hij zijn zoon wegdroeg over de pier.

En nu, zeven jaar na die allerergste der erge dagen, droomde hij nog maar zelden over haar.

De laatste keer was een maand of vijf geleden geweest. In die droom had hij haar in plaats van een vochtige handdoek een grapefruit gebracht. Ze had naar hem opgekeken vanuit haar ligstoel op het dek, haar gezicht te mager, bijna skeletachtig, en had precies hetzelfde gezegd als toen: 'Ik ben van gedachten veranderd. Twee is genoeg.'

Hij had naar de vloer rondom haar stoel gekeken, en naar de rest van het dek, maar nergens een grapefruit gezien. 'Maar je hebt er niet eens één.'

Ze had hem zo totaal verward aangekeken dat het aan minachting grensde. 'Er zijn dingen waar je geen grappen over maakt.'

Waarna het bloed haar jurk kleurde en haar oogleden knipperden en vervolgens stilvielen.

Na die droom was Joe met een glas whisky naar de veranda gelopen en had een half pakje sigaretten gerookt.

Ook deze avond haalde hij de whisky en de sigaretten tevoorschijn, maar hij bleef binnen en rookte een stuk minder. Wachtend op de jongen viel hij in zijn stoel in slaap.

9

In het bos, in het bos

Op de dag dat hij in 1929 een gevangenispoort uit was gelopen, had Joe gezworen dat hij er nooit meer een zou betreden. Drie jaar lang had hij opgesloten gezeten in de Charleston-bajes in Boston, een van de ergste gevangenissen van het land. Veertien jaar later kon het geluid van de traliedeur zoals die om acht uur 's avonds achter hem dichtviel zijn dromen nog altijd vergiftigen. Dan werd hij in klamme paniek wakker en schoten zijn ogen wild door de kamer totdat hij zich ervan overtuigd had dat hij echt in zijn slaapkamer was. De bron van zijn nachtmerries had hij alleen Graciela toevertrouwd. Ze had gezegd dat het begrijpelijk was, en helemaal als ze bedacht dat hij zolang ze hem kende nooit had stilgezeten, kon ze zich nauwelijks voorstellen dat hij het tussen de muren van een huis, laat staan die van een cel, zou kunnen uithouden.

Hij vloog met Tomas aan boord van het vrachtvliegtuig van Suarez Sugar naar een landingsbaan bij Jacksonville, vanwaar ze de laatste dertig mijl naar Raiford per auto aflegden. Zijn man in de regio heette Al Butters, een illegale stoker en eersteklas vluchtwagenchauffeur voor de Bunsford-familie. De Bunsfords regeerden Duval County en een klein stukje van noordelijk Georgia. Joe had Al toegewezen gekregen omdat die als kind al waterpokken had gehad. Terwijl Tomas wegdommelde in de warmte op de achterbank verzekerde Al Joe dat alle noodzakelijke mensen waren betaald en alle noodzakelijke afspraken gemaakt. En inderdaad, bij Raiford werd hij buiten de poort opgevangen door een man die luisterde naar de naam Cummings, de onderdirecteur, die hem meenam langs het hek dat de hele westelijke kant van de inrichting omsloot. Na een meter of vijfhonderd kwamen ze bij een kleine luchtplaats waar Theresa

Del Fresco zat te wachten, haar kleine gestalte op een oranje krat dat ze op z'n kant had gezet.

Cummings zei: 'Goed, ik laat het verder aan u over', waarop hij een stuk terugliep en na een meter of honderd bleef staan om zijn pijp te stoppen en aan te steken.

Joe had uit verhalen al begrepen dat Theresa klein van stuk was, en nu hij haar zag, schatte hij dat ze niet meer dan een kleine vijftig kilo kon wegen. Maar de manier waarop ze opstond van haar krat en naar de omheining toe kwam deed Joe denken aan een panter die hij eens had gezien in de moerassen rond Tampa. Het dier had zich met lome soepelheid voortbewogen. Theresa bewoog zich net zo, alsof ze alle anderen een sportieve voorsprong gaf. Hij durfde te wedden dat ze over het hek tussen hen in kon klimmen in de tijd die hij nodig had om op zijn horloge te kijken.

'U bent er,' zei ze.

Hij knikte. 'Het was nogal een intrigerende boodschap.'

'Wat heeft hij gezegd?'

'Uw... vriend?'

'Ook goed.'

'Is-ie al zindelijk?'

'Toe, meneer Coughlin,' zei ze, 'dat is beneden uw waardigheid.'

Hij stak een sigaret op, plukte een sliertje tabak van zijn tong. 'Hij zei dat iemand een contract, een opdracht tot moord op u...'

'Was dat het woord dat hij gebruikte? "Contract"?'

'Nee,' zei Joe. 'Het is een boer. Ik weet niet meer welk woord hij gebruikte. Maar de boodschap was dat als u doodgaat, u me niet meer kunt vertellen wie mij zogenaamd probeert te laten ombrengen.'

'Laat u dat "zogenaamd" maar weg.'

'Theresa,' zei hij. 'Mag ik Theresa zeggen?'

'Best. En hoe noem ik u?'

'Joe is goed. Theresa, waarom zou iemand mij willen vermoorden?'

'Dat vroeg ik me ook af. U bent de jongen met de gouden lokken.'

'Grijze lokken, sinds kort.'

Ze glimlachte.

'Wat?'

'Niks.'

'Nee, zeg het.'

'Ik had al gehoord dat u ijdel was.'

'Is het ijdel om te zeggen dat ik nu al grijs word?'

'De manier waarop u het zegt is ijdel. In de hoop dat ik u zal tegenspreken. U zal vertellen dat het wel meevalt met dat grijs, u zal vertellen dat de meiden nog steeds in katzwijm vallen voor die onschuldige blauwe ogen van u.'

Hij grinnikte. 'En ik had al gehoord dat jij een grote mond hebt. Dan hebben we 't allebei goed gehoord, zal ik maar zeggen.'

Ze stak een sigaret op en ze begonnen te lopen, zij aan haar kant van het hek, hij aan de zijne. Cummings volgde op zijn vaste afstand van honderd meter.

'Goed, eerst maar eens over wie jou probeert te vermoorden,' zei Joe.

Ze knikte. 'Mijn gok is dat het mijn baas is.'

'Waarom zou Lucius je dood willen hebben?'

'Drie maanden geleden hebben we een Duits schip beroofd in Key West.'

'Een wat?'

Ze knikte een paar keer. 'Het was onder Engelse vlag vertrokken uit St. Thomas, zogenaamd met voorraden voor onze troepen in Noord-Afrika. Ze maakten een tussenstop in Key West om brandstof in te nemen, maar wat ze eigenlijk vervoerden waren diamanten die maanden geleden uit Duitsland waren gesmokkeld, via Argentinië naar St. Thomas. Ze zouden ze in Key West van boord brengen om ze bij een van hun mensen in New York te krijgen. Het was genoeg om zijn hele sabotagenetwerk jarenlang op de been te houden. Maar we sloegen toe toen ze aan het lossen waren. Acht van die lui omgelegd, allemaal moffen. Dus misschien wilt u nu even dank je wel zeggen; wij hebben onze bijdrage aan de oorlog wel geleverd.'

'Dank je,' zei Joe. 'Je bent top.'

Ze maakte een buiginkje.

'En Lucius had die klus gefinancierd?'

Ze knikte.

'Hoeveel heeft-ie eraan overgehouden?'

'Een angstaanjagend bedrag.'

'Kom maar op.'

'Twee miljoen.'

'Jezus.' Joe had van z'n leven niet gehoord van een buit van die omvang. En hij wist toch wel van, of had een paar keer meegedeeld in, behoorlijk stevige buit. Maar twee miljoen dollar? Dat was het soort bedrag dat spoorwegen en oliebedrijven in een heel jaar overhielden. Godsamme, de hele Bartolo-familie had vorig jaar niet meer dan anderhalf miljoen binnengehaald – bruto, welteverstaan – en die zwommen in het geld.

Joe vroeg Theresa: 'Wat was jouw aandeel?'

'Vijf procent.'

Genoeg om de rest van haar leven zorgeloos te kunnen doorbrengen op een niveau dat een stuk hoger lag dan ze tot nu toe gewend was.

'En je bent er niet gerust op dat hij je zal betalen.'

'Ik weet wel zeker dat hij me niet zal betalen. Twee krengen hebben al hun best gedaan om me af te maken hierbinnen, en ik ben pas vorige week veroordeeld. Ik kon maar niet bedenken waarom de aanklager... Archie Boll, ken je die?'

Joe knikte.

'Ik kon maar niet bedenken waarom die man zo vergevingsgezind was. Ik bedoel, shit, ik heb Tony zo hard z'n kop ingeslagen dat er stukken van hem op de keukenkastjes aan de andere kant van de keuken zaten. En ze lieten me wegkomen met doodslag, snap jij het? Ik ging er maar van uit dat het Archie Boll om seks te doen was, dat hij nog langs zou komen in mijn cel de avond voordat ze me hierheen stuurden. Maar dat gebeurde niet. En toen begon ik mezelf de vragen te stellen die ik had moeten stellen toen ze me die deal aanboden.'

'Waarom heb je dat toen niet gedaan?'

'Wie gaat er zo'n gegeven paard in de bek kijken? Ik heb een strafblad, ik ben Italiaanse en, o ja, ik had mijn man doodgeslagen met een croquethamer. Ze hadden me de stoel kunnen geven. Maar ze gaven me vijf jaar. Als ik weer buitenkom is mijn zoon acht. Jong genoeg om samen opnieuw te beginnen.' Ze knikte, als om haar eigen woorden te bevestigen. 'Maar als ik wel had rondgevraagd, dan zou ik ontdekt hebben wat jij allang weet, durf ik te wedden.' Ze keek hem door het hekwerk aan.

Hij knikte en zei zacht: 'Dat King Lucius Archie Boll in zijn zak heeft.'

'Precies.'

'Wat wil zeggen,' zei Joe, 'dat het juist de bedoeling was om jou hierheen te krijgen.'

Opnieuw een buiginkje, gevolgd door het verbitterd uitblazen van rook. 'Meteen toen ik Tony had omgebracht, zag King Lucius een mogelijkheid om een extra honderdduizend voor zichzelf te houden. En misschien denkt hij ook nog dat er hier binnenkort iemand op de stoep zal staan die me een deal aanbiedt om kroongetuige te worden. Maar van welke kant hij het ook bekijkt, zolang ik blijf ademhalen is dat slecht nieuws voor hem. Hou ik op met ademhalen? Dan heeft hij een heldere hemel boven zich en de wind in de zeilen.'

'Dus je wilt dat ik met hem ga praten?'

Ze beet op haar nagelriem. 'Ja, daar had ik eigenlijk wel een beetje op gerekend.'

'En hoeveel was je van plan te betalen voor je leven?'

Ze haalde diep adem en zuchtte. 'Negentig procent. Hij zet tienduizend op een spaarrekening voor mijn zoon en laat me leven. Daar heb ik negentigduizend dollar voor over.'

Joe dacht er een ogenblik over na. 'Dat is een groot bedrag, en ook handig gespeeld. Hou er wel rekening mee dat Lucius misschien akkoord gaat en de maanden daarop aan zichzelf zal gaan twijfelen en denken: die komt op een dag weer vrij en dan is ze boos. Ze denkt wel van niet, maar ze gaat nog woedend worden over deze deal. Nu niet, maar dan. En dan wordt ze opnieuw een risico.'

Ze knikte. 'Daar heb ik aan gedacht.'

'En?'

'Als jij de deal met hem sluit moet je zorgen dat je er een getuige bij hebt. Dan ligt het open en wordt het een bekend verhaal in onze kringen. Iedereen zal het weten.'

'Maar dan weet ook iedereen dat hij geprobeerd heeft jou te vermoorden om een ton.'

'Maar wie zou dat niet proberen? Als mijn medewerker de bak in draaide en ik was haar een ton schuldig, dan zou ik ook een prijs op haar hoofd zetten. Dat is gewoon slim zakendoen.'

Jezus, dacht Joe, die club van Lucius, dat is hard volk.

Theresa zei: 'Maar als bekend wordt dat ik mijn leven heb teruggekocht en er een lieve som voor betaald heb, en Lucius zou me toch om zeep helpen, nou, Joe, zelfs in ons vak heb je normen.'

'O ja?' Joe liet dit even tot zich doordringen. 'Maar goed, je kon het zomaar bij het rechte eind hebben. Dus laten we aannemen dat ik iemand met voldoende kloten vind om samen met mij bij Lucius binnen te stappen, en ik leg hem jouw deal voor. En laten we aannemen dat hij erin meegaat. Wat levert mij dat dan op?'

'Zou jij niet uit de goedheid van je hart een leven redden?'

'Hangt ervan af wiens leven. Je hebt een hoop mensen het graf in gestuurd, onder wie een paar kennissen van me. Ik weet niet zo zeker of jouw dood wel zo'n tragedie zou zijn als jijzelf denkt.'

'Maar voor mijn zoon?'

'Iemand die niet zijn vader vermoord heeft zal hem wel grootbrengen.'

'Waarom ben je dan toch gekomen?'

'Uit nieuwsgierigheid. Ik zou van m'n leven niet kunnen bedenken waarom je juist naar mij zou vragen.'

'Nou ja, dat is het 'm juist, om jouw leven.' Ze keek hem met een zelfvoldane glimlach aan. 'En voor je zoon, Joe, dat jouw jongen net zomin in een weeshuis hoeft op te groeien als die van mij.'

Joe beantwoordde haar glimlach met de zijne. 'Jij wilt mij laten geloven dat mijn leven in gevaar is. Maar ik ben een grootverdiener, en geen lastpak. Mijn dood zou een flinke klap betekenen voor de winstmarges van onze zaak in Tampa, in Havana, in Boston en in Portland. Dus wie zou mij dood wensen?'

'Iemand die de winstmarges van onze zaak in Tampa, Havana, Boston en Portland een flinke knauw wil geven.'

Zoveel moest Joe haar toegeven. 'Dus de dreiging komt van buiten? Niet de normale gang van zaken in deze handel.'

'Ik weet eerlijk niet waar het vandaan komt, van binnenuit, van buiten, het Duitse opperbevel, geen enkel idee. Ik heb alleen een naam en een datum.'

Joe lachte. 'Waarop ik vermoord zal worden? Iemand heeft verdomme een datum geprikt?'

Ze knikte. 'Aswoensdag.'

'Dus mijn moordenaars zijn gelovige katholieken?'

'Ik zou zeggen: blijf het vooral luchtig opvatten, tot op de begraafplaats, Joseph. Ik zal je niet tegenhouden.'

Ze sloegen een volgende hoek om in het hek. Het parkeerterrein was nu net links van hen. Joe zag Al en Tomas in de auto zitten, Al met zijn hoed over zijn ogen, Tomas met zijn blik op zijn vader. Joe zwaaide kort en zijn zoon zwaaide terug.

'Dus eigenlijk weet je niet zoveel,' zei Joe, 'over die zogenaamde aanslag.'

'Ik weet wie hem gaat uitvoeren en ik weet vrijwel zeker wie de klus als onderaannemer heeft aangepakt.'

Tomas richtte zich weer op zijn boek.

Joe zei: 'Nou ja, als jij erover gehoord hebt, dan heeft Lucius het in zijn zak. Dat is niet zo moeilijk. En nu wil jij dat ik het hol van de leeuw binnenga – nee, dat ik goddomme mijn hoofd tussen z'n kaken steek – om jouw vrijheid te kopen.'

'Lucius moordt niet meer.'

'Zeg dat tegen de laatste twee jongens die bij hem aan boord gingen en er nooit meer af kwamen.'

'Neem dan iemand mee die overal boven staat, waar niemand aan durft te komen.'

Joe grijnsde ongemakkelijk. 'Tot twee dagen geleden zou ik gezegd hebben dat ik diegene was.'

'Gil Valentine zou precies hetzelfde gezegd hebben in 1940.'

'Wie heeft Gil vermoord, denk je?'

'Al sla je me dood. En ik ken niemand die het wel weet. Ik noemde zijn naam opdat je zou beseffen – opdat je je zou herinneren, eigenlijk – dat niemand in onze kringen veilig is.' Ze schoot haar sigaret in het gras en glimlachte hem toe door het gaas. 'Zelfs jij niet.'

'En daarom ga je me vertellen wie mijn toekomstige moordenaar is.'

Een knikje. 'Zodra die tien procent op mijn rekening staat.'

'Zoveel jongens die in staat zouden zijn mij te vermoorden lopen er niet rond. Wat als ik er gewoon door deductie achter zou komen wie het is?'

'En wat als je het mis had?'

Achter Theresa, aan de andere kant van de luchtplaats en voorbij het volgende hek, op een lichtgroen heuveltje, stond de jongen naar hen te kijken.

'Theresa.'

'Ja, Joseph.'

'Wil je iets voor me doen en je even omdraaien, alsjeblieft. En me vertellen wat je ziet als je recht voor je uit kijkt.'

Ze trok verwonderd een wenkbrauw naar hem op, maar ze draaide zich om en keek recht voor zich uit naar het heuveltje.

De jongen had een donkerblauwe korte broek met bretels aan vandaag, en een witte blouse met een grote kraag. Hij verdween niet toen Theresa zich naar hem omdraaide, maar ging op het gras zitten, trok zijn knieën op naar zijn borst en sloeg er zijn armen omheen.

'Ik zie een hek,' zei Theresa.

'Voorbij het hek.'

Theresa wees. 'Daar?'

Joe knikte. 'Recht voor je. Zie je iets op dat heuveltje?'

Theresa keek met een dun glimlachje naar hem om en zei: 'Jazeker.'

'Wat is het?'

'Zie je zo slecht?'

'Wat is het?' herhaalde hij.

'Een jong hertje,' zei ze. 'Lief. Daar gaat-ie.'

De jongen klom van het heuveltje af en verdween aan de andere kant.

'Een hertje.'

Theresa knikte. 'Een hertenjong, weet je wel? Zoals Bambi.'

'Zoals Bambi,' herhaalde Joe.

'Ja.' Ze haalde haar schouders op. 'Heb je een pen om mijn rekeningnummer te noteren?'

Tomas zat op de achterbank van de Packard en deed zijn best om niet aan zijn gezicht of armen te krabben. Het kostte hem zoveel inspanning dat hij er opnieuw slaperig van werd.

Hij keek naar zijn vader, die met de kleine, tengere vrouw in haar oranje gevangeniskleren stond te praten en vroeg zich voor de zoveelste keer af wat zijn vader nou precies deed voor zijn beroep. Hij wist dat hij een zakenman was en dat hij een suikerfabriek en een rumstokerij had samen met oom Esteban, die net als oom Dion geen echte oom was. Veel dingen in hun leven die iets leken, konden ook iets heel anders zijn.

Hij zag dat zijn vader omkeerde en dezelfde weg terugliep die hij gekomen was, langs het hek. De vrouw liep naast hem op langs de andere kant van het harmonicagaas. Ze had heel donker haar, iets wat Tomas vaak aan het piekeren zette over zijn moeder; het was de enige herinnering aan haar waarvan hij zeker was. Hij had zijn gezicht dicht tegen haar aan in haar hals gedrukt en haar lange haren waren als een capuchon om hem heen gevallen. Ze had naar zeep geroken en een liedje gezongen. De melodie was hij nooit vergeten. Toen hij vijf was had hij het voor zijn vader geneuried, die daardoor zo van zijn stuk was dat zijn ogen volschoten.

'Ken je dat liedje, papa?'

'Ja, ik ken het.'

'Komt het uit Cuba?'

Zijn vader schudde zijn hoofd. 'Amerika. Je moeder was er dol op, ook al is het een heel droevig liedje.'

Er waren maar een paar regels tekst en Tomas had ze nog voor hij zes werd uit zijn hoofd geleerd, ook al begreep hij ze tot op de dag van vandaag niet helemaal:

Meisje zwart, meisje zwart, niet liegen nou
Zeg me: waar sliep jij vannacht?
In het bos, in het bos
Waar de zon niet komen kan
Lag ik de hele nacht te rillen van de kou

Er was nog een couplet, over een man die misschien wel maar misschien ook niet de man van het meisje was, en die onder een trein kwam. Tomas' vader vertelde hem dat het liedje bekend was als 'In het bos' of 'Meisje zwart', maar dat sommige mensen het ook kenden als 'Waar sliep jij vannacht?'

Tomas had het altijd een eng liedje gevonden, en een dreigend liedje op het moment dat de zanger 'Niet liegen nou' zong. Tomas' fascinatie kwam niet voort uit plezier, want het liedje bezorgde hem geen grammetje plezier. Het brak zijn hart, telkens wanneer hij het draaide op de koffergrammofoon. Maar in die droefenis voelde hij zich dicht bij zijn moeder. Omdat zijn moeder, geloofde hij, nu het meisje in het bos was en alleen was en de hele nacht rilde van de kou.

Soms ook geloofde hij dat zijn moeder niet in het bos was en niet de hele nacht lag te rillen. Ze was in een wereld achter de nacht en de kou. Ze was ergens waar het heel warm was, waar de zon de straatstenen onder haar voeten blakerde. Ze slenterde over een plein op de dag dat er markt was en kocht allerlei dingen om alvast klaar te hebben liggen voor wanneer hij en zijn vader zich bij haar zouden voegen.

Ze gaf Tomas een roodzijden sjaal en zei: 'Hou die even voor me vast, jongen', en ze neuriede 'In het bos' terwijl ze nog een sjaal uitzocht, een lichtblauwe deze keer. Ze draaide zich naar hem om met de zwierende sjaal in haar hand en stond op het punt die aan hem te geven, toen het portier openging en hij wakker schrok van zijn vader, die snel naast hem op de achterbank kwam zitten.

Ze lieten de gevangenis achter zich en draaiden de doorgaande weg op – de zon stond laag en de warmte lag als een deken over hen heen. Zijn vader rolde zijn raampje omlaag, nam zijn hoed af en liet de wind zijn haar in de war blazen.

'Je zat aan je moeder te denken, niet?'

'Hoe wist je dat?'

'Ik zie het aan die blik van je.'

'Wat voor blik?'

'Naar binnen gekeerd,' zei zijn vader.

'Ik denk dat ze gelukkig is.'

'Mooi. De laatste keer zei je dat ze alleen was in het donker.'

'Het verandert steeds.'

'Oké.'

'Denk jij dat ze gelukkig is? Waar ze ook maar is?'

Zijn vader keerde zich naar hem toe en keek hem aan. 'Nu je 't zo vraagt, ja.'

'Maar ze moet wel eenzaam zijn.'

'Dat hangt ervan af. Als je gelooft dat de tijd daar net zo werkt als hier, in dat geval, ja, dan heeft ze alleen gezelschap van haar vader en ze was niet zo heel dol op hem.' Hij gaf Tomas een klopje op zijn knie. 'Maar wat als er nou helemaal geen tijd bestaat na dit leven?'

'Ik snap het niet.'

'Geen minuten, geen uren, geen klokken. Geen nacht die dag wordt. Ik stel me graag voor dat je moeder niet alleen is, omdat ze niet op ons wacht. We zijn er al.'

Tomas keek zijn vader recht in zijn vriendelijke gezicht en was ondersteboven, zoals hij soms kon zijn van hoe overtuigd zijn vader was. Al zijn overtuigingen kende hij niet en ze hadden ook niet noodzakelijkerwijs iets gemeenschappelijks, maar als Joe Coughlin eenmaal tot een bepaald inzicht was gekomen, twijfelde hij daarna geen seconde meer. Tomas was net oud genoeg om te vermoeden dat zulke vaste overtuigingen hun eigen problemen met zich mee konden brengen, maar bij zijn vader zijn, hoe kort of lang ook, bezorgde hem een gevoel van veiligheid zoals hij nergens anders vond. Zijn vader, laconiek, charmant en af en toe stekelig, was een man die anderen aanstak met zijn onwankelbare zelfverzekerdheid.

'Dus we zijn al bij haar?' vroeg Tomas.

Zijn vader boog zich naar hem toe en gaf hem een kus op zijn kruin. 'Ja.'

Tomas glimlachte, nog steeds slaperig. Hij knipperde een paar keer en zijn vaders beeld werd zwemmerig voor zijn ogen. En terwijl hij wegleed voelde hij die kus als de pootjes van een heel klein vogeltje op zijn kruin.

Iemand wil je vermoorden.

Het was een lastige gedachte om af te schudden. Joe's rationele zelf wist dat het nergens op sloeg. Als er al zoiets bestond als een onvervangbare aanwinst voor de Bartolo-familie, dan was hij het. En niet alleen in de Bartolo-familie; hij was een belangrijke schakel in Lansky's werkzaamheden en dus, in het verlengde daarvan, ook in die van Luciano. Hij was dik met Marcello in New Orleans, Moe Dietz in Cleveland, Frank Costello in New York en Little Augie in Miami.

Mij? Onmogelijk.

Ze hadden in het verleden wel geprobeerd hem te vermoorden, natuurlijk, maar toen was dat begrijpelijk geweest: een mentor die vond dat Joe naast zijn schoenen begon te lopen, en eerder leden van de Klan, die niet warmliepen voor een achterlijke Yankee die zich op hun terrein waagde en wel even zou laten zien hoe een grootverdiener te werk ging, en nog langer geleden een gangster op wiens vriendin hij verliefd geworden was.

Maar al die haat was begrijpelijk geweest.

Waarom ik?

Joe kon zich niet herinneren wanneer hij voor het laatst iemand van enig gewicht tegen zich in het harnas had gejaagd. Dion schoffeerde mensen. Dion maakte vijanden en vermoordde ze dan meestal om te zorgen dat hun bestaan hem niet uit zijn slaap zou houden. Sinds Dion in 1935 de Tampa-onderneming van Joe had overgenomen, had hij een hoop bloed vergoten. Veel minder dan hij gedaan zou hebben zonder Joe als consigliere, maar toch, het was aanzienlijk. Misschien stond de prijs op Dions hoofd en had iemand bedacht dat het beter zou zijn om in één moeite door ook zijn vertrouwensman maar uit te schakelen. Maar, nee, voor het uitschakelen van een maffiabaas als Dion was goedkeuring vooraf nodig, en de mensen die die goedkeuring moesten geven waren stuk voor stuk goede relaties van Joe; allemaal mensen die dankzij hem hun zakken vulden en dat tot ver in de toekomst hoopten te blijven doen.

Trouwens, Theresa had stellig beweerd dat Lucius' advocaat het specifiek over Joe had gehad als doelwit. Niet een van de doelwitten. Hét doelwit.

Maar Theresa was een moordenares en een bedriegster, en ze had veel meer redenen om Joe een kunstje te flikken dan de meesten. Als Joe er op gepaste wijze toe verleid kon worden, was hij een van de heel weinigen die King Lucius zou kunnen benaderen en op andere gedachten brengen. Het zou slim gespeeld zijn, vanuit Theresa geredeneerd, om Joe te benaderen met het bericht van een moordcomplot tegen hem dat voldoende vaag en tegelijkertijd specifiek genoeg was om een tijdbom in zijn achterhoofd aan het tikken te brengen: Aswoensdag was over acht dagen. Hij zou zich kunnen blijven inbeelden dat er geen enkele logische reden te bedenken viel waarom iemand hem dood zou wensen, en dat als die er wel was, hij over zoveel vrienden in het circuit beschikte dat er altijd wel een van hen van zo'n complot gehoord zou hebben en hem ondertussen zou hebben ingelicht. Hij kon zich voorhouden dat, met uitzondering van wat bajesroddel tussen een malafide advocaat en een moordenares, het hele gerucht even vluchtig en ongrijpbaar was als de rook die van zijn sigaret kringelde. En als het beoogde slachtoffer iemand anders was geweest dan hijzelf, zou hij het hele geval lachend hebben afgedaan als de wanhopige gooi van een vrouw naar de gunsten van een man van wie ze geloofde dat hij haar leven kon redden.

Maar het gerucht, hoe vaag, vluchtig en niet-onderbouwd ook, ging onmiskenbaar over hem.

Hij keek opzij en glimlachte naar zijn zoon, die – naar het leek tevergeefs – met zijn ogen zat te knipperen tegen de slaap. Tomas antwoordde met een vragende glimlach en kneep zijn ogen samen. Joe schudde zijn hoofd als om te zeggen: *Niks aan de hand. Alles in orde.* En Tomas' ogen vielen dicht en zijn hoofd zakte op zijn borst. Joe zat met zijn rug naar het open raam gekeerd en rookte.

Voorin zei Al Butters tegen Joe dat hij moest stoppen om zijn blaas te legen.

Joe zei prima, pas maar wel op voor de krokodillen en slangen.

'Ach, niemand heeft nog belang bij een oud skelet als dat van mij.' Al reed naar de kant en stopte. De wielen aan de passagierskant zakten weg in de zachte, groene berm.

Al stapte uit, deed een paar stappen en maakte zijn gulp open. Joe moest althans aannemen dat hij zijn gulp openmaakte, want hij keek hem op zijn rug en kon niet zien wat hij precies in zijn handen nam. Zou ook een pistool kunnen zijn.

De weg was een witte baan dwars door zeeën van groen zaaggras, dwergeik en magere, zieltogende pijnbomen. De hemel was even wit als de weg.

De Bunsford-familie kon de klus hebben aangenomen. Als dat zo was, bestond de kans dat Al Butters zich zo meteen zou omdraaien met een pistool in zijn hand om eerst Joe om te leggen en de volgende kogel in het voorhoofd van zijn zoon te jagen. Waarna hem niets restte dan te blijven staan tot de vluchtauto hem kwam halen, die wellicht voorbij de volgende bocht met draaiende motor klaarstond.

Al Butters draaide zich om en kwam zijn gulp dicht ritsend teruglopen naar de auto.

Joe wachtte tot hij was ingestapt en de auto uit de berm had gestuurd, om pas dan zijn hoed over zijn voorhoofd te schuiven en zijn ogen te sluiten. Hij voelde hoe de schaduwen van de bomen over zijn gezicht dansten en zijn oogleden streelden.

Toen was het Graciela die zijn gezicht streelde, eerst zacht maar steeds minder vriendelijk, de methode die ze had gebruikt om hem te wekken op de dag van Tomas' geboorte. Joe was net teruggekeerd van een zakenreis die hem en Esteban naar de noordelijke punt van Zuid-

Amerika had gevoerd, en hij had in geen dagen goed geslapen. Hij opende zijn ogen en zag het aan de blik van zijn vrouw: ze stonden op het punt om ouders te worden.

'Is het zover?'

'Ja.' Ze sloeg de dekens terug. 'Tijd voor onze eerste.'

Hij was in zijn kleren gaan slapen. Hij ging rechtop zitten, wreef zich in zijn gezicht en legde een hand op haar buik.

Ze kreeg een wee en kromp ineen. 'Kom, snel.'

Hij stapte uit bed en liep achter haar aan naar de trap. 'Zei je nou onze eerste?'

Ze keek hem over haar schouder aan en zei: 'Natuurlijk, *mi amor*.' Met haar linkerhand greep ze de trapleuning.

'O ja?' Hij pakte haar bij haar vrije arm. 'En hoeveel gaan we er krijgen?'

'Op z'n minst drie.'

Joe sloeg zijn ogen op en voelde de warmte op zijn gezicht.

Ze had het niet over handdoeken gehad, die laatste dag van haar leven. Of over grapefruits.

Ze had gesproken over het aantal kinderen.

10

Een vonnis

Het hoofdkwartier van de Bartolo-familie was gevestigd op de bovenste verdieping van de American Cigarette Machines Service Company – een donkerbruin gebouw met beige glas-in-loodramen die grijs zagen van een dikke laag stof – aan het eind van Pier 6 in Port Tampa. Joe trof bij binnenkomst Rico al aan in de wachtkamer.

De wachtkamer was bijna even fraai als het erachter gelegen kantoor. De vloer bestond uit brede, honingkleurige grenen planken. De leren leunstoelen en banken waren voor de oorlog geïmporteerd uit Birma. Grote kleurenfoto's van Manganaro, het stadje op Sicilië waar Dion Bartolo geboren was, sierden de baksteenmuren. Twee jaar nadat hij de baas van de familie geworden was had Dion een fotograaf van *Life* voor een schunnig bedrag naar Manganaro gestuurd om die foto's te maken. Ze waren in ambertonen afgedrukt op polaroidmateriaal; de beelden waren even rijk en warm als de leren stoelen en honingkleurige vloer. Op een van de foto's zwoegden een man en zijn ezel een heuvel op terwijl het veld rechts van hen baadde in een zinderend zonlicht. Op een andere stonden drie oude vrouwen te lachen voor een slagerswinkel. In het hoge portaal van een smalle kerk leek een slapende hond heel klein. Een kind reed op zijn fiets langs een groepje olijfbomen.

Joe, die nooit besmet was geraakt met de kwaal van de nostalgie, had altijd het gevoel dat de foto's tegemoetkwamen aan Dions verlangen een wereld terug te halen die hij zich nauwelijks herinnerde, een wereld die voorbij was gegaan voordat hij ervan geproefd had of er goed en wel de geur van had opgesnoven. Al op zijn vierde was hij uit Italië weggegaan, zodat hij hoogstens een vleugje had opgevangen van de wereld op de foto's, maar de geur was hem de rest van zijn leven bijgebleven. De wereld op die foto's was het thuis geworden dat hij bijna gekend had, de jongen die hij bijna geworden was.

Joe gaf Rico een hand en nam naast hem plaats op de bank. Rico wees naar een van de foto's. 'Denk je dat die ouwe vent en zijn ezel dat elke dag doen, gewoon die berg op lopen?'

'Ik zou het niet durven zeggen, nu, met die oorlog en zo.'

Rico staarde naar de foto. 'Ik durf te wedden van wel, zelfs nu. Die man is net als mijn vader – je dagelijks werk verrichten, daar draait het allemaal om. Zelfs als... nee wacht, juist als iemand bommen over je uitstrooit. Hij en die ezel van 'm zullen intussen wel zijn opgeblazen, Joe. Maar die man ging eropuit om te doen wat zijn levenstaak was.'

'En die was?'

'Voor zover ik kan zien elke dag met die stomme ezel die berg op sjouwen.'

Joe grinnikte. Hij was vergeten hoe leuk het was om met Rico op te trekken. Wat Joe waarschijnlijk nog het zwaarst was gevallen aan de beslissing om Rico vanuit diens positie als zijn lijfwacht op een lonender carrièrepad te zetten, was dat hij zijn gezelschap miste.

Ze keken allebei naar de eiken deur van Dions kamer. 'Is er iemand bij hem?'

Rico knikte. 'Mijn broer.'

Joe slaakte een trage zucht. 'En, wat is het verhaal?'

Rico haalde zijn schouders op en verplaatste zijn hoed van zijn ene knie naar de andere. 'Een paar jongens van Freddy liepen in Tenth Street Montooth tegen het lijf...'

'We hebben het hier over blanke jongens?'

'Ja. Kermit...'

'Gebruiken we tegenwoordig jongens die Kermit heten?'

Rico haalde zijn schouders op. 'Het is niet anders. De helft van onze eigen lui zit ergens aan het front, zoals je weet.'

Joe sloot zijn ogen, kneep in de brug van zijn neus, zuchtte. 'Dus die, eh, Kermit en een maat van hem zijn gewoon twee blanke jongens die een ommetje maken in Brown Town, om tien uur 's avonds?'

Rico reageerde met een zwakke glimlach en opnieuw een schouderophalen. 'Maar goed, die beginnen daar midden op straat herrie te schoppen. En onze grote neger trekt een pistool en begint op ze los te knallen. En voor je het weet heeft hij Wyatt Pettigrue door z'n kop geschoten.'

'Pettigrue? Die kwajongen uit Third Avenue, van naast die Mongoolse kruidenier?'

'Die is allang geen kwajongen meer, Joe. Nou ja, shit, hij is ondertussen helemaal niks meer. Maar inderdaad, hoe oud zal-ie geweest zijn, een jaar of twintig? Was net vader geworden.'

'Jezus.' Joe herinnerde zich dat hij het joch weleens z'n schoenen liet poetsen op de hoek van Third en Sixth. Veel glans kreeg hij niet op je schoenen, maar hij had een aardige babbel en kon al het belangrijke nieuws uit de ochtendkrant voor je opratelen.

'Maar goed, die ligt nu dus bij Blake's in een kist,' zei Rico, 'twee in zijn borst, een in z'n gezicht. Zijn dochter is drie dagen oud. Ik vind het behoorlijk tragisch, dat mag je gerust van me weten.'

Ze keken beiden tegelijkertijd naar de klok boven de deur: tien over het uur. Nog zo'n kenmerk van het Dion Bartolo-regiem: bijeenkomsten begonnen nooit op tijd.

Joe zei: 'Dus Montooth legt twee van onze jongens om. En wat is er met hemzelf gebeurd?'

'O, die is nog steeds bij de levenden. Al weet ik niet hoelang nog, zo woest als Freddy is.'

'En jij gaat daarin mee?' vroeg Joe.

Rico schoof wat op de bank heen en weer en zuchtte luid. 'Wat moet ik anders? Het is net als een kind hebben dat het verkloot – onterf je zo'n jongen? Kijk, Freddy is een domme zak. Dat weten we. Hij is Montooth z'n wijk binnengegaan en heeft tegen hem gezegd dat hij de boel kwam overnemen, en Montooth is geen watje, dus die zegt: "Je kan m'n rug op." Ik bedoel, ik neem het mezelf kwalijk.'

'Waarom?'

'Omdat ik het zover heb laten komen. Als ik er een paar maanden geleden tussen was gesprongen, voordat het water begon te borrelen, had het nooit aan de kook hoeven raken. Maar dat heb ik niet gedaan. En nu heeft Montooth twee jongens van Freddy omgebracht, en dus eigenlijk twee van onze jongens. Moeten we hem daarmee laten wegkomen?'

Joe knikte, schudde en knikte opnieuw. 'Ik weet het niet. Ik weet het niet. Ik bedoel, Freddy begon. Wat had Montooth anders moeten doen?'

Rico hief zijn handen in een gebaar waaruit tegelijkertijd zowel begrip als wanhoop sprak. 'Niet twee blanke jongens neerschieten.'

Joe schudde opnieuw zijn hoofd over zoveel verspilling.

Rico liet zijn ogen over Joe's pak gaan. 'Ben je op reis geweest?'

Joe knikte. 'Is dat zo duidelijk?'

'Ik heb bij jou nooit een kreukje kunnen ontdekken, maar dat pak ziet eruit alsof je erin geslapen hebt.'

'Dank je. En mijn haar?'

'Niks mis mee. Das kon wel wat strakker. Waar was je heen?'

Terwijl Joe zijn das schikte vertelde hij Rico over zijn trip naar Raiford en wat Theresa had beweerd over zijn ophanden zijnde dood.

'Een aanslag? Op jou?' Rico grinnikte hard. 'Joe, dat is belachelijk.'

'Dat zei ik ook.'

'En het enige houvast dat je hebt is het verhaal van dat vileine mens dat verzuipt in haar eigen paranoia?'

'Ja. Hoewel die paranoia in haar geval zo gek niet is.'

'Nee, natuurlijk, wie met King Lucius in zee gaat, werkt voor de duivel zelf. Dat is de basis van die verhouding.' Rico streek zich over zijn gladde spitse kin. 'Maar toch maalt het nu door je kop, niet? Het idee dat er ergens daarbuiten iemand zou kunnen rondlopen die jou op de korrel heeft.'

Joe zei: 'Rationeel is het niet, maar ja, zo ligt het wel.'

'Hoe wou je ook rationeel zijn als je hoort dat iemand misschien jouw naam in de hoed heeft gegooid?' Rico keek hem met grote ogen aan. 'Maar toch, het slaat nergens op, Joe. Dat snap je toch zelf ook, of niet?'

Joe knikte.

'Ik bedoel echt helemaal nergens op,' zei Rico. 'Man, shit, alleen al jouw lijstje van rechters is meer waard dan alle bordelen van Tampa bij elkaar.' Hij lachte. 'Jij bent de kip met de gouden eieren.'

'Waarom voel ik me dan toch niet veilig?'

'Omdat degene die je dit geflikt heeft nu in je kop zit. Wat natuurlijk ook de bedoeling was.'

'Best. Maar waarom?'

Rico deed zijn mond open en weer dicht. Hij staarde een tijdje naar het midden van het vertrek en keek Joe toen met een schaapachtig glimlachje aan. 'Ik zou het verdomd niet weten.' Hij schudde zijn hoofd. 'Het klinkt gewoon als dikke onzin.'

'Maar probeer maar eens je hoofd op een kussen te leggen met de gedachte dat er iemand achter je aan zit. Ik geef het je te doen.'

Rico zei: 'Weet je nog dat Claudio Frechetti dacht dat ik z'n vrouw neukte?'

'Dat was ook zo.'

'Hij kon het alleen niet bewijzen. Maar hij dacht plotseling van wel, weet je nog? En hij zou me vermoorden, zei die. Ze hadden me nog geen lid gemaakt toen, dus ik stelde nog helemaal niks voor en hij had al een hoop geld binnengebracht. Jezus, zes weken lang heb ik geen twee nachten op dezelfde plek geslapen. Mijn rug heeft in die tijd meer divans gezien dan een slechte filmster in haar hele leven. Tot ik op een dag Claudio in eigen persoon tegen het lijf liep, toen hij uit de Rexall kwam, in het centrum, en die jongen liep rond met wallen onder z'n ogen en schichtig opgetrokken schouders omdat hij had gehoord dat er een prijs op zíjn hoofd stond. Al die tijd had het hem koud gelaten wie ik was of wat ik deed. Zes weken heb ik verknald met me te verstoppen terwijl hij in de sores zat over een kogel met zijn naam erop.'

'Die een week later ook kwam, toch?'

Rico knikte. 'Hij had geld achterovergedrukt. Was het niet zoiets?'

Joe schudde zijn hoofd. 'Gelekt.'

'Claudio?'

Joe knikte. 'Daardoor hebben we toen al die ladingen in Forty-One verloren. Vijftig kilo handel de oven in achter het bureau van de narcoticabrigade. Wie betrapt wordt, zal ervoor moeten boeten.'

Ze staarden nog een tijdje naar de klok, totdat Rico zei: 'Waarom neem je niet een paar weken vrij? Ga naar Cuba. Hoef je niet op een divan te slapen.'

Joe keek hem aan. 'Maar wat als dat de truc is? Als de moordenaar me daar staat op te wachten? Loop ik hem recht in de armen.'

'Dat zou slim gespeeld zijn,' zei Rico. 'Wie kennen wij die zo uitgekookt is?'

'De naam van King Lucius komt steeds weer bovendrijven.'

'Ga met hem praten.'

'Wilde ik al gaan doen, morgen. Had je al plannen?'

Rico trok een brede grijns. 'Net als vroeger?'

'Net als vroeger.'

'Dat zou wel een kick zijn.'

'Ja dus?'

'Ja. Waarom niet?'

De zware eikendeur van Dions kamer ging open en Mike Aubrey wenkte hen. Net voorbij de drempel werden ze opgewacht door Geoff the Finn, zonder jasje, de schouderholster van zijn pistool open en bloot. Mike en Geoff the Finn hadden vandaag hun granieten gezicht op voor de gasten, maar Joe betwijfelde of ze overeind zouden blijven als ze ooit het soort shit over zich heen zouden krijgen dat Dion en Joe in de jaren dertig over zich heen hadden gekregen.

Joe en Rico schonken zichzelf iets in, en inspecteur Dale Byner deed hetzelfde zodra hij binnen was gekomen. Byner stond al op hun loonlijst sinds zijn begintijd als brigadier. Op een dag zou hij het tot commissaris brengen. Hij was niet uitzonderlijk corrupt – helemaal zeker wist je het met die jongens nooit – en wilde alleen koste wat kost de vrede bewaren. Daarbij was hij goed met mensen en onnozel met geld, een perfecte combinatie.

Joe nam plaats op de bank tegenover Dions bureau en Freddy kwam naast hem zitten, zo dichtbij dat hun knieën elkaar raakten. Het ergerde Joe ogenblikkelijk. De eikel zat erbij alsof hij zowel de gedupeerde partij was als de puppy die net weer een ongelukje op het tapijt had gehad. Wilde iedereen laten geloven dat het allemaal buiten zijn invloedssfeer lag, dat hij het goed bedoelde.

Dion stak een sigaar op, tuurde door de rook naar Freddy en zei: 'Oké, bepleit je zaak.'

Freddy kon niet geloven wat hem zojuist was gevraagd. 'Mijn zaak? Mijn zaak is dat Montooth Dix twee van mijn jongens heeft afgemaakt en dat hij dus weg moet. Dat is het. Simpel en duidelijk.'

De politieman, Dale Byner, zei: 'Er komen al maanden berichten, Freddy, dat je bezig was die gozer uit zijn handel te duwen.'

'Die gozer?' vroeg Freddy. 'Alsof je af en toe een borrel met hem drinkt in het café om de hoek, Byner? Als hij ooit per ongeluk in jouw buurt terecht mocht komen zou je hem ter plekke afschieten.'

Joe zei: 'Montooth Dix runt het gokken in Brown Town al sinds ik hier kwam, in '29. Altijd keurig en zakelijk, op elk moment in alle redelijkheid een afspraak mee te maken, heeft zelfs de broers Sukulowski voor ons ondergebracht na die ramp van een actie in Oldsmar twee jaar geleden. Iedere smeris van de stad was naar ze op zoek, en Montooth heeft ons uit de wind gehouden.'

'Dus zo zijn de Sukulowski's ertussenuit gepiept?' vroeg Byner.

'Ja.' Joe stak een sigaret op.

'Wat is er van ze geworden?'

Joe wierp zijn lucifer in de asbak. 'Daar zou ik maar niet op doorvragen.'

Rico zei: 'Heren, ik ben het met jullie eens. Freddy heeft zich gedragen als een achterlijke zak met zijn acties tegen Montooth, dat had nooit mogen gebeuren.'

Freddy, die zich toch al gekrenkt voelde, stond de wanhoop op het gezicht geschreven.

'Zonder flauwekul.' Rico keek Freddy recht aan en maakte een gebaar met zijn handen om het formaat achterlijke zak aan te geven dat Freddy was. 'Maar, heren, een nikker een blanke laten afschieten gaat toch echt te ver. Zelfs een nikker die we mogen, en ik mag Montooth Dix. Ik ga ook gewoon met hem om. Maar toch. En een vent die niet van ons is iemand laten afmaken die dat wel is, dat kunnen we niet hebben. Hoe dan ook niet. Dion? Joe? Jullie hebben me dat geleerd. Iemand die onze familie pakt, wordt teruggepakt door onze familie. Zo doen we dat.'

Dion keek Joe langdurig aan. 'Wat vind jij? Zakelijk gesproken, niet gevoelsmatig.'

'Heb je mij ooit iets op mijn gevoel zien doen?'

Dion deed zijn mond open om te reageren.

Joe was hem voor. 'De laatste tien jaar?'

Na nog een aarzeling knikte Dion. 'Oké.'

'Vanuit zakelijk standpunt bekeken,' zei Joe, 'ligt een ramp om de hoek. Stel dat alle mensen van Montooth zich tegen ons keren. Ze kunnen ons pakken op de heroïne, de loterijafdrachten en onze controle over een aantal sigarenfabrieken. Kijk je naar de hoeren, dan hebben zij de aanvoer uit zowel Jamaica als Haïti in handen, en dan heb je het wel over de helft van de omzet hier. We doen wel alsof ze iets afzonderlijks zijn daar, maar dat is niet zo. Iedereen die de afgelopen twintig jaar aan de stoelpoten van Montooth heeft gezaagd is bloedig aan z'n einde gekomen. En een opvolger is nog niet aangewezen. Wat betekent dat er na zijn dood hoe dan ook een angstaanjagend machtsvacuüm zal ontstaan, dat ons ook nog eens een hoop geld gaat kosten.'

'Hij heeft zonen,' zei Freddy.

Joe wendde tot zich Freddy, zonder blijk te geven van zijn minachting. Hij klonk logisch, redelijk en respectvol: 'Ja, en maar een van hen is een kerel, en dat is Breezy. En ik zou zo zeker drie jongens kunnen opnoemen daarginds die het op Breezy gemunt zouden hebben als hij de troon kreeg.'

Dion vroeg: 'Maar zou een van hen het kunnen klaarspelen?'

Ze keken Rico aan, het ging tenslotte om zijn territorium.

'Nou, nee.' Hij schudde zijn hoofd, wachtte even, en schudde opnieuw. 'Nee, ik denk van niet.'

'Wie dan wel?' vroeg Dion.

Rico keek Joe aan voor bevestiging.

Joe vroeg: 'Denken we aan dezelfde?'

Rico knikte, en hij en Joe keken Dion aan en zeiden het tegelijkertijd: 'Little Lamar.'

Dion vroeg: 'Is dat die vent die in Chinezen doet?'

Joe knikte.

Rico zei: 'Hij is de enige die kans maakt de boel weer bij elkaar te krijgen, als hij snel genoeg de troon beklimt.'

'Zoveel vertrouwen hebben ze in hem?' vroeg Dion.

Joe schudde zijn hoofd. 'Zo bang zijn ze voor hem.'

Dion vroeg: 'Maar is er iemand die kan dealen met die man?'

Nu waren het Freddy en Rico die elkaar aankeken.

Rico zei: 'Ik denk dat er wel met hem te praten valt, zolang je maar genoeg geld op tafel legt.'

Freddy knikte. 'Hij is een zakenman. Hij...'

'Het is een onbetrouwbaar stuk vreten.'

Alle blikken richtten zich op inspecteur Byner.

'Zou zijn eigen kroost afslachten voor een tientje. En voor een tientje erbij vergreep-ie zich nog aan de lijkjes ook.' Byner boog naar voren en schonk nog eens bij. 'Die Chinezenhandel van hem? Vorig jaar hebben we een hele scheepscontainer vol van de zeebodem gevist: negen mannen, zeven vrouwen en zeven kinderen. Wat wij ervan begrepen hebben is dat een van de mannen in die container de vader was van een meisje dat voor Lamar tippelde in Fifteenth Street. Ze was ervandoor gegaan met een andere Chinees, de benen genomen naar San Francisco. En hij had gehoord dat haar vader overkwam tussen een lading Chinezen waarin hij zich had ingekocht. Die container heeft hij dus overboord laten zetten. Drieëntwintig mensen dood om een hoer die hem had laten zitten. Dat is dus de man die jullie op de troon willen zetten.'

'Weet je wat?' zei Freddy tegen Byner. 'Jij moet je kop houden.' Hij trok een gezicht alsof hij zijn tanden in een citroen had gezet. 'Begrepen? Gewoon je kop houden.'

Byner zei: 'Hé, Freddy, kom eens langs buiten kantoortijd, zullen we zien of je me dan ook stil krijgt. Dat gaan we een keer proberen, oké?'

'Genoeg,' zei Dion. 'Jezus.' Hij nam een slok van zijn borrel. Hij wees met zijn glas naar Joe en Rico. 'Dit gaat op jullie twee neerkomen. Wat zou ik nog weten over hoe het er op straat in Brown Town aan toegaat?'

Joe kende de wedervraag in ieders gedachten: wat weet jij nog van welke straat waar dan ook in Tampa?

Maar de laatste die zich openlijk had afgevraagd of Dion als baas niet te veel afstand had genomen, had Dions eigen handen om zijn hals gekregen tot zijn luchtpijp het had begeven.

Joe wierp een blik op Rico en gaf hem de ruimte.

De jongere man klopte een paar pindavliesjes van zijn handen en boog naar voren. 'Ik wou dat ik een andere oplossing zag, maar helaas. Dix moet weg. En om het gedoe met vergeldingsacties binnen de perken te houden gaat zijn zoon erachteraan. We zetten Lamar achter het grote bureau en als blijkt dat hij te gestoord is om er fatsoenlijk mee om te kunnen springen hebben we tegen die tijd wel een vervanger gevonden. Of in ieder geval zo goed als. En de tijdelijke winstderving in de overgangsperiode zal meer dan goedgemaakt worden door het feit dat wij Montooth' wijk hebben. Want er gaat wat om daar bij die bookmakers! Dat grenst aan religie.' Hij pakte nog een handvol pinda's. 'Zoals ik zei: ik wou dat er een andere manier was. Maar die is er niet.'

Iedereen keek naar Joe.

Joe doofde zijn sigaret. 'Ik geloof niet dat er met Lamar te dealen valt. Die is te ver van koers geraakt. Maar ik realiseer me dat Breezy Dix niet sterk genoeg is om het van zijn vader over te nemen en zich tegelijkertijd Little Lamar van het lijf te houden. Dus ik vermoed dat onze omzet daar een veel grotere tik zal krijgen dan Rico denkt. Montooth heeft zijn zaken goed op orde, en iedereen daarginds heeft respect voor hem. En daarom is het al sinds 1920 rustig in zwart Ybor. Door Montooth Dix. Ik stel daarom voor dat we Freddy geven waarvoor hij gekomen is – hij neemt Montooth' wijk over en gunt die man zijn deel als onderaannemer, en Montooth zal die klap gewillig incasseren omdat hij weet dat zijn dood het enige alternatief is.'

Joe liet zich op de bank achteroverzakken. Dion keek om zich heen, niemand zei een woord. Dion stond op en liep met zijn glas en sigaar naar het enorme raam dat rondom uitkeek op scheepskranen, graansilo's en de stille baai. Hij keerde het raam de rug toe en Joe las het antwoord op zijn gezicht.

'De roetmop moet weg.' Hij haalde zijn schouders op. 'We geven een verkeerde boodschap af als we hem twee van ons laten vermoorden.'

'Het zal niet eenvoudig worden,' zei Byner. 'Die man zit daar ingegraven in dat fort van hem. Van voorraden en alles voorzien. Soldaten bij elke deur en elk raam. Een paar op het dak zelfs. Daar is niet bij te komen op dit moment.'

'Steek de fik erin,' zei Freddy.

'Jezus.' Rico schudde zijn hoofd. 'Wat mankeert je?'

'Hoezo?'

'Hij heeft zijn drie vrouwen daarbinnen,' zei Rico.

'En zes kinderen,' zei Joe.

'Ja, en?'

Zelfs Dion, die meer bloed vergoten had dan enig andere baas uit het recente verleden, reageerde ontzet.

Freddy zei: 'Nou ja, dan verbrandt er een vrouw, een paar kinderen. Het is oorlog. Oorlog is nooit leuk, punt. Zo fout zal ik toch niet zitten?'

'Kijk goddomme om je heen, zie jij bavianen hier? Jakhalzen?' vroeg Dion. 'Wij zijn geen beesten.'

'Ik wil alleen maar zeggen...'

'Als ik je nou nog eens hoor voorstellen om kinderen te vermoorden,' zei Joe op kalme toon, 'Freddy... dan vermoord ik je.' Hij draaide zich om, zodat Freddy hem recht in de ogen kon kijken, en recht in zijn glimlach.

'Ho!' Rico gooide zijn handen in de lucht. 'Kan het een tikje minder, heren? Freddy, niemand gaat hier kinderen vermoorden, en Joe, niemand vermoordt Freddy. *Capisce?*' Hij wendde zich tot Dion. 'Zeg maar wat het moet worden, baas.'

'Zet een paar geweren op dat gebouw. Als hij zijn hoofd laat zien, knal het eraf. Vertoont hij zich niet, langer dan een paar weken zal het niet duren voor hij helemaal gek wordt daarbinnen. En dan pakken we hem. Ondertussen begin jij met te zorgen dat je de koppen dezelfde kant op krijgt daar, zodat de overgang vlot verloopt als hij eenmaal weg is. Hoe lijkt dat?'

Rico knikte. Er verscheen een brede glimlach op zijn jongensachtige gezicht. 'Jij bent de baas.'

11

Grenzeloze capaciteit

Duncan Jefferts was net bezig de achterdeur van het forensisch lab in Tampa af te sluiten toen een man die hij niet verwacht had ooit nog te zien achter de dichtstbijzijnde ambulance vandaan kwam en 'hallo' zei.

Jefferts stond op een losplatform toen Joe over de oprit naar hem toe liep. De gangster – in ruste, naar men zei – droeg een crèmekleurig pak, bijpassende gleufhoed, smetteloos wit overhemd, perfect gestrikte das en glanzend gepoetste schoenen waarin het licht boven het losplatform weerspiegeld werd. Zijn gezicht was iets verweerder dan zeven jaar geleden, maar zijn ogen straalden nog even jongensachtig, bijna onschuldig. In de irissen brandde een helder licht, een licht dat nog meer grootse dingen beloofde naarmate je dichterbij kwam. Maar Jefferts had dat licht zien verdwijnen op de dag dat hij Joe Coughlin voor het eerst ontmoette, de dag waarop Coughlins vrouw was gestorven en Jefferts zich aan hem had voorgesteld. Een eindeloos lijkend moment had Coughlin hem aangestaard met een blik zonder leven, zonder licht, en Duncan herinnerde zich zijn irreële angst dat Coughlin het volgende moment zijn keel door zou snijden. Maar de dood was uit de ogen van de man weggetrokken en had plaatsgemaakt voor dankbaarheid voor het feit dat Duncan Jefferts zich begaan toonde met het lot van Tomas Coughlin. Joe Coughlin had hem in zijn schouder geknepen, de hand geschud en vervolgens zijn zoon van de steiger geleid.

Jefferts sprak zelden over zijn ontmoeting met de beruchte 'gepensioneerde' gangster Joe Coughlin. Hij had ooit geprobeerd zijn vrouw erover te vertellen, maar was niet verder gekomen dan wat nerveus gestamel in een poging iets te omschrijven wat, naar hij vermoedde, te warrig was om in woorden te vangen. Tijdens hun korte ontmoeting had hij gevoeld dat de man meer verdriet, liefde, macht, charisma en vermogen tot kwaad uitstraalde dan hij daarvoor of daarna ooit bij iemand was tegengekomen.

Wat Joe Coughlin leek te definiëren, had Jefferts zijn vrouw geprobeerd uit te leggen, was een grenzeloze capaciteit.

'Capaciteit waarvoor?' had zijn vrouw gevraagd.

'Alles,' had hij gezegd.

Toen hij het platform betrad stak Joe zijn hand uit. 'Kent u me nog?'

Jefferts schudde hem de hand. 'Jazeker. Meneer Coughlin, de importeur.'

'Dokter Jefferts, de lijkschouwer.'

Ze stonden in het schelle licht van de lamp boven de deur en glimlachten elkaar onbeholpen toe.

'Eh...'

'Ja?'

'Kan ik u ergens mee van dienst zijn?'

'Geen idee. Zou het?'

'Ik begrijp niet goed...'

'Ja?'

'... wat u hier zo laat op de avond komt doen.'

'Is het al zo laat?'

'Twee uur.'

'Mijn vrouw.'

Plotseling, toen hij zijn hoed iets van zijn voorhoofd tikte, wist Jefferts de ogen van de man op zich gericht. 'Wat is er met uw vrouw?'

'U hebt de lijkschouwing gedaan, dat klopt toch?'

'Dat was u bekend.'

'Nee, dat was mij niet bekend. Ik wist alleen dat u haar lichaam meenam. Ik ging ervan uit dat hier nog wel meer lijkschouwers rondliepen. Maar u hebt zelf de lijkschouwing verricht.'

'Ja.'

Joe hees zich op het hekwerk langs de rand van het platform. Hij stak een sigaret op en hield Jefferts het pakje voor, die er een nam. Toen hij vooroverboog voor een vuurtje, zei Coughlin: 'En nu bent u zelf getrouwd.'

Jefferts droeg nooit een ring naar zijn werk omdat hij die ooit eens in een lijk was kwijtgeraakt. Het had hem een halfuur gekost om hem terug te vinden en nog eens vier uur om de schade te herstellen die hij had aangericht.

'Hoe komt u daar zo bij?'

'U ziet er verzorgder uit. Een slonzige kerel wordt er niet netter op als hij vrijgezel blijft.'

'Dat zal ik doorgeven aan mijn vrouw. Zal ze leuk vinden.'

Joe knikte en spuugde een draadje tabak van zijn tong. 'Was ze zwanger?'

'Sorry?'

'Mijn vrouw. Graciela Corrales Coughlin, overleden op 29 september 1935.' Hij glimlachte naar Jefferts, maar zijn blauwe ogen stonden somber. 'Was ze zwanger?'

Jefferts staarde uit over het parkeerterrein. Hij probeerde in te schatten of hij hier met een ethisch dilemma te maken had, maar als dat zo was, dan zag hij het niet.

'Ja,' zei hij tegen Joe.

'Geslacht?'

Jefferts schudde zijn hoofd.

'Het is zeven jaar geleden,' zei Joe. 'U lijkt behoorlijk zeker.'

'Het...' Jefferts blies uit en gooide zijn sigaret van het platform.

'Wat?'

'Het was mijn eerste autopsie.' Hij draaide zich om en ontmoette Joe's blik. 'Ik herinner me elk detail. De vrucht was heel klein. Niet ouder dan zes weken. En de genitale verdikking, dat wat later in een penis of een clitoris verandert, was nog lang niet ver genoeg om een geslacht te kunnen bepalen.'

Joe nam een laatste trek van zijn sigaret en gooide de peuk in het donker. Hij kwam met een sprongetje van het hekwerk en schudde Jefferts opnieuw de hand. 'Dank u wel, dokter.'

Jefferts knikte.

Toen Joe weer op het parkeerterrein stond vroeg Jefferts: 'Waarom wilde u het geslacht van een ongeboren vrucht weten?'

Coughlin, met de handen in de zakken, keek hem langdurig aan. Toen haalde hij zijn schouders op en liep het donker in.

12

Bone Valley

Om bij King Lucius te komen namen ze Route 5 in zuidelijke richting tot de afslag naar Route 32 en reden vervolgens in oostelijke richting verder door een met vocht verzadigd landschap onder een hemel die zo paars was dat hij bijna zwart leek. Verder oostelijk liepen regenwolken leeg als grote open wonden. Als de regen hen eenmaal bereikte – en dat was nog slechts een kwestie van tijd – zou die warm zijn, vermoedde Joe. Warm en vettig, alsof de goden zweetten. Het was tien uur 's ochtends en ze reden met de lichten aan. Het weer in Florida was slaapverwekkend voorspelbaar, tot het dat niet was. En dan werd het meteen wraakzuchtig: bliksemflitsen die de hemel openreten, windvlagen die gierden als de geesten van een dood leger, een zon zo wit en meedogenloos dat herfstakkers vlam vatten. Het weer in deze streken herinnerde hem eraan dat hij maar een mens was. Ondanks al zijn waanideeën over macht was hij nog altijd niet meer dan dat.

Ongeveer een halfuur buiten Tampa vroeg Rico aan Joe of hij wilde dat hij het stuur overnam.

'Nee,' zei Joe, 'voorlopig gaat dit best zo.'

Rico zakte lui onderuit in zijn stoel en schoof zijn hoed tot halverwege over zijn voorhoofd. 'Mooi dat we tijd hebben om te praten.'

'O ja?'

'Ja. Ik bedoel, ik weet dat Montooth liquideren je lang niet lekker zit, en dat is iets wat ik altijd heb onthouden van samenwerken met jou: je bent de meest morele klootzak van een gangster die ik ooit heb ontmoet.'

Joe fronste. 'Er is niks moreels aan, het gaat om de ethiek. Montooth behandelde ons correct totdat Freddy zich zijn territorium binnen werkte. En nu moet Montooth onder de zoden omdat, nou ja, neem me niet kwalijk, omdat Freddy een domme lul is.'

Rico zuchtte. 'Ik weet het. Ik weet het. Hij is mijn broer en een domme lul is-ie ook, en een hufter, maar toch, Joe, wat moet ik?'

Ze zwegen een tijdje.

'Maar als je 't mij vraagt,' zei Rico ten slotte, 'is Montooth op het ogenblik lang niet ons grootste probleem.'

'Welk grotere probleem hebben we dan?'

'Om te beginnen hebben we een rat in huis. Onze vracht wordt twee keer zo vaak gepakt als die van andere families. En we worden niet geript door andere gangsters maar door de FBI en allerlei plaatselijk gezag. Ik denk trouwens wel dat we het nog een tijdje uitzingen, want we zijn een familie van goede verdieners. Ik bedoel, we zitten erbovenop. En we hebben jou, natuurlijk.'

Joe wierp een blik opzij. 'En jou.'

Rico wilde er iets tegen inbrengen, maar haalde zijn schouders op. 'Oké. Akkoord. Ik verdien inderdaad.'

'Rico, jij brengt een procent of twintig van de omzet binnen.'

Rico duwde zijn hoed van zijn voorhoofd en rechtte zich in zijn stoel. 'Er doen op het ogenblik een hoop alarmerende berichten de ronde, Joe. Een hoop.'

'Over de rat?'

'Over de hele organisatie. We lijken zwak. We lijken rijp voor overname.'

'Door wie?'

'Kijk om je heen. Die gasten van Santo.'

Joe ging er niet tegen in. Santo werkte vanuit de Italiaanse Vereniging op Seventh Avenue en liet zich erg van zijn machtsbeluste kant zien de laatste tijd. Machtsbelust en humorloos, geheid een beroerde combinatie.

'Wie nog meer?'

Rico stak een sigaret op, smeet de lucifer uit het raam. 'Teringlijer uit Miami, hoe heet-ie ook?' Hij knipte met zijn vingers.

'Anthony Crowe?'

Rico wees met een bevestigende vinger naar Joe. 'Nick Pisano weet dat hij als de donder een groot stuk van z'n territorium naar Anthony moet doorschuiven omdat-ie anders Anthony zelf op z'n nek krijgt.

En best mogelijk dat hij tegen Anthony zegt dat hij zich maar bij ons moet bedienen.'

'Crowe is geen geboren Italiaan. Hij kan het niet overnemen.'

'Sorry, maar dan moet ik je uit de droom helpen. Zijn ouders hebben hun naam, Crochetti, of zoiets, veranderd toen ze hier kwamen, maar die klootzak z'n familie komt regelrecht van Sicilië. Hij is slim, hij is vals en hij is niet blij meer met zijn plaats aan tafel. Die wil een eetzaal voor zichzelf.'

Joe liet dit tot zich doordringen. 'Zo zwak zijn we nou ook weer niet. Oké, het loopt even niet zo lekker. Maar dat geldt voor iedereen. Over de hele linie zakken de omzetten wat in door die dwerg-mof met zijn snorretje en zijn rotoorlog. Maar we zitten nog altijd boven op een van de rijkste havens van het land, we doen de drugs voor half Florida, we doen een kwart van alle bookmakers en we pakken zo goed als alle transport.'

Rico zei: 'Maar ons huis is niet op orde. En iedereen weet het.'

Joe nam uitgebreid de tijd om een sigaret op te steken. Nam uitgebreid de tijd om zijn raampje naar beneden te draaien en zijn rook naar buiten te blazen. 'Is dit een opmaat naar hoogverraad, Rico?'

'Wat?'

'Wou je de baas aan de kant zetten?'

Rico staarde Joe langdurig aan en maakte een hulpeloos gebaar met zijn handen. 'Jezus, nee. Dion is de baas, en daarmee uit.'

'En daarmee uit.'

'Precies.'

'Maar?'

'Maar iemand moet met hem gaan praten, Joe. Iemand naar wie hij luistert. Iemand moet...'

'Ja?'

'Iemand moet zorgen dat hij de touwtjes weer in handen neemt. Weet je nog toen hij het overnam? Iedereen was dol op hem. En nog steeds, maar het is net of hij niet meer op dezelfde manier op de winkel past. Begrijp je? Er wordt een hoop gemord op het moment, meer zal ik er niet over zeggen.'

'Laat toch maar horen.'

Rico aarzelde even. 'Iedereen weet dat de baas een probleem heeft met de kaarten. En de paarden. En de roulette.'

'Bekend,' zei Joe.

'En dan dat hij zo is afgevallen de laatste jaren. Mensen denken dat hij ziek is. Nou ja, dat hij doodgaat.'

'Hij gaat niet dood. Het is iets anders.'

'Weet ik.' Rico tikte een paar keer met zijn vinger tegen zijn neusvleugel. 'Maar buiten de familie is dat niet algemeen bekend. En wat zeg je dan tegen mensen: "Hij gaat niet dood, hij snuift zich alleen helemaal naar god?"' Rico maakte opnieuw een hulpeloos armgebaar. 'Joe, ik vertel je dit in goed vertrouwen en met alle respect.'

Joe deed er het zwijgen toe, liet Rico een tijdje hangen.

'Ik geef toe dat je misschien een punt hebt,' zei hij uiteindelijk. Hij keek hem van opzij aan. 'Maar dat geeft je nog niet het recht om erover te praten.'

'Dacht je dat ik dat niet wist?' Rico smeet zijn peuk uit het raampje en blies lang en traag uit. 'Ik hou van wat wij doen. Weet je dat? Godsamme, ik hou ervan. Elke ochtend staan we op en vinden nieuwe manieren om het systeem te belazeren. We buigen voor niemand en staan voor geen mens in de rij. Wij' – hij priemde zijn wijsvinger in het dashboard – 'bepalen ons eigen leven, onze eigen regels, wij maken ons eigen bestaan als kerels.' Hij boog zich naar voren. 'Een gangster zijn is goddomme alles voor me.'

Joe grinnikte.

'Wat is er?'

'Niks,' zei Joe.

'Nee, zeg het.'

Joe keek hem aan. 'Ik vind het ook prachtig.'

'Maar...' Rico zuchtte. 'Ik heb het aangedurfd om erover te beginnen, over de problemen met...'

'Vermeende problemen.'

'Precies. Ik heb het aangedurfd om over de vermeende problemen met de baas te beginnen omdat ik dit allemaal niet kwijt wil. Ik wil niet eindigen met twee kogels in mijn kop, of in de bak, en dan buiten komen en geen hond die me nog kent, dat ik een kantoorbaan moet gaan zoeken of zo. Ik heb van m'n leven nog geen eerlijke dollar verdiend en ik wil het niet leren ook.'

Joe knikte, zei geen woord meer tot ze net buiten Sarasota waren.

'Ik zal met Dion praten,' zei hij ten slotte. 'Ik zal hem duidelijk maken dat we die rat moeten vinden en ons huis op orde krijgen.'

'Hij zal het zich aantrekken.'

Joe haalde zijn schouders op. 'Misschien.'

'Natuurlijk wel,' zei Rico, 'omdat het van jou komt. Hij kijkt nog steeds tegen je op, geloof ik.'

'Ga me nou geen onzin verkopen.'

'Nee, ik meen het.'

'Laat mij je dan iets over Dion vertellen. Hij was de baas van onze ploeg, in onze begintijd, als jongens nog. Hij was de hardste en engste van ons allemaal. En de enige reden waarom hij ten slotte onder mijn gezag kwam, was vanwege een bankkraak die misliep. Hij moest op de vlucht en ik kreeg een paar belangrijke vrienden. Op die korte... onderbreking na is hij altijd mijn baas geweest, en niet andersom.'

'Dat zal best,' zei Rico, 'maar jij bent nog altijd de enige die hij aankijkt alsof hij het belangrijk vindt wat je denkt.'

Joe zweeg. Ze reden voort over een spookachtig stuk weg onder een vuil paarse hemel.

'Tomas,' zei Rico. 'Dat joch groeit als kool. Ik kon m'n ogen niet geloven toen ik hem laatst zag.'

'Vertel mij wat. Zijn moeder was lang. Zijn ooms zijn lang.'

'En je bent zelf ook geen dwerg.'

'Nee, maar misschien ooit wel, als ik naast hem sta.'

'Hoe vind je het?' vroeg Rico, nu iets ernstiger van toon.

'Om vader te zijn?'

'Ja.'

'Ik vind het geweldig. Nou ja, de meeste dagen breng ik er niet veel van terecht. Ik verlies mijn geduld nogal eens, meer dan ik ooit gedacht zou hebben.'

'Ik heb jou zelfs nog nooit je stem horen verheffen!'

'Weet ik, weet ik.' Joe schudde zijn hoofd. 'De meeste mensen niet. Maar mijn zoon wel. Zo vaak zelfs dat hij tegenwoordig een gezicht trekt als ik het doe. Ze krijgen je helemaal te pakken. Ik bedoel, het is een fantastische jongen, maar hij flikt me voortdurend van die dingen als op het dak van een schuur klimmen hoewel hij weet dat dat dak slecht is en gemaakt moet worden. Zo heeft hij vorig jaar op onze boerderij op Cuba zijn arm gebroken. Als peuter probeerde hij altijd kleine, scherpe steentjes door te slikken. Of als ik hem in bad deed en ik keek een seconde de andere kant op, dan stond hij rechtovereind om een dansje te doen. En *bats*, daar ging-ie. En het enige wat er dan door je heen gaat is: het is mijn taak om je in leven te houden. Je te behoeden voor opnieuw een gebroken arm of een oog kwijtraken of zo. Dus, ja, dan krijg je dingen als "is het nou godverdomme uit met dat stomme gespring in dat klotebad".'

Rico schoot in de lach en Joe lachte mee.

'Jij wilt er nu nog niet aan,' zei Joe, 'maar zodra je er een hebt: zet je maar schrap, maat.'

'Ik ga er een krijgen.'

Joe keek opzij.

Rico bewoog zijn wenkbrauwen op en neer, en Joe gaf hem een stomp tegen zijn schouder.

'Verdomme.' Rico wreef over zijn schouder.

'Hoe heet de vrouw?'

'Kathryn Contarino. Iedereen noemt haar Kat. Van gehoord?'

'Uit Zuid-Tampa?'

Een trotse, jongensachtige glimlach. 'Ja.'

'Mooie meid,' zei Joe. 'Gefeliciteerd.'

'Dank je,' zei Rico. 'Ja, ik... ja.' Hij keek uit zijn raampje. 'Ik heb geluk.'

'En hoe zit het?' vroeg Joe. 'Verliefd?'

Rico rolde met zijn ogen en knikte. 'Eerlijk gezegd, ik ga met haar trouwen.'

'Wat?' Joe maakte een kleine slinger over de weg.

'Maak je niet druk. Mensen trouwen gewoon.'

'Ik vond jou er nooit zo het type voor.'

'Nooit "het type",' zei Rico, die zijn overhemd, dat omhoog was gekropen tijdens de autorit, in zijn broek stopte. 'Waar haal je verdomme het lef vandaan? En jij dan?'

Joe lachte.

'Nee, ik meen het. Jij bent in geen zeven jaar met iets leuks en blijvends aan je arm gezien. Heb je een geheime scharrel ergens?'

'Nee.'

'Weet je 't zeker?'

'Je weet dat jij de eerste zou zijn om het te horen,' zei Joe met een uitgestreken gezicht.

Rico stak zijn middelvinger naar hem op. 'Je gaat haast nooit naar de hoeren, Joe. En dames die je bezoekt neem je mee uit eten en trakteer je op een mooie jurk en oorbellen en de helft van de keren ga je niet eens met ze naar bed.'

'Ik heb een vast iemand op Cuba,' zei Joe om ervan af te wezen. 'Niet in Havana. Een dorpsmeisje in het westen, vlak bij mijn boerderij. Ze kan lekker koken, ze is mooi en ik kan komen en gaan wanneer ik wil. Echte liefde is het niet, maar het kan ermee door.'

'Nou, mooi voor je,' zei Rico. 'Nu moeten we alleen nog een meisje zien te vinden voor mijn broer.'

Iets van het schoolplein dus, dacht Joe. Of een jongen.

'Ja, ik zal er eens over nadenken,' zei Joe.

Ongeveer een halfuur ten westen van Zolfo Springs zei Rico: 'Zijn we er klaar voor?'

Joe vroeg: 'Lucius?'

Rico knikte, lippen van elkaar, zijn ogen een beetje verder open dan normaal.

'We hebben allebei al eerder met hem te maken gehad.'

'Maar nog niet op zijn boot. Ben je ooit op zijn boot geweest?'

Joe schudde zijn hoofd.

'Mensen gaan wel aan boord, maar soms niet meer van boord. Heb je gehoord van die Adrofalesen, of hoe ze ook heten?'

'Androphagi,' zei Joe. Dat waren de paleiswachten van Lucius, een groep van twintig mannen die je moest passeren voor je bij hem kwam.

'Ik heb gehoord dat de reden waarom niemand ooit de lijken vindt die Lucius achterlaat is omdat die lui ze opeten.'

Joe grinnikte gemaakt. 'Ja, dat is precies wat Androphagi betekent.'

Rico keek hem aan. 'En wat betekent het dan?'

'Een bende kannibalen.'

'Shit.' Rico ademde het woord haast letter voor letter uit. 'Hoe weet jij dat soort dingen?'

'Bij de paters op school gezeten,' zei Joe. 'Daar krijg je een hoop Griekse mythologie.'

'En de Grieken deden in kannibalen?'

Joe schudde zijn hoofd. 'Het was een privéleger. Volgens sommigen kwamen ze uit Afrika, volgens anderen waren het Finnen of Russen. Hoe dan ook, ze hielpen Darius de Grote Zuid-Rusland te veroveren. En het verhaal wil dat ze toen links en rechts wat mensen hebben opgegeten.' Hij probeerde luchtig te klinken, maar het viel hem zwaar. 'Daarom noemt Lucius zijn jongens Androphagi, om iedereen de schrik op het lijf te jagen.'

'Prima gelukt,' zei Rico.

Na een tijdje zei Joe: 'Je hoeft niet mee aan boord te gaan. Je kunt me gewoon afzetten. Zolang ze je maar zien.'

Rico schudde zijn hoofd en glimlachte spottend. 'Ik praat maar wat tegen de zenuwen. Daarmee ben ik nog geen schijtlaars die een kameraad laat zitten als het erop aankomt. Joe, godverdomme man. Ze moeten met een heel bataljon van die stomme Androfalesen...'

'Androphagi.'

'Andro-fuckers. Oké? Met een heel bataljon van die lui aankomen om een paar diehards als wij te verslaan.' Hij haalde zijn heupfles tevoorschijn en hield die Joe voor. 'Daar drinken we op.'

Joe hief de fles. 'Blij om je erbij te hebben, Rico.' Hij nam een slok en gaf de fles terug.

'Blij dat ik erbij ben, Joe.' Rico nam een flinke teug. 'Als ze een paar stadsjongens als wij proberen te naaien, zullen we die boerenhufters even het een en ander moeten bijbrengen.'

Een paar mijl buiten Zolfo Springs reden ze de regen in. Het water kwam met bakken neer op de auto en liep in brede stromen over de weg. Ze hadden de raampjes naar beneden gedraaid om te roken maar nu draaiden ze die weer omhoog; de regen kletterde op het dak, de weg suisde onder hun banden en de carrosserie van de Pontiac schudde hevig van de plotselinge rukwinden.

In Zolfo Springs verlieten ze de hoofdweg, en vanaf dat punt moest Rico de aanwijzingen voorlezen die Joe tussen hen in op de voorbank had gelegd. Hier rechts, volgende links, nee, tweede links, sorry. De laaghangende wolken en de doorbuigende palmbomen vormden een soort cape om de auto; de regen bedaarde maar de druppels werden groter. Het was alsof ze door soep reden.

De grote maffiabaas Charlie Luciano had ooit gezegd dat hij op aarde nooit dichter bij de duivel wilde komen dan hij al geweest was, en wel bij diens hoogsteigen poortwachter: King Lucius. Meyer Lansky weigerde elke ontmoeting met Lucius en zelfs Joe had hem de laatste vijftien jaar voor zover dat menselijk gesproken mogelijk was gemeden.

King Lucius was op het toneel verschenen ten tijde van de vastgoedhausse van 1923; hij was via New Orleans uit Rusland gekomen, zeiden sommigen. Zijn accent was niet te duiden omdat het zo gekmakend vlak was. Het had Russisch of Montenegrijns kunnen zijn, of zelfs Albanees. Het was zeer beslist aristocratisch, net als de zorg die Lucius besteedde aan zijn wenkbrauwen en nagels.

In de loop van de jaren hadden hij en zijn club meer prestigieuze overvallen gepleegd, in meer delen van het land, dan welke familie ook. En toch betaalde hij ongeacht de plaats van handeling – hetzij ver weg in Santa Barbara, Californië, hetzij naast de deur in Key West – altijd zijn afdracht aan de mannen van het district waarin hij zijn operaties uitvoerde. Hij betaalde de Bartolo's in Tampa, de Pisano's in Miami en de broers Nicolo in Jacksonville. Niet bij elke klus, natuurlijk, bij zoveel eerlijkheid zou hij aan respect hebben ingeboet, maar toch zeker in negentig procent van de gevallen. Voor de drie families in Florida verdiende hij zoveel geld dat hij zo ongeveer straffeloos zijn gang kon gaan. Wat hij dan ook deed. Toen in 1936 iemand zich liet ontvallen dat ene Eliot Fergs commentaar had geleverd op Lucius' smaak in vrouwen, had Lucius Eliot Fergs eigenhandig doodgeslagen in de achterkamer van Eliots eigen pompstation. In de herfst van 1938 had hij Jeremy Kay aan de krokodillen gevoerd. Toen Jeremy's broer minder dan een maand later naar hem was komen zoeken hadden een paar mensen hem bij King Lucius aan boord zien gaan, maar niemand had hem ooit weer aan wal zien stappen.

Ieder ander die drie werknemers van de Familie om zeep had geholpen, zou zelf om zeep zijn geholpen. Het was een teken van King Lucius' macht dat hij zelfs niet bij de Commissie was geroepen, hoewel Joe in '39, kort nadat Jeremy Kays broer was verdwenen, hoogstpersoonlijk een reis naar Midden-Florida had gemaakt om King Lucius te vertellen dat hij wat hen betrof nu drie keer gratis over de schreef was gegaan, maar dat een vierde keer er niet in zat.

King Lucius was in de eerste plaats een fosfaatkoning, wiens koninkrijk zich uitstrekte over een mijl of zeventig langs de Peace

River, van Fort Meade stroomafwaarts tot Port Charlotte. Jarenlang had hij zijn onrechtmatig verkregen fortuin geïnvesteerd in het uitbaggeren en exploiteren van de wateren van de Bone Valley, in Midden-Florida. Hij bezat een meerderheidsaandeel in de Bone Valley Fertilizer Company en had zelfs door middel van lege bv's kleine beetjes van de andere twaalf mijnbouwbedrijven aan de Peace River opgekocht, die zich allemaal bezighielden met het winnen van fosfaat voor de productie van kunstmest of, sinds het uitbreken van de oorlog, munitie.

Joe was een van de eigenaren van BVFC, net als Dion Bartolo en Rico DiGiacomo. Ze waren geen grootaandeelhouders, maar dat was niet nodig; in Florida ging het bij fosfaat maar voor de helft om de winning en voor de rest om het transport ervan. Toen in het begin van de jaren dertig de drooglegging op haar eind begon te lopen, bleven Joe en zijn collega's zitten met een hopeloos aantal vrachtwagens, schepen en hier en daar een watervliegtuig waarvoor ze geen illegale vracht meer hadden en die ze aan niemand konden verkopen. In 1935 hadden Joe, Esteban Suarez, Dion Bartolo en Rico, toen Rico nog slechts een slimme en kinderlijk uit zijn ogen kijkende jongen uit het hart van Port Tampa was, samen de Bay Area Transport Company opgericht. Na tien jaar onder Joe's leiding en met het dagelijks beheer in handen van Rico DiGiacomo, ging er geen kiezelsteen de Peace River af die niet vervoerd werd door Bay Area Transport.

Het aandeel van King Lucius – hoe omvangrijk ook – bleef beperkt tot de Bone Valley Fertilizer Company. Hij bezat niet één aandeel in Bay Area Transport, zodat gelijkwaardigheid in de verhoudingen gegarandeerd was. Hij kon zoveel fosfaat winnen als hij wilde, maar als hij het niet bij een treinstation of een zeehaven kon krijgen, zat hij er alleen maar mee in zijn maag.

King Lucius hield een suite aan in het Commodore Hotel in Naples en een in het Vinoy in St. Petersburg, maar meestal was hij 's avonds te vinden op zijn woonboot, waarmee hij op en neer voer over de Peace River. Het was een boot met een verdieping, geïmporteerd uit India. Hij was meer dan honderd jaar geleden in de provincie Kerala gebouwd van donkerglanzende *anjili*-planken en werd niet door schroeven of spijkers bij elkaar gehouden, maar door kokosvezels die waren gedrenkt in kokende cashewhars. Met zijn gebogen dak van bamboe en palmbladeren, zes slaapkamers en een eet-zaal voor veertien gasten op de verdieping, was de boot een indruk-wekkende verschijning op het zilveren oppervlak van de Peace River. Wie hem zag zou zich aan de oever van de Ganges wanen.

Joe en Rico stopten op een parkeerplaats van schelpengruis en ke-ken door de regen naar de boot totdat Al Butters het terrein op kwam rijden uit wat er na de fosfaatwinning was overgebleven van het oer-bos achter hun rug. Ze hadden er grote delen van omgehakt en een nog veel groter deel platgebrand; ze hadden cipressen en ficussen ge-veld die er al eeuwen hadden gestaan, in tijden voordat de mens de woorden had gehad om ze te benoemen of het gereedschap om ze klein te krijgen. Al parkeerde direct naast hen, in dezelfde vaalgroe-ne Packard als waarin hij Joe had rondgereden tijdens hun laatste ontmoeting. Hij stuurde de neus van zijn auto naar de kofferbak van de hunne, zodat zijn raampje langszij dat van Joe kwam.

De regen stopte. Alsof iemand een knop had omgedraaid.

Al Butters draaide zijn raampje naar beneden, en Joe dat van hem.

Joe keek naar de woonboot terwijl Ogden Semple, al jarenlang King Lucius' rechterhand, op het achterdek stapte en naar de auto's staarde.

'Ik zou eigenlijk met jullie mee moeten.' Al klonk niet erg enthou-siast over het vooruitzicht.

'Nee hoor.' Joe bewoog zijn tong wat heen en weer tegen de droog-te in zijn mond. 'Er ligt een Thompson in de kofferbak voor het geval we niet meer van die boot komen.'

'Wat doe ik met dat ding? Moet ik jullie komen zoeken?'

'Nee.' Er kriebelde iets in Joe's keel. Het voelde als een kever. 'Je schiet op die boot totdat wie ons maar vermoord mag hebben zelf ook dood is. Naast dat geweer staat een blik benzine. Je steekt het rot-ding in de fik en je blijft erbij tot hij gezonken is.' Hij keek hem aan. 'Zou je dat voor ons willen doen, Al?'

'Hij heeft daar een heel leger.'

Rico boog naar het raam. 'En jij hebt een Thompson. Als wij het niet overleven, reageer je. Duidelijk?'

Uiteindelijk knikte Al. Zijn lippen trilden, zijn ogen stonden groot.

'Wat heb je?' vroeg Joe. 'Zeg het gewoon.'

'De duivel kun je niet doden.'

'Hij is de duivel niet,' zei Joe. 'De duivel heeft charme.'

Hij en Rico stapten uit de auto. Joe schikte zijn das en zijn pak in een en dezelfde beweging. Hij nam zijn hoed af, een strooien gleufhoed met een zwartzijden lint, en hield hem op tegen de satijnen lucht, die de gloed uitstraalde van een voor hem onzichtbare zon, een zon achter een leikleurig wolkendek. Aan de overkant van de rivier, achter de leeggeplunderde oever, op het verschroeide en verwoeste land, zag hij een korte lichtflits, en nog een, en toen niet meer. Rico zag het ook.

'Hoeveel jongens?'

'Zes,' zei Joe. 'Allemaal professionals met een langeafstandsgeweer. Als ik straks op de boot mijn das afdoe, meteen dekking zoeken.'

'Niet dat het ons gaat redden.' Rico zette zijn hoed recht.

'Bij lange na niet. Maar we sleuren er een paar mee als het misgaat. Wat kan het ook schelen. We gaan.'

'Jij zegt het.'

Joe zette zijn hoed weer op en hij en Rico liepen de loopplank op.

Bovenaan werden ze opgewacht door Ogden Semple. Ogden was een jaar of tien geleden tijdens een steekpartij een oog kwijtgeraakt, waarna ze de oogleden keurig aan elkaar hadden genaaid. Zijn overgebleven oog was troebel, bleek en intens gefocust. Ogden keek naar alles alsof hij door een microscoop tuurde. Joe overhandigde Ogden zijn 32mm Savage automatic en de stiletto uit zijn borstzak. Rico gaf hem een 38mm Smith & Wesson.

Ogden zei: 'Ik hoop dat jullie het van hem overnemen.'

Ze keken recht in zijn starende oog. 'Dat we wat van hem overnemen?'

'De verkoudheid van de King. Hij zou in bed moeten liggen, maar in plaats daarvan zit hij nu bij een vergadering waar jullie op hebben aangedrongen. Hij zou er nog zieker van kunnen worden.' Hij deed hun wapens in een leren buidel die hij voor dat doel bij zich had. 'Ik hoop dat jullie krijgen wat hij heeft, maar dat jullie het erger krijgen.'

Ogden was volgens velen de minnaar van King Lucius, maar Joe wist dat hij verliefd was op een hoer in een van zijn eigen bordelen in Tampa. Ze heette Matilda. Ogden deed niets liever dan haar verhaaltjes voorlezen voor het slapengaan en haar schoon soppen tijdens eindeloze badsessies. Matilda briefde aan Joe door dat Ogden een vriendelijke en attente minnaar was met een geslacht als een presidentiële kroonluchter. Zijn enige afwijking was dat hij haar met alle geweld Ruth wilde noemen. Matilda kon het niet bewijzen, maar ze geloofde dat Ruth een lang overleden zus of dochter was. Matilda's ogen waren gaan glanzen van traanvocht toen ze dit aan Joe vertelde en net voor hij haar kamer uit zou stappen had ze hem gevraagd: 'Is iedereen die wij kennen zo kapot?'

Joe had haar aangekeken en haar de waarheid verteld. 'Zo ongeveer wel.'

Op de boot stuurde Ogden hen met een gebaar de ladder op naar het bovendek. Ogden zelf bleef beneden, met hun wapens in de buidel bij zijn voeten, en tuurde naar Al Butters op de parkeerplaats, terwijl de boot loskwam van de steiger en traag stroomafwaarts voer.

13

Niet ziek

Op het bovendek vormden twintig mannen een muur tussen Joe en Rico en de rest van de boot. Twee van hen stapten naar voren uit de groep om de gasten te fouilleren. De anderen bleven zonder zich te verroeren onder een lichtbruine luifel staan, allen zonder enig licht in hun ogen. De meesten waren lang. Geen van hen droeg een overhemd, zodat de naaldsporen in hun armen, zwart als in asfalt gebrande wormen, zichtbaar waren. Uitgemergelde ribbenkassen.

Ze kwamen overal vandaan: Turken, Russen, twee Aziaten en drie of vier op het eerste gezicht doodnormale Amerikaanse aso's. De man die Joe fouilleerde had een karamelkleurige huid, ultrakort strogeel haar en een hazenlip. In een leren schede op zijn heup droeg hij een lang, gekromd mes met een ivoren heft. De man die Rico fouilleerde had scherpe Slavische trekken en een bos haar zo donker als een onweerslucht. Beiden hadden lange nagels. Joe liet zijn blik over de andere achttien mannen gaan en zag dat ze zonder uitzondering lange nagels hadden. Een paar hadden ze in een punt gevijld. De meesten droegen een mes achter de band van hun gescheurde broek, sommigen hadden op die plek een pistool. Toen het tweetal klaar was met het fouilleren van Joe en Rico week de muur uiteen en kwam Lucius erachter tevoorschijn, zittend in een mahoniehouten planterssstoel.

Joe had King Lucius door een voorman in Havana horen omschrijven als 'met gemak driehonderd pond, met een enorme kop en zo kaal als een ei'. Een andere keer had hij een barman in Tampa aan drie dronkaards horen vertellen dat Lucius 'dunner [was] dan de dood en langer dan God'.

Joe kende Lucius al bijna vijftien jaar en moest vaak met een schok constateren hoe totaal onopvallend hij eruitzag. Hij was op een paar centimeter na één meter tachtig lang, ongeveer als Joe zelf. Zijn hoofd had de vorm van een perzik, met rode wangen en rode oren. Zijn haar was bleek en werd al dun. Zijn volle lippen zouden bij een vrouw sensueel worden gevonden en hij had kleine, grijzige tanden. Zijn lichtgroene ogen leken gefixeerd in een toestand van lichte verwondering. Zelfs als ze stil leken te staan, konden ze op een of andere manier bewegen. Joe had zich door die ogen vaak van alle kanten bekeken gevoeld.

Hij droeg een ruim zittend Cubaans overhemd boven een wijde katoenen broek en aan zijn roze voeten droeg hij een paar stevige sandalen. Hij zag eruit als een zachtmoedige vent.

Op de chaise longue naast Lucius lag een meisje, haar gezicht in het kussen; toen hij opstond uit zijn stoel gaf hij haar een vriendelijk tikje op haar kont. 'Hup, Vidalia, werk aan de winkel.' Terwijl het meisje moeizaam in beweging kwam, stapte hij met een uitgestrekte hand op Joe en Rico af. 'Heren.'

Het meisje stommelde hun kant op, nog half in slaap of anders half stoned van het een of ander.

'Zeg even dag tegen mijn vrienden, Vidalia.'

'Dag vrienden,' mompelde het meisje toen ze voor hen stond. Ze droeg een ceintuurloze witzijden kamerjas over een geplooid zwart badpak.

'Geef ze een hand.'

Als Lucius haar naam niet genoemd had, had Joe haar wellicht niet kunnen thuisbrengen. Maar hij had in zijn hele leven maar één Vidalia ontmoet – Bobby O's vriendin, vorig jaar – en hij besefte dat dit hetzelfde meisje moest zijn. De Vidalia Langston van amper veertien maanden geleden was toen minderjarig, zoals al Bobby O's vriendinnen in die tijd. Ze was overgekomen uit Iowa of Idaho of zo, als hij zich goed herinnerde. Ze zat in de examenklas en had het alleen niet tot klassenvertegenwoordiger geschopt, had ze Joe toevertrouwd, omdat ze haar daarvoor te wild en te losbandig vonden. Die Vidalia was niet te stuiten geweest in zo ongeveer alles wat ze deed: haar schaterlach, haar heupwiegen als ze spontaan een dansje maakte in de club, de overvloed van donker haar dat schuin over haar ene oog viel.

Maar ze had Bobby O zich in zoveel bochten laten wringen dat ze hem waarschijnlijk voorgoed van zijn voorkeur voor minderjarige meisjes had genezen: na Vidalia begon hij iets met een serveerster in een koffietent van tegen de veertig. Zelfs Joe, die nooit de charme had ingezien van seks met een meisje wier verstand nog jaren nodig zou hebben om op gelijke hoogte te komen met haar lijf, wist nog dat hij zich een paar keer aangenaam ongemakkelijk had gevoeld in Vidalia's nabijheid.

Maar nu voelde haar hand als die van een oude vrouw. Ze smakte met haar lippen, alsof haar mond veel te droog was, en ze stond te wankelen op haar benen. Hij kon niet aan haar zien of ze nog wist wie hij was. Ze liet zijn hand los en stak over naar het andere dek, waar ze zich op een andere chaise longue neerliet, voorbij de luifel. Toen ze de zijden kamerjas van haar schouders liet glijden, zag hij de wervels uitsteken in haar rug. Haar haar kwam tot bijna aan haar onderste ribben. Zo zocht Lucius zijn meisjes uit: jong, met veel en lang haar. In het begin. Aan het eind van de rit waren ze niet meer dezelfde. Zo loopt het vaak af met wilde dromen, wou Joe dat hij Vidalia een jaar geleden had verteld: voorgoed getemd.

Lucius nam hen mee tot onder de luifel. Hij gebaarde naar een stoel links en een stoel rechts van die van hem. Toen ze alle drie zaten, klapte hij een keer in zijn handen, alsof er een soort harmonie was bereikt. 'Partners van me.'

Joe knikte. 'Goed om je weer te zien.'

'En jou, Joe.'

'Hoe voel je je?' vroeg Rico.

'Zo gezond als een vis, Enrico. Hoezo?'

'Ik hoorde dat je wat verkouden was.'

'Waar heb je dat gehoord?'

Rico, die in de gaten kreeg dat hij zich al op glad ijs had laten lokken, probeerde een uitwijkmanoeuvre. 'Ik hoop maar dat het gauw overgaat. Die verkoudheden bij warm weer zijn meestal het ergst.'

'Ik ben niet verkouden.'

Op het tafeltje naast hem: hete thee, een citroen en een doos met tissues. Hij keek hen starend aan, zijn gezicht een open boek.

'Hoe dan ook, je ziet er top uit,' zei Rico.

'Dat zeg je met enige verbazing.'

'Nee.'

'Heeft iemand je het idee gegeven dat ik ziek was?'

'Nee,' zei Rico.

'Zwak of in de lappenmand?'

'Nee. Ik wou alleen maar zeggen dat je er goed uitziet.'

'Net als jij, Rico.' Hij keek opzij en nam Joe in zich op. 'Maar jij ziet er moe uit.'

'Ik zou niet weten waarom.'

'Slaap je wel goed?'

'Kon niet beter.'

'Nou, dan zien we er allemaal fit genoeg uit om te moeten betalen om onder de dienstplicht uit te komen.' Hij trok zijn grijze glimlach. 'Wat brengt jullie hier? Het was dringend, zei je.'

Terwijl Joe vertelde dat Theresa Del Fresco hem had benaderd en dat ze vreesde voor haar veiligheid, zetten een paar Androphagi een grote koffietafel tussen hen in en dekten die met placemats, borden en bestek. Daarna volgden glazen, linnen servetten, een kan met water en een fles witte wijn in een koeler.

Lucius hoorde Joe met een licht opgetrokken wenkbrauw aan, waarbij zijn mond af en toe een O vormde om zijn verrassing te laten blijken. Hij knikte tegen een van zijn mannen, waarop die voor alle drie een glas wijn inschonk.

Toen Joe was uitgepraat zei Lucius: 'Nou ben ik even de draad kwijt. Denkt Theresa dat ik iets te maken heb met die aanslagen op haar leven? En denk jij dat ook?'

'Absoluut niet.'

'Absoluut niet.' Lucius glimlachte naar Rico. 'Het is me opgevallen dat mensen veel nadruk gebruiken als ze me iets proberen wijs te maken.' Hij wendde zich weer tot Joe. 'Want waarom zou je me dit anders komen vertellen, als je niet dacht dat ik iets met die onvergeeflijke daden te maken had?'

'Omdat jij de enige bent hier in de omgeving die zulke daden kan laten ophouden.'

'Jij hebt invloedrijke vrienden. Je hebt zelf invloed.'

'Er zijn grenzen aan mijn bereik.'

'En aan dat van mij niet?'

'Niet hier in Union County.'

Lucius pakte zijn wijnglas en gebaarde zijn gasten hetzelfde te doen. Hij hief zijn glas. 'Op onze blijvende samenwerking.'

Rico en Joe knikten en hieven hun glas voordat ze een slok namen. De Androphagi keerden terug met het eten: twee geroosterde kippen, gekookte aardappelen, gestoomde maïskolven. Een van de mannen sneed aan tafel de kip; zijn lange mes gleed door het vlees als een lichtstraal door een grot. In een ogenblik lag er een grote berg vlees op de schaal in het midden van de tafel en waren de geplunderde karkassen afgevoerd.

'Dus je bent hierheen gekomen om bescherming voor Theresa Del Fresco te regelen?'

'Ja.'

'Waarom?' Lucius prikte wat kip op zijn bord. Voor Joe had kunnen antwoorden zei Lucius: 'Vooruit. Neem. Rico, begin met de maïs. Joe, de aardappelen.'

Ze schepten op. Terwijl ze bezig waren stommelde Vidalia langs. Ze zei tegen Lucius dat ze naar beneden ging om wat te slapen. Ze schonk Joe en Rico een afstandelijk en lusteloos glimlachje en wuifde met een half handje naar Lucius. Toen ze naar de trap liep vroeg Joe zich af, en niet voor het eerst, of mannen in hun business alle vrouwen die hun pad kruisten zo bezoedelden, of dat bepaalde vrouwen hen juist opzochten omdat ze dat graag wilden. Haar afstandelijke glimlach van zonet had in haar repertoire van een jaar geleden ontbroken. Toen had ze een lach gehad die zelfs in een stalen net niet te vangen was geweest. Het geluid ervan zou hij van z'n leven niet vergeten, maar hij vroeg zich af of ze zelf nog wist hoe ze geklonken had.

'Waarom ik gekomen ben?' vroeg hij Lucius. 'Dat is wat je me vraagt?'

'Waarom help je een vrouw die je nauwelijks kent?'

'Ze vroeg het me. En het leek me een kleine moeite om even bij een zakenrelatie langs te gaan.'

Lucius hoestte een paar keer in zijn vuist. Het was een vochtige rochelhoest en hij hield zijn hand omhoog tot het voorbij was. Hij liet zich een ogenblik achteroverzakken, een hand op zijn borst. Zijn blik werd weer helder, hij schraapte zijn keel. 'En biedt ze mij enige vorm van compensatie voor die dienst?'

'Ja.'

'En wat had ze jou te bieden?'

'Ze beweert informatie te hebben die voor mij van levensbelang is.'

'Vertel.'

'Ze zegt dat er een prijs op mijn hoofd staat.' Joe nam een hap van zijn kip.

Lucius keek naar Rico, toen weer naar Joe, toen naar zijn bord. De woonboot gleed loom stroomafwaarts. Langs de oever rezen bergen fosfaatgips op als heuvels van vochtige as. Achter die heuvels lag het bezaaid met dode bomen en stapels gekrulde en geblakerde palmbladeren. De zon was terug en liet er zijn meedogenloze stralen op neerkomen.

Lucius nipte van zijn drankje en keek over de rand van het glas naar Joe. 'Dat lijkt me heel vreemd.'

'Waarom? Dit is een harde business.'

'Niet voor een gouden jongen zoals jij, die zelf niemand bedreigt. Je bent niet meer uit op macht. Je staat niet bekend als iemand die snel boos wordt en je hebt geen gokprobleem. Je neukt niemand z'n vrouw, in ieder geval niet de vrouwen van collega's. En de laatste vijanden die je wel had heb je in één dag afgeschud, dus niemand die jou ook op dat gebied niet serieus zou nemen.' Hij nam nog een paar slokjes wijn en boog voorover. 'Ben jij een slecht mens, denk je?'

'Daar heb ik nooit zo bij stilgestaan.'

'Je verdient aan prostitutie, drugs, woekerleningen, illegaal gokken...'

'Veel van die dingen zijn legaal als ik ze op Cuba doe.'

'Legaal wil niet automatisch zeggen dat het ook moreel in orde is.'

Joe knikte. 'En volgens diezelfde logica is illegaal niet noodzakelijk hetzelfde als immoreel.'

Lucius glimlachte. 'Had jij een paar jaar geleden niet een transportlijn van illegale Chinezen via Havana naar Tampa? Honderden van die lui, zo niet duizenden?'

Joe knikte.

Rico kwam tussenbeide: 'Wij allebei. Dat was een gezamenlijk project.'

Lucius negeerde hem en hield zijn ogen strak op Joe gericht. 'En zijn er niet verschillende van die mensen omgekomen?'

Een ogenblik volgde Joe een groepje steltlopers dat heen en weer schoot over een drassig stukje oever. Hij keek weer naar Lucius. 'Dat was op één reis, ja.'

'Vrouwen? Kinderen? En een peuter van één, als ik me goed herinner, allemaal als kerstkalkoenen levend gekookt in het ruim?'

Joe knikte.

'Oké, dan voegen we nog mensenhandel toe aan je lijstje. En moord, natuurlijk. Je eigen leermeester. En nog dezelfde dag heb je zijn zoon en verschillende van zijn mannen laten afmaken.'

'Nadat ze een paar van mijn mensen hadden vermoord.'

Een ijl glimlachje. Opnieuw een starende blik over de rand van zijn glas. 'Maar slecht ben je niet?'

'Ik weet niet goed of ik de zin van dit gesprek nog helemaal kan volgen, Lucius.'

Lucius staarde naar het water. 'Jij denkt dat je een goed mens wordt door je rot te voelen over je zonden. Sommige mensen zouden dat een verachtelijk soort misvatting vinden.' Hij richtte zijn blik opnieuw op hen beiden. 'Net als misschien mijn aanvankelijke ongeloof toen ik hoorde dat er een prijs op je hoofd zou staan – wat naar ik aanneem ook jouw eerste reactie was, en die van jou, niet, Rico?'

'Absoluut,' zei Rico.

'Maar wellicht was dat ongeloof naïef. Je hebt de wereld met een hoop zonden opgezadeld, Joseph. Misschien begint het nu op je terug te slaan. Misschien is het zo dat mannen zoals wij, juist om mannen te zijn zoals wij, voor eeuwig hun gemoedsrust opofferen.'

'Best mogelijk,' zei Joe, 'en het is een idee waar ik volgende maand graag op mijn gemak nog eens over wil nadenken, als ik dan nog in leven ben.'

Lucius sloeg zijn handen ineen en boog zich voorover. 'Laten we eerst eens logisch nadenken: waar hoorde je dat er een prijs op je hoofd staat?'

'Theresa,' zei Joe.

'Waarom deelde ze die informatie met jou? Theresa heeft haar hele leven nog nooit iets gedaan als ze er zelf geen baat bij had.'

'Omdat ze wilde dat ik naar jou toe ging om bescherming voor haar te regelen.'

'En dat heb je gedaan.' Een van zijn zwijgende mannen verruilde de fles wijn voor een verse. 'Wat is Theresa's aanbod aan mij?'

'Negentig procent van haar aandeel in de Duitse boot die jouw mannen leeg hebben gehaald in Key West.'

'Negentig.'

Joe knikte. 'De overblijvende tien procent te overhandigen aan mij en door mij op een rekening te zetten voor haar zoon, zodat Theresa's moeder erbij kan zolang zij vastzit.'

'Negentig procent,' zei Lucius nog eens.

'Voor volledige bescherming voor de gehele duur van haar gevangenschap.'

'We zitten met een klein probleem.' King Lucius liet zich achteroverzakken in zijn stoel en sloeg zijn linkerenkel over zijn rechterknie.

'En dat is?'

'Ze biedt mij geld aan dat ik al heb, en jij biedt mij niets. Ik zie niet hoe doorgaan met dit gesprek voor mij iets zou opleveren.'

'Jij en ik zijn partners,' zei Joe. 'Je kunt zoveel fosfaat winnen als je wilt, maar zonder mij krijg je het niet van z'n plek.'

'Dat is niet helemaal waar,' zei Lucius. 'Mocht jou iets ergs overkomen, wat God verhoede, dan stel ik me voor dat jouw compagnons over hun grote verdriet heen zullen stappen en doorgaan. Vind jij de huidige condities eerlijk?'

'Bijzonder,' zei Joe.

Lucius lachte. 'Ik had niet anders verwacht! Voor jou zijn ze gunstig. Maar wat als ik jouw tarieven misdadig vind?'

'Vind je dat?' vroeg Rico.

'Laten we zeggen dat ik er weleens een paar keer van wakker heb gelegen.'

Joe zei: 'Je betaalt veel minder dan het normale tarief voor het gebruik van onze vrachtwagens. Wat we jou berekenen is...' Hij keek Rico aan.

'Twintig cent per pond, vier dollar per mijl.'

'Daar leggen we op toe,' zei Joe.

'Vijftien cent per pond,' zei Lucius.

'Zeventien.'

'En drie dollar per mijl.'

'Droom lekker verder.'

'Drie en een kwart.'

'Enig idee wat benzine kost tegenwoordig?' zei Joe. 'Drie vijfenzeventig.'

'Drieënhalf.'

'Drie vijfenzestig.'

Lucius keek naar zijn bord en kauwde een poosje in stilte. Toen wendde hij zich tot Rico en grijnsde. Hij wees met zijn mes naar Joe. 'Rico, van die daar kan een jonge kerel als jij nog een hoop opsteken. Altijd al een heel slimme jongen geweest.'

Lucius liet zijn mes los en stak zijn hand uit over tafel.

Joe moest naar voren leunen om hem aan te nemen.

'Ik hoop in ieder geval dat je nog een hele tijd onder de levenden bent, Joe, in ieder geval net zo lang als ikzelf.'

Ze lieten elkaars hand los.

Op een gekantelde pier aan de oever zaten een paar zwarte kinderen te vissen in water dat grijs zag van fosfaatafval. Achter de zwarte kinderen was de groengele jungle bezaaid met hutjes. Verderop rees een wit kruis op van de plaatselijke kerk, die niet veel groter of steviger leek dan de hutjes. Aan de overzijde van de rivier waren alle bomen gekapt. De weg liep er vlak langs het water. Joe zag Al Butters helder als glas voort kachelen in zijn auto.

'En jij?' vroeg Lucius aan Rico.

'En ik wat?'

'Ben jij je broeders hoeder?'

'Niet dat ik weet.'

'Waarom ben je dan meegekomen?'

Rico glimlachte verward. 'Ik wou weleens een dagje de stad uit, wat van het platteland zien. Je kent dat wel.'

'Niet echt.' Lucius had geen glimlach op zijn gezicht. 'Jij bent een baas, toch?'

'Ja.'

'De jongste in de organisatie.'

'Zal wel.'

'Een wonderboy zoals je mentor hier.'

'Een gewone vent, Lucius, die gewoon zijn werk doet.'

'Dus dit is werk? Je bent hier voor je werk.'

Rico stak een sigaret op en moest zijn uiterste best doen om ontspannen over te komen. 'Nee. Ik ben alleen mee voor de ondersteuning.'

Lucius maakte een gebaar naar Joe. 'Voor hem?'

'Ja.'

'Maar waarin moet hij ondersteund worden?'

'Niet veel.'

'Waarom ben je dan hier?'

'Dat zei ik net.'

'Ik wil het nog eens horen.'

'Ik had zin in een ritje.'

Lucius' gezicht was doodstil. 'Of wilde je kunnen getuigen?'

'Waarvan?'

'Van wat er hier gebeurt vandaag.'

Rico zette zich enigszins schrap en zijn ogen werden kleiner. 'Het enige wat hier vandaag gebeurt is dat een paar zakenpartners wat bijpraten.'

'En dat een van de partners de andere omkoopt om een derde partij te beschermen.'

'Dat ook.'

Lucius schonk zich een derde glas wijn in. 'Ik denk dat jij bent meegekomen om te kunnen getuigen van mijn beloftes, wat dus wil zeggen dat je er rekening mee houdt dat ik er later op zou kunnen terugkomen. Dat, of je kwam mee in de ijdele gedachte dat je je vriend zou kunnen beschermen, in welk geval jij me voor een man houdt die zijn gasten een maaltijd, wijn en onderdak aanbiedt om ze vervolgens iets aan te doen. Wat een schandelijke overtreding zou zijn. In beide gevallen, Enrico, is jouw aanwezigheid hier een belediging.' Hij wendde zich tot Joe. 'En jij, jij bent zelfs nog erger. Dacht je dat die sluipschutters daar tussen de bomen aan mijn aandacht waren ontsnapt? Dat zijn mijn bomen. Dit is mijn water. Avilka.'

De stroblonde Androphagi verscheen. Hij knielde bij Lucius neer en Lucius zei iets in zijn oor. Avilka knikte een paar keer en kwam overeind. Hij liep weg van zijn baas en ging benedendeks.

Lucius glimlachte naar Joe. 'Stuur je nou een trol van de Bunsfords om de wacht te houden? Waar is het respect gebleven, Joe? Het stomme fatsoen?'

'Het was geen kwestie van gebrek aan respect voor jou, Lucius.

Het was meer een kwestie van respect betonen aan de Bunsfords omdat ik vorige week mijn vliegtuig in hun gebied aan de grond heb gezet.'

'En nu haal je hun uitschot naar hier, mijn gebied?' Lucius dronk van zijn wijn, zijn kaken maalden, zijn ogen bewogen van links naar rechts, naar buiten naar het water, naar binnen in zichzelf. 'Gelukkig voor jou,' zei hij, 'voel ik me niet gauw beledigd.'

Ogden Semple en Avilka verschenen bij de boeg. Ogden kwam naar hun tafel met een grote bruine envelop die hij Lucius overhandigde.

Lucius smeet de envelop in Joe's schoot. 'Haar tien procent. Je mag het natellen.'

'Niet nodig,' zei Joe.

De boot boog af naar de oever, om vervolgens met een slinger naar rechts haar draai op de rivier te kunnen maken. Ze voeren terug, de zware motoren moesten er nu harder aan trekken en maakten meer herrie.

'Je zit me toch niet voor de gek te houden, hè, Joe?'

'Ik zou bij God niet weten hoe je zoiets zou moeten aanpakken, Lucius.'

'Toch is het wel geprobeerd. Zou het je verbazen om dat te horen?'

'Ja,' zei Joe.

Lucius opende zijn sigarettenhouder en nog voor hij de sigaret tussen zijn lippen had, hield Ogden Semple er een aansteker onder.

'Zou het jou verbazen, Ogden?'

Ogden klapte de aansteker dicht. 'Bijzonder, meneer.'

'En waarom dan wel?'

'Omdat niemand u voor de gek houdt.'

'Waarom niet?'

'Omdat u een koning bent.'

Lucius knikte. Eerst scheen het Joe toe alsof hij gewoon instemmend knikte over Ogdens antwoord, maar toen stapten twee Androphagi uit de groep naar voren, waarvan de een Ogden in zijn rug stak en de andere zijn mes in Ogdens borst zette. Ze gingen snel te werk en prikten zestien of zeventien gaten in de man in evenveel seconden. Er kwamen schelle kreten over zijn lippen, toen nog gekreun. Toen zijn moordenaars een stap terugdeden spatte Ogdens bloed op hun blote bovenlijven. Ogden zakte op zijn knieën op het dek. Hij keek onthutst op naar Lucius terwijl hij met een arm delen van zichzelf op hun plaats probeerde te houden die hardnekkig uit de openingen in zijn buik gleden.

Lucius zei tegen Ogden: 'Nooit meer tegen iemand zeggen, niet in dit leven en niet in het volgende, dat ik ziek ben.'

Ogden begon een antwoord te mompelen, maar Avilka knielde achter hem neer en haalde met zijn gekromde mes zijn keel open. De inhoud lekte in stromen over de troep die er inmiddels van hem geworden was en op het dek liggend sloot hij zijn ene goede oog.

Ginds op de rivier sloeg een witte reiger zijn grote witte vleugels uit en gleed langs de woonboot.

Lucius keek Joe doordringend aan en gebaarde naar het lijk. 'Hoe denk je dat ik me voel over zoiets? Goed of slecht?'

'Ik zou het niet weten.'

'Raad eens.'

'Slecht.'

'Waarom?'

'Hij is lang bij je in dienst geweest.'

Lucius haalde zijn schouders op. 'De waarheid is dat ik helemaal niets voel. Voor hem niet. En niet voor welk levend ding ook. En ik kan me ook niet herinneren wanneer dat voor het laatst wel zo was. Maar toch, onder het wakend oog van God,' zei hij, en hij keek met samengeknepen ogen op naar de zon, 'gaat het me voor de wind.'

14

Vizier

'Hebben ze hem opgegeten, denk je?' vroeg Rico, vanachter het stuur, toen ze in westelijke richting over de 32 reden.

'Daar kan ik niets zinnigs over zeggen.' Joe nam een slok uit de fles whisky die ze hadden gekocht bij een fruitstalletje langs de weg dat bemand werd door twee indiaanse kinderen en een oude vrouw. Hij gaf de fles aan Rico, die ook een slok nam.

'Wat mankéért die man?'

'Weer iets waar ik niet eens naar durf te raden.'

Ze reden een tijdje zwijgend voort en gaven de fles zo vaak aan elkaar door dat het gebladerte om hen heen zich scherper en groener aftekende.

'Ik bedoel, prima, oké, ik heb ook wel gasten gedood,' zei Rico. 'Maar nooit een vrouw of een kind.'

Joe keek hem aan.

'Niet opzettelijk,' zei Rico. 'Dat Chinese kind was gewoon een kwestie van pech. Jij hebt kerels gedood, niet?'

'Natuurlijk.'

'Maar daar was een reden voor.'

'Destijds dacht ik van wel.'

'In dit geval was er geen reden. Die domme lul had zich tegen ons laten ontvallen dat zijn baas verkouden was, en daarom moest-ie dood? Wat zijn dat voor manieren?'

Joe kon die boot in al zijn poriën voelen en wilde dat hij hem uit zijn schedel kon boenen.

'Dat meisje had ik al eens ergens gezien,' zei Rico. 'Was zij niet het neukmaatje van Georgie B?'

Joe schudde zijn hoofd. 'Bobby O.'

Rico knipte met zijn vingers. 'Ja, je hebt gelijk.'

'Kwam altijd in de Calypso Club.'

'Ja, nee, nu weet ik het weer. Shit. Ze was een lekker ding, die meid.'

'Niet meer.'

'Niet meer.'

Rico floot laag en traag. 'Die meid had power.'

Joe knikte, waarop ze elkaar aankeken en het nu tegelijkertijd zeiden: 'Niet meer.'

'Zo'n kind denkt dat haar kracht in haar kutje ligt, en soms is dat misschien ook zo, een tijdje. Wij denken dat het in onze ballen zit, en in onze stootkracht. En misschien is dat ook zo. Een tijdje.' Rico schudde bedroefd zijn hoofd. 'Een heel klein tijdje.'

Joe knikte. Macht – in ieder geval de meeste macht, en zeker Vidalia's soort – was de vlieg die zichzelf een havik noemde. Die kon slechts de baas spelen over hen die ermee instemden hem een havik te noemen in plaats van een vlieg, een tijger in plaats van een kat, een koning in plaats van een man.

Ze reden over de dampende witte weg onder de gloeiende zon, met aan beide kanten van hen eindeloze aantallen oude en jonge cipressen. Nog niemand was aan de ontwikkeling van dit stuk van het land begonnen. Het barstte er van onbelemmerd tierende jungle, krokodillen, panters en olieachtige moerassen die glinsterden onder ijle, groene nevelsluiers.

Rico zei: 'Je hebt nog, wat is het, een week tot Aswoensdag?'

'Ja.'

'Jezus, Joe. Man.'

'Wat?'

'Niks.'

'Nee. Kom op.'

'Ik wil je niet beledigen.'

'Je doet je best maar.'

Rico liet dat een tijdje tot zich doordringen, zijn blik strak op de weg. 'Ik geloofde het niet, tot ik vandaag weer een vleugje Lucius binnenkreeg en me herinnerde wat voor een zieke geest dat is. Als hij daarnet Ogden niet vermoord had, had hij Al Butters vermoord. Of dat meisje. Of een van ons. Hij moest en zou iemand om zeep helpen vandaag, daar ging het om. Gewoon zomaar. Geen andere reden te verzinnen. Dus als hij ook maar iets te maken heeft met die prijs op jouw hoofd, moet je wegwezen tot de rook optrekt. Shit, hou je gewoon een week of twee gedeisd op je boerderij. Laat mij en mijn jongens uitzoeken wie jou op z'n lijstje heeft staan, te weten komen waarom en er verdomme gewoon voor zorgen dat die opdracht verleden tijd is.' Hij keek Joe aan. 'Ik doe het met plezier, geloof me.'

Joe zei: 'Ik waardeer je aanbod.'

Rico gaf een klap op het stuur. 'En nu geen "maar" zeggen. Waag het niet, Joe.'

'Maar ik moet dingen regelen in de stad.'

'Die lopen niet weg.' Hij keek hem aan. 'Dit voelt niet goed. Meer zeg ik niet. Ik ben al mijn hele leven een schurk. Heb een behoorlijk goed instinct ontwikkeld in die tijd, en mijn instinct zegt dat je verdomme moet maken dat je wegkomt.'

Joe keek uit het raam.

'Het is geen schande, Joe. Je bent niet op de vlucht. Je gaat een tijdje op vakantie.'

'We zullen zien,' zei Joe. 'Zien wat ervoor nodig is om mijn zaken op orde te krijgen.'

'Best, maar moet je horen, beloof me dan één ding: laat mij of Dion, je kijkt maar wie, een paar wachten op je huis zetten.'

'Op mijn huis,' zei Joe. 'Maar niet op mij. Als ik ergens heen wil zonder ze, dan ga ik. Deal?'

'Ja. Best.' Hij keek Joe aan en glimlachte.

'Wat is er?'

'Nu wéét ik tenminste dat je iemand uit de stad neukt. Wie is het?'

'Let jij nou maar op de weg.'

'Al goed.' Hij grinnikte voor zich uit. 'Ik wist het.'

Ze reden een tijdje zonder iets te zeggen, en toen Rico zijn lippen tuitte en zuchtte, wist Joe wat er door zijn hoofd spookte.

Rico's vingers trokken wit weg aan het stuur. 'Ik bedoel, nogmaals, ik heb mensen vermoord. Maar die gast? Dat is goddomme een barbaar.'

Joe staarde naar de welige prehistorische flora langs de weg en dacht bij zichzelf dat dat nou precies was wat hem dwarszat, dat dat was wat aan zijn ziel knaagde: het verschil tussen hem en een barbaar.

Hij zei tegen zichzelf – en beloofde zichzelf plechtig – dat er een verschil was.

Er was een verschil.

Echt.

Nog een paar slokken whisky en hij zou het bijna geloven.

Bij Raiford bleef Rico in de auto zitten terwijl Joe en de directeur elkaar opnieuw de hand schudden op het zandpad dat de gevangenis omringde. En opnieuw met de ogen van de directeur in zijn rug liep Joe naar het hekwerk. Theresa kwam naar het harmonicagaas en Joe opende de envelop om haar de inhoud te laten zien.

'Hier is je tien procent. Morgenvroeg zal ik het storten.'

Ze knikte, keek hem door het hekwerk aan. 'Ben je dronken?'

'Hoe kom je daarbij?'

'Zo voorzichtig als je kwam aanlopen.'

'Ik heb een paar borrels gehad.' Joe stak een sigaret op. 'Goed, ter zake.'

Ze vlocht haar vingers door het gaas. 'Billy Kovich. En het zal gebeuren in Ybor, dus ik neem aan bij jou thuis.'

'Billy Kovich zou ik nooit binnenlaten.'

'Dan zal hij een geweer gebruiken. Hij is een verdomd goeie scherpschutter. Dat is wat hij deed in de Eerste Wereldoorlog, heb ik gehoord.'

Voorbij was de tijd dat Joe bij het raam van zijn werkkamer kon zitten.

'Of,' zei Theresa, 'hij pakt je op straat, misschien in de buurt van dat café waar je graag zit of een andere plek waar je je regelmatig vertoont. En als je je dagelijkse routine verandert, weet hij dat je hem in de gaten hebt.'

'En vertrekken?'

Theresa lachte kil en schel, en ze schudde haar hoofd. 'Hij zou zijn schema vervroegen. Tenminste, dat zou ik doen.'

Joe knikte. Hij keek naar de grond en zag de doffe plekken op zijn schoenen van zijn dag in de rimboe.

'Waarom neem je geen vakantie?' vroeg Theresa.

Joe staarde haar een poosje aan. 'Omdat ik denk dat iemand me de stad uit wil hebben. Het past allemaal gewoon te mooi in elkaar.'

'Dus jij gelooft niet dat iemand probeert je te vermoorden?'

'Als ik er redelijk over nadenk zou ik zeggen: er is een kans van twee tegen één.'

'En voel je je daar lekker bij?'

'Ben je gek?' zei hij. 'Ik schijt in m'n broek van angst.'

'Ga er dan vandoor.'

Hij haalde zijn schouders op. 'Ik leef al mijn hele leven volgens de theorie dat ik meer aan mijn hersens heb dan aan mijn ballen. Maar dit is voor het eerst dat ik niet goed weet welke van die twee de beslissingen neemt.'

'En dus blijf je plakken.'

Hij knikte.

'Nou, het was leuk je gekend te hebben.' Ze knikte naar de envelop in zijn hand. 'Als je het niet erg vindt wou ik graag dat je dat zo snel mogelijk stort.'

Hij glimlachte. 'Meteen morgenvroeg.'

'Tot ziens, Joe.'

'Dag, Theresa.'

Hij liep weg van het hek en voelde een vizier branden op zijn rug, op zijn borst, midden op zijn voorhoofd.

Vanessa was niet in kamer 107 toen hij aankwam, ze was op de steiger. Hij kraakte toen hij erop stapte en het beeld van de jongen die hem hier de vorige keer had staan opwachten flitste door hem heen, maar hij liep gestaag door met een glimlach op zijn gezicht en ging tegenover haar zitten.

'Als ik zou zeggen dat ik vandaag niet zo'n zin heb,' zei ze, 'zou je dan beledigd zijn?'

'Nee,' antwoordde hij, en hij realiseerde zich tot zijn eigen verbazing dat hij de waarheid sprak.

'Maar misschien wil je even naast me komen zitten.' Ze klopte naast zich op het hout.

Hij kroop op handen en voeten naar haar toe, ging naast haar zitten zodat hun heupen elkaar raakten, nam haar hand in de zijne. Ze keken naar het water.

'Is er iets mis?' vroeg hij.

'Och,' zei ze, 'van alles en niets.'

'Wou je erover praten?'

Ze schudde haar hoofd. 'Niet echt, nee. Jij?'

'Hm?'

'Wou jij over jouw problemen praten?'

'Wie zegt dat ik problemen heb?'

Ze grinnikte wat en kneep in zijn hand. 'Laten we dan gewoon hier wat zitten zonder te praten.'

Dat deden ze.

Na een tijdje zei hij: 'Dit is fijn.'

'Ja,' zei ze met een bedroefd soort verbazing in haar stem, 'vind ik ook.'

15

Je fikst het maar

Geen slaap, die nacht.

Telkens wanneer hij zijn ogen sloot zag hij de Androphagi met kromme messen in de hand op zich af komen. Of hij zag de punt van een kogel het donker doorboren, recht naar zijn voorhoofd. Hij opende zijn ogen, hoorde het huis kraken, de muren kreunen, de knars van wat een voetstap op de trap zou kunnen zijn.

Buiten ruisten de bomen.

De klok in de eetkamer sloeg twee. Joe sloeg zijn ogen op – hij had zich niet gerealiseerd dat ze dicht waren – en zag de blonde jongen op de drempel, wijsvinger op zijn lippen. Hij wees. Eerst dacht Joe dat hij naar hem wees, maar toen besefte hij dat het ging om iets achter hem. Joe draaide zich om en keek over zijn rechterschouder naar de haard.

Nu stond de jongen daar, met zijn uitdrukkingsloze gezicht en niet-ziende ogen.

Hij droeg een wit nachthemd en zijn blote voeten zagen paars en geel. Hij wees opnieuw en Joe keek achterom naar de deur.

Daar was niemand.

Hij draaide zich om naar de haard.

Niemand.

'Volg mijn vinger.'

Dokter Ned Lenox hield zijn wijsvinger voor Joe's gezicht en bewoog die van rechts naar links, en van links naar rechts.

Ned Lenox was al de huisarts van de Bartolo-familie sinds de tijd dat Joe aan het hoofd had gestaan. Er gingen talloze geruchten over waarom hij uit een veelbelovende medische carrière in St. Louis was verdreven – dronken aan de operatietafel staan, nalatigheid die leidde tot de dood van de zoon van een vooraanstaande familie in Missouri, een affaire met een vrouw, een affaire met een man, een affaire met een kind, diefstal en illegale doorverkoop van medicijnen – maar die geruchten, zoals ze in alle verscheidenheid circuleerden in de onderwereld van Tampa, waren zonder uitzondering vals.

'Goed, goed. Laat die arm eens zien.'

Joe hield zijn linkerarm op en de fragiele, vriendelijke dokter zette er net boven de elleboog zijn pincetvingers in en draaide de binnenkant van de arm naar boven. Hij tikte met een reflexhamer op de pees tussen onderarm en elleboog, en deed hetzelfde bij de andere arm en Joe's beide knieën.

Ned Lenox was niet uit St. Louis verdreven; hij was uit eigen beweging vertrokken, en wel met zo'n glanzende reputatie dat de oudere artsen van St. Luke's zich zelfs nu nog weleens hardop afvroegen waarom hij destijds, in de herfst van 1919, was vertrokken, en wat er van hem geworden was. Er speelde wel iets, zeker, iets met een jonge vrouw die in het kraambed gestorven was, maar dat geval was tot op het hoogste niveau onderzocht, en dokter Lenox, een onvermoeibare held ten tijde van de in die dagen heersende Spaanse griep, was volledig vrijgesproken van enige schuld aan de omstandigheden die hadden geleid tot de dood van zijn vrouw en de baby. De zwangerschapsvergiftiging was begonnen met vrijwel dezelfde symptomen als de griep. Tegen de tijd dat de arme man besefte welke kwaal werkelijk zijn jonge bruid en het kind in haar baarmoeder bedreigde, was het te laat. In die weken stierven er vijftien mensen per dag, en dertig procent van de stad was besmet. Zelfs een arts kreeg het ziekenhuis niet aan de telefoon, en een collega vragen om langs te komen was even onmogelijk. En zo kwam het dat Ned Lenox alleen thuis was met zijn geliefde vrouw toen ze hem werd afgenomen. Men vermoedde dat hij nooit had kunnen leven met de wrede ironie dat hij, een in hoog aanzien staande arts, haar niet had kunnen redden. Naar alle waarschijnlijkheid zou ook een heel team van verloskundigen dat niet zijn gelukt.

'Hoe vaak heb je hoofdpijn gehad de afgelopen week?' vroeg Ned.

'Eén keer.'

'Erg?'

'Gaat.'

'En had dat ergens mee te maken, denk je?'

'Kettingroken.'

'Daar heb ik wel een nieuwerwetse remedie voor.'

'O ja?'

'Stoppen met kettingroken.'

'Ik begrijp,' zei Joe, 'dat je een dure opleiding hebt gehad.'

Ned had Joe een andere versie van zijn verhaal verteld. Dat was in 1933, na een eindeloze nacht soldaten oplappen volgend op een van de ernstigere schermutselingen in de Rumoorlog. Joe had hem bijgestaan in de balzaal van een leegstaand hotel die ze hadden omgebouwd tot een provisorische operatiekamer. Na afloop, al in de ochtend, terwijl ze op een steiger zaten en de vissersvloot en de rumboten nakeken die uitvoeren, vertelde Ned dat zijn vrouw een arm meisje was toen hij haar leerde kennen, een vrouw van ver beneden zijn stand.

Ze heette Greta Farland en ze woonde samen met haar uitdrukkingsloze moeder, ijzig uitkijkende vader en vier veelal ijzig uitkijkende broers in een pachtershuisje aan de Gravois Creek. Allemaal, met uitzondering van Greta, hadden ze de naar binnen gekrulde schouders van een krab, een spitse kin, een voorhoofd zo hoog en grimmig als de muren van een stormvloedkering, en hardvochtige, dorstige ogen. Maar Greta had volle heupen, borsten en lippen. Haar melkblanke huid lichtte op onder de straatlantaarns, en haar glimlach, hoewel zelden zichtbaar, was de glimlach van een meisje dat juist de verlangens van een vrouw ontdekte.

'Spring er maar af, jongeman.'

Joe wipte van de onderzoektafel.

'Lopen.'

'Wat?'

'Lopen. Voet goed afwikkelen. Van deze muur tot die.'

Joe deed het.

'En nu terug naar mij.'

Joe doorkruiste opnieuw de kamer.

Neds liefde voor Greta werd door haar niet beantwoord, maar hij hoopte dat daar verandering in zou komen zodra ze inzag hoezeer hij haar leven kon verbeteren. Hun hofmakerij duurde maar kort; haar vader wist dat een man als Ned een eenmalige kans was voor een meisje uit een gribusbuurt als die van hen. Greta trouwde met Ned en voelde zich algauw genoeg op haar gemak in haar nieuwe omgeving om het verschil te kennen tussen een eetlepel en een dessertlepel en af en toe de meid een klap te verkopen. Soms kon ze drie of vier hele dagen achtereen aardig zijn tegen Ned, waarna de uitbarstingen van haar duistere aard terugkeerden. Door die goede dagen bleef Ned hopen dat ze binnenkort zou ontwaken en beseffen dat alles wat ze wantrouwde als een droom, echt was: het zou haar nooit meer ontbreken aan eten of onderdak of de liefde van een fatsoenlijke en vooraanstaande echtgenoot, en haar duistere stemmingen zouden verdwijnen als sneeuw voor de zon. Haar meedogenloze kijk op de mensheid zou worden vervangen door medeleven.

Ned zette zijn bril goed en maakte een aantekening op het formulier op zijn klembord. 'Ontspannen maar.'

Joe zei: 'Mag ik mijn mouwen weer naar beneden doen?'

'Natuurlijk.' Nog een pennenstreek. 'En geen oorpijn, kortademigheid, geen hevige neusbloedingen?'

'Nee, nee, en nog eens nee.'

Dokter Lenox keek hem kort aan. 'Je bent wat afgevallen.'

'Is dat slecht?'

Hij schudde zijn hoofd. 'Er konden wel een paar pondjes af.'

Joe gromde, stak een sigaret op. Hij hield dokter Lenox het pakje voor. De dokter schudde zijn hoofd, maar haalde zijn eigen pakje tevoorschijn en stak op.

Toen Greta zwanger werd was Ned ervan overtuigd dat een positieve metamorfose ophanden was. Maar van de zwangerschap werd ze alleen nog maar ongenietbaarder. De enige momenten waarop ze gelukkig was - een hopeloos en bitter soort geluk - was in gezelschap van haar familie, omdat de familie Farland, als geheel, het gelukkigst was als ze hopeloos en verbitterd waren. Als ze op bezoek kwamen, verdwenen erfstukken en tafelgerei. Ned vermoedde dat ze hem haatten omdat hij alles had waarnaar zij verlangden maar waar ze zo lang zonder hadden geleefd dat ze nu niet meer zouden weten wat ermee te doen als ze het wel hadden.

Ned blies een kringel rook uit en deed het pakje terug in zijn borstzak. 'Vertel het me nou nog eens.'

'Ik wou het liever niet herhalen.'

'Je hebt last van waanvoorstellingen.'

Joe voelde dat hij een kleur kreeg. Hij fronste. 'Komt dat van een hersentumor of niet?'

'Je vertoont geen enkel symptoom van een hersentumor.'

'Dat wil niet zeggen dat ik er geen heb.'

'Nee, maar wel dat de waarschijnlijkheid miniem is.'

'Hoe miniem?'

'Ongeveer als door de bliksem getroffen worden op een rubberplantage bij een wolkeloze hemel.'

Ned was niet verbaasd – geschokt misschien, maar niet verbaasd – toen hij op een dag onverwacht thuiskwam en zijn vier maanden zwangere Greta aantrof in hun slaapkamer terwijl haar vader van achteren zijn pik in haar boorde en de twee als varkens losgingen op een bed dat al drie generaties in de familie Lenox was. Ze hadden niet eens het fatsoen om te stoppen toen ze zijn trooseloze gestalte gewaarwerden in de kaptafelspiegel die hij voor haar gekocht had als huwelijkscadeau.

'Laten we het over het slapen hebben. Lukt dat?'

'Niet erg best.'

Hij krabbelde weer iets op zijn formulier. 'Zoals de wallen onder je ogen al doen vermoeden.'

'Bedankt. Word ik ook al kaal?'

Lenox keek hem over zijn bril aan. 'Ja, maar dat heeft niets te maken met waar we het vandaag over hebben.'

'En dat is?'

'Wanneer was de laatste keer dat je die, eh, geestverschijning hebt gehad?'

'Paar dagen geleden.'

'Waar?'

'Thuis.'

'Wat was er op dat moment aan de hand in je leven?'

'Niks. Nou ja...'

'Wat?'

'Niet belangrijk.'

'Je zit hier niet voor niets. Vertel maar.'

'Het gerucht gaat dat een van mijn zakenpartners misschien boos op me is.'

'Waarom?'

'Geen idee.'

'En die partner, is dat iemand die voor rede vatbaar is?'

'Ook geen idee. Ik weet niet wie het is.'

'En in jouw branche,' zei dokter Lenox omzichtig, 'zijn boze partners niet gewend om een conflict op een altijd even...' Hij zocht naar de juiste woorden.

'...verfijnde manier af te handelen,' zei Joe.

Lenox knikte. 'Precies.'

Toen Greta's vader, Ezekiel 'Easy' Farland, Ned een paar minuten later in de woonkamer aantrof schoof hij een stoel voor zijn schoonzoon, ging zitten en zette zijn tanden in een perzik die hij van de eetkamertafel had gegraaid.

'Ik weet dat er een hoop dingen zijn die je vindt dat je moet zeggen,' zei hij tegen Ned, 'maar die betekenen helemaal niks voor mij of mijn familie. Wij hebben onze eigen manieren. En je moet maar leren je daarbij neer te leggen.'

'Ik leg mij helemaal nergens bij neer.' Neds stem trilde en sloeg over als die van een vrouw. 'Geen sprake van. Ik zal je dochter uit dit huis...'

Easy zette de punt van een mes tegen Neds ballen en greep met de andere hand zijn keel. 'Als jij ook maar iets anders doet dan meewerken, naai ik je in je hol tot je me proeft in je bek. En dan roep ik mijn jongens om hetzelfde te doen, om de beurt. Begrepen? Je hoort nu bij mijn familie. Je bent een deel van ons. Daar heb je voor getekend.'

En om zijn verhaal kracht bij te zetten maakte hij een strakke jaap in Neds onderbuik, net boven zijn ballen, rechts van zijn penis.

'Jij bent hier de dokter.' Hij veegde zijn mes af aan Neds overhemd. 'Je fikst het maar.'

Joe wurmde een manchetknoop door de knoopsgaten in zijn rechter-manchet. 'Nou, waar denk je dat mijn geestverschijning mee te maken heeft?'

'Stress.'

'Fuck,' zei Joe toen zijn manchetknoop op de grond viel. 'Fuck.' Hij bukte zich om hem op te pakken. 'Echt?'

'Of ik echt denk dat je last van stress hebt? Of vraag je of ik echt denk dat stress er de oorzaak van is dat je geesten ziet? Mag ik eerlijk zijn?'

Joe richtte zich weer op het gepruts met zijn manchetknoop. 'Natuurlijk.'

'Een of andere onbekende of onbekenden hebben het wellicht slecht met je voor, je voedt in je eentje je zoon op nadat je vrouw een gewelddadige dood is gestorven, je reist te veel, je rookt te veel, te veel drinken zul je ook wel, en je krijgt niet genoeg slaap. Het verbaast me dat je niet een heel leger spoken ziet.'

In de maand die volgde liep Ned rond en at en ging naar zijn werk, maar hij deed het allemaal zonder enige gedachte. Dertig dagen lang, voor zover hij zich herinnerde, functioneerden zijn ledematen op oude kracht en niet omdat hij ze ertoe aanzette. Zijn eten - natte as op zijn tong - bereikte zijn mond uit routine. Hij legde huisbezoeken af en draaide zijn ziekenhuisuren in een stad die verscheurd werd door de griepuitbraak. Elk gezin van enige omvang telde ten minste een lid dat besmet was, en de helft van hen ging dood. Ned behandelde de ernstigste gevallen, kreeg sommigen weer op de been en moest voor anderen de overlijdensakte tekenen. En niets van dat alles herinnerde hij zich. Elke avond ging hij weer naar huis. Elke ochtend ging hij de deur uit.

Bij de check-up van zijn vrouw, die hij elke ochtend deed, viel hem op dat haar bloeddruk omhooggeschoten was. Hij besloot er vooralsnog niets achter te zoeken en ging naar zijn werk. Toen hij thuiskwam bleek Greta's toestand verslechterd. Hij testte haar urine en vond een duidelijke aanwijzing voor nierfalen. Hij verzekerde haar dat er niets aan de hand was. Hij luisterde naar haar hart en hoorde dat in galop gaan, luisterde naar haar longen en hoorde het vocht erin rond klotsen. Hij hield haar hand vast en verzekerde haar dat wat ze voelde de normale symptomen waren voor een vrouw in haar tweede trimester.

'Dus dit is stress?' vroeg Joe.

'Dit is stress.'

'Ik voel me niet gestrest.'

De dokter slaakte een diepe zucht.

'Nou ja,' verklaarde Joe, 'niet veel meer dan anders. Zeker niet vergeleken met, weet ik het, tien jaar geleden.'

'Toen je in illegale drank deed tijdens de Rumoorlog.'

'Dat is nooit bewezen,' zei Joe.

'Toen had je geen kind dat van jou afhankelijk was. En bovendien was je tien jaar jonger.'

'Jongere mannen hebben geen angst voor de dood?'

'Sommigen wel, maar de meesten geloven niet echt dat het hun kan overkomen.' Hij doofde zijn sigaret. 'Wat kun je me vertellen over de jongen die je in jouw hoofd tevoorschijn tovert?'

Joe aarzelde, zocht naar het geringste teken van vermaak op Lenox' gezicht. Maar het enige wat hij zag was een levendige nieuwsgierigheid. Hij zou zich geschaamd hebben om toe te geven hoe prettig het idee om over de jongen te praten hem plotseling toescheen. Hij kreeg ook zijn tweede manchetknoop op z'n plaats en ging tegenover Lenox zitten.

'Meestal,' begon hij, 'ziet zijn gezicht eruit als een afgesleten stuk gum. Hij heeft een neus, mond en ogen, maar ik kan ze niet echt zien en ik zou je ook niet kunnen zeggen waarom niet. Ik kan het gewoon niet. Maar één keer zag ik hem en profil en hij deed aan als familie.'

'Familie?' Lenox stak een nieuwe sigaret op. 'Hij leek op je zoon?'

Joe schudde zijn hoofd. 'Nee, op mijn vader of een paar neven die ik ooit eens ontmoet heb. Op een foto van mijn broer toen die klein was.'

'Leeft die broer nog?'

'Ja. Hij zit in Hollywood, schrijft voor de film.'

'Zou het je vader kunnen zijn?'

'Daar heb ik aan gedacht,' zei Joe, 'maar dat voelt niet alsof het klopt. Mijn vader was zo'n vent die als een volwassen man uit de baarmoeder kwam. Ken je dat type?'

Lenox zei: 'Maar dat is niet wat jouw innerlijk je vertelt.'

'Dat begrijp ik niet.'

'Geloof je in geesten?'

'Nou, voorheen niet.'

Lenox maakte een wijzend gebaar met zijn sigaret. 'Je bent niet naar een medium of een waarzegger gestapt met je zorgen. Je kwam bij mij, een arts. Je maakte je zorgen over een tumor, maar ik garandeer je, het is stress. En wat voor beeld je ook mag oproepen, het betekent iets voor je. Of je vader zichzelf nu zag als een jongen of niet, jíj kunt het nodig gevonden hebben je een jongensachtige versie van hem voor te stellen. Of misschien is er iets voorgevallen met een van die neven die je noemde, iets in een ver verleden waar je niet mee in het reine kunt komen.'

'Of misschien,' zei Joe, 'is het echt verdomme een geest.'

'In dat geval, troost je, dan bestaat God.'

Joe fronste. 'Pardon?'

'Als geesten bestaan, is er ook een leven na dit leven. In een of andere vorm dan. Als er een hiernamaals is, is er logischerwijs ook een opperwezen. Ergo, geesten zijn een Godsbewijs.'

'Ik dacht dat je niet in geesten geloofde.'

'Klopt. En daarmee geloof ik dus ook niet in God.'

Toen Greta's gejammer en gekerm al te luid begon te worden duwde Ned haar een prop in de mond. Hij bond haar aan het bed, boeide ook haar enkels. Ondertussen had ze koorts en ijlde ze, terwijl hij haar voorhoofd bette, zijn haatgevoelens in haar oor fluisterde en alle statistieken afratelde die hij op de universiteit had moeten leren over het vóórkomen van achterlijkheid, mongolisme, neiging tot suïcide en ernstige depressie onder kinderen die uit incest geboren waren.

'Die lijn moet doorbroken worden,' fluisterde hij, aan haar oor knabbelend. Hij betastte haar gezwollen borsten en sloeg haar in het gezicht of kneep haar in haar hals om haar wakker te houden terwijl de zwangerschapsstuipen zich eerst aankondigden en toen aandienden. En hij wist met zekerheid dat hij nooit een mooiere vrouw had gezien dan deze vrouw, die drie uur en elf minuten na het begin van de bevalling het leven liet.

Haar kind, product van een zo godslasterlijke zonde dat het de enige zonde was die door elke bekende beschaving ter wereld in de ban werd gedaan, kwam dood ter wereld, de ogen stevig dichtgeknepen tegen de verschrikkingen die het tegemoet had kunnen zien.

Lenox leunde achterover op zijn kruk en streek zijn broek glad bij de knie. 'Ik zal je vertellen waarom ik niet in geesten geloof: het is saai.'

'Sorry?'

'Het is saai,' zei Lenox. 'Het is saai om een geest te zijn. Want stel je voor: wat doe je met je tijd? Je wandelt langs plekken waar je niet thuishoort om drie uur 's nachts en jaagt de kat de stuipen op het lijf of, weet ik het, de vrouw des huizes, en dan verdwijn je in een of andere muur. Hoelang zou zoiets duren – hooguit een minuut? En hoe dan verder? Want, zoals ik al zei, als je in geesten gelooft, geloof je in een hiernamaals. Dat kan niet anders. Die twee gaan samen. Geen hiernamaals, geen geesten, dan zijn we allemaal gewoon vlees in afbraak voor de wormen. Maar indien wel geesten, dan een hiernamaals, een geestenwereld. En wat er verder ook maar gebeurt in de geesteswereld of hemel of limbo of waar je ook zit, ik mag hopen dat het op z'n minst een klein beetje interessanter is dan de hele dag bij jouw huis rondhangen en wachten tot jij thuiskomt zodat zo'n geest je kan aanstaren en niets zeggen.'

Joe grinnikte. 'Als je het zo zegt...'

Lenox krabbelde iets op zijn receptenblok. 'Ga hiermee naar de apotheek in Seventh.'

Joe stak het recept in zijn zak. 'Wat is het?'

'Chloraal-hydraatdruppels. Niet over de dosering heen gaan, anders slaap je een hele maand. Maar het zal je 's nachts helpen.'

'En overdag?'

'Als je goed uitgerust bent, zul je geen geesten meer zien, overdag niet en 's nachts niet.' Lenox' bril gleed naar het puntje van zijn neus. 'Als de geestverschijningen of de slapeloosheid aanhouden moet je me bellen, dan schrijf ik iets sterkers voor.'

'Goed,' zei Joe. 'Zal ik doen. Bedankt.'

'Graag gedaan.'

Toen Joe weg was stak Ned Lenox een sigaret op en zag, niet voor het eerst, hoe geel de nicotine zijn huid tussen de wijs- en middelvinger van zijn rechterhand had gekleurd. De nagels ook. Hij besteedde geen aandacht aan de baby die bibberend onder de onderzoektafel zat. Ze had er de hele tijd gedurende het bezoek van Joe Coughlin gezeten, wiegend en huiverend op haar plaats, zelfs toen haar vader loog dat het hiernamaals een te saaie plek was voor een geest om het vol te houden. Maar in tegenstelling tot in het echte leven waren haar ogen open en had ze geen vertrokken gezichtje. Ze leek een beetje op haar moeder, vooral haar kaaklijn, maar voor de rest was het een echte Lenox.

Ned Lenox ging voor haar op de vloer zitten omdat hij geen idee had hoelang ze zou blijven, en hij was gesteld op haar gezelschap. De eerste jaren nadat hij haar en haar moeder had vermoord, was ze elke nacht aan hem verschenen en had ze rondgekropen over de vloer en het bed en zelfs een paar keer over de muur. Het eerste jaar had ze geen geluid gemaakt, maar tegen het tweede begon ze te jammeren en slaakte ze ijle en hongerige kreetjes. Om maar niet naar huis te hoeven werkte Ned zich een ongeluk in zijn praktijk, eerst vooral huisbezoeken afleggend, maar later ook als veldarts voor de Bartolo-familie en hun vrienden in de onderwereld. Het laatste beviel hem het best. Hij koesterde geen romantische ideeën over mannen als Joe Coughlin en het soort leven dat ze leidden – het was doordrongen van hebzucht en de gevolgen daarvan. De mannen in dat bestaan stierven een gewelddadige dood of brachten die anderen toe. Er functioneerde geen alles overstijgend principe of een morele code anders dan die van het eigenbelang, waarbij tegelijkertijd de illusie van het tegendeel werd versterkt: dat alles werd gedaan voor het overkoepelende belang van de familie.

Toch ontdekte Ned een soort eerlijkheid in deze wereld die hij vrijwel nergens anders tegenkwam. Alle mannen die hij in misdaadkringen leerde kennen waren slaaf van hun zonden, gijzelaars van hun eigen kapotte zelf. Je werd geen Joe Coughlin of een Dion Bartolo of een Enrico DiGiacomo omdat je ziel gaaf was en je hart vrij. Je werd onderdeel van deze wereld omdat je zonden en je zorgen zich zo voorspoedig hadden vermenigvuldigd dat je voor geen ander bestaan meer deugde.

Op de bloedigste dag van de Rumoorlog in Tampa, 15 maart 1933, waren vijfentwintig mannen omgekomen. Sommigen waren doodgeschoten, anderen opgehangen, neergestoken of verpletterd onder autowielen. Ze waren soldaat geweest, zeker, volwassen mannen die voor dit leven hadden gekozen, maar sommige mannen stierven luid schreeuwend en anderen smeekten uit naam van hun vrouw en kinderen om genade. Twaalf mannen waren afgeslacht op een boot in de Golf van Mexico en overboord gegooid als voer voor de haaien. Toen Ned Lenox had gehoord over deze razernij had hij gebeden dat alle twaalf dood waren op het moment dat ze in de golven verdwenen. Joe Coughlin had opdracht gegeven voor de executie. Dezelfde redelijke, vriendelijk uit zijn ogen kijkende, correct in het pak gestoken Joe Coughlin die bij hem was gekomen met een klacht over geestverschijningen.

Als de zonden groot genoeg waren, wist Ned, trok het schuldgevoel niet weg. Het werd sterker. Nam andere vormen aan. Soms, wanneer geweld in voldoende hoge frequentie geweld voortbracht, vormde het een bedreiging voor het weefsel van de schepping, en dan volgde een terugslag van de schepping.

Ned sloeg zijn knieën over elkaar en keek hoe zijn baby hem aanstaarde, een verkrampt en kwaadaardig bijna-kind. Toen ze voor het eerst in vierentwintig jaar haar tandeloze mondje opende en sprak, was hij niet verbaasd. En evenmin verbaasde het hem dat haar stem de stem van haar moeder was.

'Ik zit in je longen,' zei ze tegen hem.

16

Deze keer

Nadat Billy Kovich had uitgeklokt op zijn werk als logistiek medewerker bij de Bay Palms Taxi Service, liep hij binnen bij de Tiny Tap in Morrison Street voor een borrel en een glas bier. De borrel was onveranderlijk Old Thompson, het bier was onveranderlijk Schlitz, en Billy Kovich nam nooit meer dan van elk een. Van de Tiny Tap reed hij naar Gorrie Elementary School om zijn zoon Walter op te pikken na de repetities met de schoolband. Walter bespeelde de timp tom, niet goed genoeg voor een beurs en niet slecht genoeg om zijn vaste plek in de band kwijt te raken. Met zijn cijfers zou hij hoe dan ook niet van een muziekbeurs afhankelijk zijn. Walter, twaalf jaar oud en bijziend, was de grootste verrassing in het leven van Billy Kovich. Zijn andere twee kinderen, Ethel en Willie, zaten al op de middelbare school toen Penelope zwanger raakte van Walter. Ze was toen tweeenveertig en Billy en de dokters waren er niet gerust op geweest dat een zo kleine en fragiele vrouw op die leeftijd nog een kind moest krijgen. Een van de dokters had Billy in vertrouwen gewaarschuwd dat de baby waarschijnlijk niet volgroeid zou raken. Maar volgroeid raken deed hij en de bevalling verliep voorspoedig. Zou Walter echter twee maanden later geboren zijn, dan hadden ze waarschijnlijk de tumor aan Penelopes eierstok ontdekt.

Ze overleed toen Walter amper een jaar oud was en net een beetje begon te lopen. Als een dronken indiaan hobbelde hij rond bij zijn moeders begrafenis. Toen al was het een stille jongen, niet zozeer naar binnen gekeerd als wel op zichzelf. Maar hij was slim. Hij had al een klas overgeslagen – de derde – en zijn leraar dit jaar, een jonge vent die luisterde naar de naam Artemis Gayle, vers van een dure universiteit, zei tegen Billy dat hij misschien eens moest overwegen om de jongen in de herfst naar de katholieke middelbare school van Tampa te sturen, als hij dacht dat Walter er klaar voor was. Intellectueel gezien was hij er ongetwijfeld klaar voor, zei Gayle, de vraag was alleen of Walter die sprong ook emotioneel aankon.

'Het joch toont niet zoveel emotie,' zei Billy. 'Nooit gedaan.'

'Tja, hier kunnen we hem niet zoveel meer leren.'

Tijdens de rit terug naar hun grote, oude huis in Obispo Street, waar alle drie zijn kinderen waren opgegroeid, vroeg Billy aan Walter hoe hij het zou vinden om al in de herfst naar de middelbare school te gaan. Zijn zoon keek op uit het leerboek dat hij op schoot had en zette zijn bril recht. 'Dat lijkt me prima, Billy.'

Walter was op zijn negende opgehouden 'pa' tegen Billy te zeggen. Hij was met een volstrekt redelijk betoog aangekomen over de nadelige positie waarin een kind zich bevond door de vooronderstelling van ouderlijke superioriteit. Had Ethel of Willie hetzelfde beweerd, dan zou Billy gezegd hebben dat ze hem voor de rest van hun leven 'pa' moesten blijven noemen, en van harte alsjeblieft en dat ze anders konden rekenen op een flink pak slaag. Maar zulke dreigementen misten elk effect op Walter; de enige keer dat Billy zijn zoon over de knie had gelegd, had de blik van sprakeloze woede, gevolgd door verbijsterde minachting die zich in de trekken van de jongen had genesteld, Billy gekweld en achtervolgd, en nu nog steeds, veel meer dan de gezichten van alle mannen die hij in de loop van de jaren had vermoord.

Ze stopten onder de carport van het huis in Obispo en gingen naar binnen. Walter bracht zijn drums en boeken naar boven en ondertussen bereidde Billy een maaltijd met lever, uitjes, groene bonen en aardappelschijfjes. Billy hield van koken. Al sinds zijn diensttijd. Hij had in 1916 getekend en werd tijdens zijn eerste jaren ingedeeld bij de keukenploeg in Camp Custer, maar toen brak de oorlog uit en stuurden ze hem naar Frankrijk, waar zijn groepscommandant ontdekte hoe goed korporaal William Kovich was in het vanaf grote afstand doden met een geweer.

Na de oorlog kwam Billy via allerlei omzwervingen in New Orleans terecht, waar hij tijdens een barruzie een man doodde met zijn duim. Het was het soort bar waar mannen nogal eens een verminking opliepen, maar dit was de eerste vent in zes jaar tijd die eraan bezweek. Toen de politie arriveerde zeiden alle barklanten dat de moordenaar van de arme Delson Mitchelson een geschifte idioot uit Louisiana was die Boudreaux heette en die als een haas de deur uit was gerend, waarschijnlijk terug naar het dorp waar hij vandaan kwam. Billy ontdekte later dat de bewuste man, Philippe Boudreaux, al maanden eerder zelf was vermoord na een spelletje kaart waarbij hij was betrapt met een aas in zijn mouw. Een paar jongens hadden hem bij volle maan aan de krokodillen gevoerd. Sindsdien had hij de schuld gekregen van zo ongeveer elke moord in de Franse wijk, en twee in Storyville. De eigenaar van de bar zat die avond aan een tafeltje in de hoek; hij stelde zich voor als Lucius Brozjuola ('Mijn vrienden noemen me King Lucius'). Hij had gehoord, zei hij tegen Billy, dat de drooglegging eraan zat te komen, en hij had een idee hoe je daaraan, een eindje verder naar het zuiden, in Tampa, een zakcent kon verdienen, dus nu was hij op zoek naar een paar mannen die stevig genoeg in hun schoenen stonden om mee te doen.

Zo kwam Billy in Tampa terecht, waar hij een rustig en fatsoenlijk doorsnee bestaan leidde, behalve wanneer hij opdracht kreeg om tegen betaling iemand om te brengen. Het geld investeerde hij in grond tijdens de vastgoedhausse in het begin van de jaren twintig in Florida. En hoewel anderen moerasland en percelen aan de kust kochten, kocht Billy al zijn kavels in het centrum van Tampa, St. Petersburg en Clearwater. Hij kocht altijd in de buurt van een gerechtsgebouw, een politiebureau of een ziekenhuis, omdat hem was opgevallen dat op die plekken vaak woonwijken verrezen. Op een gegeven moment wilde men zo'n wijk uitbreiden en moest er een van Billy Kovich' kleine kavels worden gekocht, die gewoonlijk kaal maar keurig onderhouden wachtten op de dag dat iemand een bod zou komen uitbrengen. Geen van deze verkopen was ooit een geweldige financiële klapper voor Billy, maar hij maakte zonder mankeren een nette winst, een winst die, en dat was het belangrijkst, verklaarde hoe een eenvoudige medewerker van de Bay Palm Taxi Service zijn dochter naar een topopleiding voor leraren en zijn zoon naar een prestigieuze universiteit kon sturen en hoe hij zich om de drie jaar een gloednieuwe Dodge kon veroorloven. Niemand in de steden waar Billy zakendeed zou zich al te zeer verdiepen in de financiën van een man die een eerlijke prijs voor een mooie kavel rekende.

Na het avondeten deden Billy en Walter samen de afwas en hadden ze het, net als iedereen, over de oorlog ver weg en hoelang het zou duren om die te winnen.

Bij het afdrogen van de laatste schaal vroeg Walter: 'Wat als we niet winnen?'

Nu die rotmof in Rusland rond ploeterde, zag Billy niet hoe de nazi's hun inspanningen nog langer dan een paar jaar konden volhouden. Het was gewoon een kwestie van olie – hoe meer ze ervan verkwistten in Rusland, hoe minder ze hun voorraden in Noord-Afrika en Roemenië konden beschermen.

Dit legde hij zijn jongste uit, en Walter liet er uitgebreid zijn gedachten over gaan, zoals met alles.

'Maar als Hitler de olievelden van de Sovjets in Bakoe inneemt?'

'Ja, natuurlijk,' zei Billy. 'Dan zouden de Sovjets kunnen verliezen en zou ook Europa waarschijnlijk vallen. Maar wat dat voor ons zou betekenen? Het is echt niet zo dat ze dan meteen bij ons op de stoep staan.'

'Waarom niet?' vroeg de jongen.

Daarop moest Billy het antwoord schuldig blijven.

Dat waren dus de zorgen van jonge jongens op dit moment. De grote boeman Adolf was op oorlogspad en uiteindelijk bereid de oceaan over te steken.

Hij gaf zijn zoon een vriendelijk kneepje in zijn nek. 'Geen idee, maar als het er ooit van komt zullen we wel verder zien. Ga jij nou maar eerst aan je huiswerk.'

Ze gingen samen naar boven. Walter ging naar zijn kamer en linea recta naar zijn bureau, met daarop een geopend schoolboek en drie op een stapeltje ernaast.

'Niet te lang doorgaan met lezen,' zei Billy tegen zijn zoon, waarop de jongen knikte, maar wel zo dat duidelijk was dat hij het advies naast zich neer zou leggen.

Billy liep door de gang naar de kamer waar al zijn kinderen waren verwekt en waar Penelope haar laatste adem had uitgeblazen. Hij had een veel diepgaander vertrouwdheid met de dood dan de meeste mensen. Volgens zijn eigen telling had hij in zijn leven zeker achtentwintig mannen gedood en mogelijk tot wel vijftig, als je precies ging doen over welke kogels van hem waren en welke van andere leden van de organisatie tijdens het vierdaagse bloedbad in Soissons. Zijn wangen en neus waren de ontvangers geweest van een half dozijn laatste ademtochten. Hij had een heel dozijn keren het licht in de ogen van andere mannen zien doven. Hij had het zien doven in de ogen van zijn vrouw.

En het enige wat hij anderen kon vertellen over de dood, was dat je er verstandig aan deed hem te vrezen. Hij had geen aanwijzingen gezien van een wereld na deze. Hij had nooit vrede gelezen in de blik van een stervende, noch de opluchting van iemand wiens vragen op het punt stonden beantwoord te worden. Alleen het einde. Altijd te vroeg, altijd zowel een verrassing als een grimmige bevestiging van een levenslang vermoeden.

In de slaapkamer die hij met zijn vrouw had gedeeld kleedde hij zich om in een oude sweater met afgeknipte mouwen en een broek vol verfvlekken, en ging naar beneden om zich uit te leven op de boksbal.

De boksbal hing aan een ketting net achter de carport. Billy sloeg er zonder veel techniek op los, maar wel met enige souplesse. Hij sloeg niet bijzonder hard of bijzonder snel, maar na een halfuur voelden zijn armen aan alsof ze gevuld waren met nat zand, ging zijn hart als een razende tekeer in zijn borst en was zijn sweater doordrenkt van het zweet.

Hij nam een snelle douche, de enige manier waarop je tegenwoordig kon douchen, en trok een pyjama aan. Hij liep even bij Walter binnen, die hem verzekerde dat hij het niet heel laat zou maken en hem vroeg de deur achter zich dicht te doen. Hij liet zijn zoon achter in gezelschap van zijn aardrijkskundeboek en ging naar beneden voor de twee biertjes die hij zichzelf toestond na de boksbal.

In de keuken zat Joe Coughlin, pistool in de hand. Het pistool was voorzien van een Maxim-demper. Joe had twee biertjes uit de koelkast gehaald en naast een blikopener op tafel gezet, recht voor een lege stoel, opdat Billy niet alleen zou zien waar hij moest zitten maar ook zou begrijpen dat Joe zijn avondroutine had bestudeerd. Joe knikte in de richting van de stoel en Billy nam plaats.

'Maak een biertje open,' zei Joe.

Billy prikte een gat in het blikje, plus nog een er recht tegenover voor een vloeiende stroom, nam een slok en zette het blikje weer neer.

Joe Coughlin zei: 'We hoeven niet het spelletje te spelen waarbij jij vraagt waarom ik hier ben, of wel?'

Billy dacht hier even over na en schudde zijn hoofd. Tegen de onderkant van het tafelblad, ter hoogte van zijn rechterknie, zat een mes. Vanaf zijn stoel zou hij er niet veel aan hebben, maar als hij het op een of andere manier in zijn mouw zou kunnen schuiven en over een paar minuten dichter bij Joe kon komen terwijl hij het gesprek rustig gaande hield, had hij misschien een kans.

'Ik ben gekomen,' zei Joe, 'omdat er een prijs op mijn hoofd staat en jij de klus gekregen hebt.'

Billy zei: 'Ik heb die klus helemaal niet. Maar ik heb er wel over gehoord.'

'Als jij hem niet hebt, wie dan wel?'

'Mijn gok zou zijn: Mank.'

'Die zit in een sanatorium in Pensacola.'

'Dan is hij het niet.'

'Lijkt me erg onwaarschijnlijk.'

'Waarom ik?'

'Ze wilden iemand hebben die dicht bij me zou kunnen komen.'

Billy snoof. 'Niemand komt dicht bij jou. Denk je niet dat je wat achterdochtig zou zijn geworden als ik op een dag die drankhandel van je was binnengestapt of je tegen het lijf zou lopen in die koffietent waar je graag zit in Ybor? Jij bent niet het soort doelwit waar je dicht bij in de buurt komt. Jij bent een doelwit voor de lange afstand.'

'Maar jij bent goed op de lange afstand, Billy, toch?'

Boven hoorden ze een zacht geschraap toen Walter zijn stoel verschoof. Toen ze beiden omhoogkeken naar het geluid, liet Billy zijn rechterhand onder de tafel glijden.

'Mijn zoon.'

'Ik weet het,' zei Joe.

'Wat als hij naar beneden komt voor een glas melk of zo? Had je daaraan gedacht?'

Joe knikte. 'We zullen hem wel horen op de trap. De treden kraken, vooral de bovenste.'

Als hij zoveel over het huis wist, wat wist hij dan nog meer?

'En als je hoort dat hij eraan komt?'

Joe trok lichtjes zijn schouders op. 'Als ik dan nog steeds denk dat

je een gevaar bent schiet ik je in je gezicht en verdwijn door die zijdeur.'

'En als je dat niet denkt?'

'Dan komt je zoon naar beneden en treft twee kerels aan die met
elkaar zitten te kletsen.'

'Waarover?'

'De taxiwereld.'

'En jij zit hier in een pak van tachtig dollar.'

'Honderdtien,' zei Joe. 'Dan zeggen we dat ik de eigenaar ben.'

Opnieuw het schrapen van stoelpoten, gevolgd door voetstappen. Ze hoorden de piep van Walters deur toen hij zijn slaapkamer uit
ging. Vervolgens zijn voetstappen over de overloop op weg naar de
trap.

Billy tastte naar het mes.

Boven ging Walter de badkamer in, trok de deur achter zich dicht.

Billy voelde niets onder het tafelblad dan hout. Hij bracht zijn
hand boven tafel en pakte zijn bier, zag hoe Joe hem aankeek.

'Hij ligt in je gereedschapsschuurtje.' Joe sloeg zijn rechterenkel
over zijn linkerknie. 'Net als de .22 die achter de ijskast hing, de andere .22 op de plank boven de borden, de .38 onder de bank in de woonkamer, de .32 in je slaapkamer en de Springfield in je linnenkast.'

Boven werd de wc doorgetrokken.

'Als ik misschien een wapen niet genoemd heb,' zei Joe, 'kun je je
afvragen of dat met opzet was. Al met al zou ik zeggen dat dit een
hoop vlotter zou lopen als je ophield met te bedenken hoe je bij een
pistool of een mes kan komen en gewoon antwoord gaf op mijn vragen.'

Billy nam een slok van zijn bier. Boven kwam Walter de badkamer
uit en passeerde de trap. Opnieuw de piep van zijn deur, deze keer
toen hij hem dichttrok, gevolgd door weer het schrapen van stoelpoten.

Billy zei: 'U vraagt maar, meneer Coughlin.'

'Joe.'

'Vraag maar, Joe.'

'Wie heeft je ingehuurd?'

'Dat zei ik al: ik ben niet ingehuurd. Ik heb er alleen maar van gehoord. Mank is de man om wie je je druk zou moeten maken.'

'Wie is de opdrachtgever?'

'King Lucius, maar ik vermoed als onderaannemer.'

'Voor wie?'

'Geen idee.'

'En je had het op Aswoensdag moeten doen?'

Billy keek hem verbaasd aan.

'Nee?' vroeg Joe.

'Nee,' zei Billy. 'Ten eerste: ik heb de klus niet aangenomen. Ik heb hem niet eens aangeboden gekregen. Ten tweede: hoezo zou jij de datum te horen hebben gekregen?'

'Geen flauw idee,' zei Joe. 'Maar ik hoorde dat het op Aswoensdag zou moeten gebeuren.'

Billy lachte en nam een slok van zijn bier.

'Wat is er zo grappig?'

'Niks.' Billy haalde zijn schouders op. 'Het is gewoon te belachelijk voor woorden. Aswoensdag? Waarom niet Palmpasen of Boomplantdag? Als we iemand dood willen hebben, dan mollen we hem gewoon hem op maandag-wasdag of woensdag-gehaktdag. Jezus, Joe, je zit in de Commissie. Jij weet hoe zoiets werkt.'

Joe keek toe terwijl Billy Kovich zijn eerste Schlitz leegdronk en met de blikopener zijn tweede aanbrak. Hij had een zeer oprecht gezicht, Billy. Eén blik op dat gezicht en je voelde je op je gemak. Het was tegelijkertijd jongensachtig en stoer, het gezicht van een degelijke doorsnee arbeider. Een kerel die je zou helpen met een lekke band en die na afloop jouw aanbod van een biertje zou accepteren en vervolgens het tweede en derde rondje zelf zou afrekenen. Als hij zou zeggen dat hij het schoolelftal coachte of de plaatselijke installateur was of in een ijzerwinkel stond, zou je knikken en denken: natuurlijk.

Toen King Lucius een duidelijke boodschap wilde overbrengen, destijds in '37, nam Billy Kovich Edwin Musante mee op een boot, boeide zijn handen achter zijn rug, bond zijn benen aan elkaar, maakte met een scheermes wonden in zijn beide benen en onderbuik en haalde een ketting onder zijn oksels door. Edwin Musante was in leven en bij zijn volle bewustzijn toen Billy Kovich hem in het water kieperde, de ketting liet vieren en langzaam door de Tampa Bay begon te varen. Paudric Dean, die vijf jaar later zelf een slachtoffer van Billy zou worden, zat die dag ook op de boot en vertelde na afloop met een door de schok samengeknepen stem over hoe het had geklonken toen de eerste twee haaien zich lieten zien. Hoe die aarzelend hun eerste happen genomen hadden en zich toen even hadden laten afschrikken door de snerpende toon van Edwin Musantes gegil. Maar zodra zich op een afstandje nog drie haaien vertoonden, waagden de eerste twee zich aan grotere happen. Toen ze eenmaal alle vijf om het hardst aan het schranzen waren, maakte Billy in alle kalmte het touw met de boot los en voer terug naar de haven.

Joe nam hem op terwijl hij zijn bier dronk. Een man die vriendelijker uit zijn ogen keek zou je van je leven niet tegenkomen.

Billy zei: 'Had je al bedacht dat het om het gerucht zelf zou kunnen gaan?'

'Dat snap ik niet.'

'Kom op, Joe.'

'Iemand wil dat ik dénk dat er een prijs op mijn hoofd staat?'

'Ja.'

'Waarom?'

'Om op je zenuwen te werken, de boel wat op te stoken.'

'Maar waarom in vredesnaam?'

'Weet ik het?' Billy haalde zijn schouders op. 'Ik ben niet van het soort dat ze op kantoor uitnodigen om alles even haarfijn aan uit te leggen. Ik ben een werkbij.' Hij hield zijn lege blikje op. 'Een met dorst. Goed als ik er nog een pak?'

Marston, de privédetective die Joe had ingehuurd om het huis de afgelopen paar dagen in de gaten te houden had gemeld dat Billy elke avond twee biertjes dronk. Nooit een derde.

Joe zei dat nu.

Billy knikte. 'Je hebt gelijk, normaal gesproken drink ik alleen die twee. Maar met een vent tegenover me in mijn eigen huis met een pistool op me gericht en mijn zoon nog wakker boven, wat had je gedacht? Een vent die gelooft dat ze me hebben ingehuurd om hem te vermoorden? Dan mag ik wel een keer van mijn routine afwijken, niet? Jij ook een?'

'Best,' zei Joe.

Billy liep naar de ijskast en rommelde er wat in rond. 'Je lijkt wat dikker geworden. Is dat zo?'

'Misschien een paar pondjes, geen idee. Ik heb geen weegschaal.'

'Je kan het hebben. Ik vond je altijd aan de magere kant. Je ziet er goed uit.'

Hij kwam uit de ijskast tevoorschijn met in beide handen een biertje. Hij zette ze op tafel. Hij deed de ijskast dicht. Hij pakte de opener.

'Hoe oud is jouw zoon nu?' vroeg hij.

'Negen,' zei Joe.

Het eerste biertje siste toen hij er een gat in prikte. 'Een paar jaar jonger dan die van mij.'

'Walter is een intelligente jongen, heb ik gehoord.'

Billy schoof het blikje over de tafel naar Joe. Hij glom van trots. 'Ze willen dat hij een klas overslaat en meteen doorgaat naar de middelbare school. Tampa Catholic. Wat zeg je daarvan?'

'Gefeliciteerd.'

Billy prikte twee gaten in zijn eigen blikje en hief het om te proosten. 'Op onze kinderen.'

'Op onze kinderen.'

Joe dronk. Billy dronk.

Billy zei: 'Is het jou ook opgevallen hoe het karakter van zo'n kind vanaf dag één al zo goed als vastligt?'

Joe knikte.

Billy glimlachte en schudde zijn hoofd. 'Ik bedoel, dan zeggen ze tegen jou als ouder doe niet zus want dan krijg je zo'n soort kind, of doe niet zo, want anders krijg je weer een ander soort kind. Maar in feite zijn ze in de baarmoeder al wie ze zijn.'

Joe knikte. Ze dronken. Het was een prettige stilte.

'Het speet me toen ik hoorde over je vrouw,' zei Joe. 'Destijds.'

'Ik weet nog dat je op de wake kwam.' Billy knikte. 'Dank je. En ik vond het rot om het te horen van die van jou. Ik zou op de begrafenis gekomen zijn, maar ik zat vast buiten de stad.'

'Dat begreep ik. De bloemen die je gestuurd had waren prachtig.'

'Van die bloemist in Temple Terrace. Die leveren mooi werk.'

'Ja.

'Goed als ik rook?'

Joe zei: 'Ik wist niet dat je rookte.'

'Ik houd het verborgen voor mijn zoon. Ze vonden het slecht voor zijn astma en hij heeft een hekel aan de lucht. Maar af en toe, als ik me, hoe zal ik het zeggen, wat gespannen voel' – hij schoot in de lach, en ook Joe moest grinniken – 'steek ik een Lucky op.'

Joe voelde in zijn binnenzak en haalde een pakje Dunhill tevoorschijn en een zilveren Zippo. 'Heb je een asbak?'

'Tuurlijk.' Billy stond op en ging naar een la midden onder het keukenblad. 'Mag ik?'

Joe knikte.

Billy opende de la. Hij voelde erin, zijn rug naar Joe gekeerd, en kwam met een kleine glazen asbak in zijn hand terug naar de tafel. Hij zette hem op tafel. Hij deed de la dicht.

'Niemand wil jou dood hebben, Joe. Dat slaat nergens op.'

'En daarmee ben je terug bij de theorie dat iemand een spelletje met me speelt.'

'De boel wat opstookt, ja.'

Billy ging weer zitten en glimlachte Joe toe.

Joe opende het pakje Dunhill en hield het Billy voor.

'Wat zijn dat?'

'Dat is Dunhill. Die zijn Engels.'

'Ziet er chic uit.'

'Zal wel.'

'Ik ben meer van de Lucky's. Altijd al geweest.'

Joe zei niets en hield het pakje tussen hen in.

'Mag ik?'

'Mag je wat?'

'Mag ik mijn pakje Lucky Strikes pakken?'

Joe trok zijn hand terug. 'Doe of je thuis bent.'

Boven klonk een licht geschraap van stoelpoten.

Billy liep naar een van de bovenkastjes. Hij opende het, keek over zijn schouder naar Joe. Joe zag alleen een paar cornflakeskommen en koffiekopjes daarbinnen.

'Ik bewaar ze uit het zicht, voor Walter,' zei Billy. 'Ik moet even achterin zijn.'

Joe knikte.

'Er is geen reden voor, Joe.' Hij tastte helemaal rechts achterin.

'Hè?'

'Voor iemand om jou dood te willen.'

'Nou, dan zal het wel een idioot gerucht zijn.' Joe bewoog zich iets naar links.

'Daar zou ik mijn geld op zetten.'

Billy's arm kwam een stuk sneller uit het kastje naar buiten dan hij naar binnen was gegaan en Joe zag de glinsterende weerkaatsing van het keukenlicht op iets metaligs in Billy's hand en schoot Billy in zijn borst. Dat wil zeggen: hij had gemikt op zijn borst, maar de kogel ging hoger en nam zijn adamsappel mee. Billy gleed weg van het kastje en liet zich op de vloer zakken. Zijn oogleden knipperden als een razende en zijn blik was smachtend en panisch.

Joe zag de zilveren sigarettenkoker in zijn hand. Billy klikte hem open met zijn duim om Joe het wittige rijtje Lucky Strikes te laten zien.

'Ja, deze keer wel,' zei Joe.

Billy's oogleden staakten hun geknipper en zijn mond vormde een O toen zijn kin over zijn verscheurde keel zakte. Joe liet zijn bierblikje leeglopen in de spoelbak, veegde het af en stopte het in zijn jaszak. Hij veegde de kraan af met een droogdoek en gebruikte die vervolgens om de zijdeur vanuit de keuken te openen. Hij deed de droogdoek in zijn andere jaszak en verliet het huis.

Hij liep de straat uit naar zijn auto en legde zijn jas op de achterbank. Hij nam zijn hoed af en legde die voorin, waarna hij de auto afsloot en over het tegenovergelegen trottoir een eindje terugliep. Hij leunde tegen een telefoonpaal en keek naar het licht in de kamer van Walter Kovich.

Na een paar minuten stak hij een sigaret op. Hij wist dat hij handelde als een krankzinnige of in ieder geval als een uiterst roekeloze. Hij had inmiddels tien mijl hiervandaan moeten zijn, twintig.

Hij dacht aan alle kinderen die zonder vader groot zouden worden om de simpele reden dat hij bestond, dat er mannen zoals hij bestonden. Zijn eigen zoon had zijn moeder verloren vanwege Joe's werk. Tien jaar geleden, op de bloedigste dag in de geschiedenis van de maffia in Tampa, waren er tussen twaalf uur 's middags en middernacht vijfentwintig mannen omgekomen. Onder hen waren ten minste twintig vaders geweest. En als Joe morgen of overmorgen zou sterven, zou zijn eigen zoon als wees achterblijven. Ze hadden een regel in hun branche: nooit het gezin erbij betrekken. En die regel was heilig en ging boven alle andere regels, behalve die van het verdienen van zoveel geld als maar mogelijk was. Het stelde hun in de gelegenheid te geloven dat iets hen scheidde van de dieren. Een hogere ethische norm. Een grens aan hun wreedheid en eigenbelang.

Gezinsleden lieten ze ongemoeid.

Maar de werkelijkheid was anders. Ze doodden geen hele gezinnen, dat was waar. Ze amputeerden ze gewoon.

Hij wachtte tot het licht van Walter Kovich uit zou gaan, om zich ervan te overtuigen dat het joch nog een laatste nacht rustig zou slapen. Als hij eenmaal zijn vaders lichaam in de keuken had gevonden zou rust een tijdje schaars voor hem zijn, net als slaap.

Morgenvroeg zou Walter Kovich, twaalf jaar oud en op het punt een klas over te slaan, de trap af lopen en zijn vader zittend op de keukenvloer aantreffen, zonder keel. De bloedspatten zouden zwart en taai zijn. Er zouden vliegen zijn. Walter zou niet naar school gaan. Morgen om deze tijd zou zijn bed vijandig aanvoelen. Zijn huis zou veranderd zijn in een verbijsterend spookhuis. Hij zou niets proeven van zijn eten. Hij zou nooit meer een gesprek met zijn vader hebben. Hij zou waarschijnlijk nooit te weten komen waarom zijn vader hem was afgenomen.

Net als zijn eigen zoon, mocht Joe binnenkort sterven.

Had Walter Kovich een tante of een oom die hem in huis kon nemen? Een grootouder? Joe had geen idee.

Hij keek opnieuw omhoog naar het raam. Het licht brandde nog.

Het was al laat. Het joch was natuurlijk achter zijn bureau in slaap gevallen, dacht Joe, met zijn wang op zijn opengeslagen boek.

Joe stapte van de stoep en liep naar zijn auto. Het was doodstil in de straat toen hij wegreed, zelfs niet de blaf van een hond duidde op zijn vertrek.

17

Archipel

Maandag 8 maart 1943, twee dagen voor Aswoensdag.

Nu Billy Kovich in het mortuarium lag verbaasde het Joe dat hij zich bij het opstaan minder veilig voelde, in plaats van veiliger. Zodat hij, toen Dion belde om hem aan zijn verstand te brengen dat hoeveel lijfwachten van Rico hij ook inhuurde, hij nog altijd niet in een vesting woonde, niet de weerstand bood die zijn vriend had verwacht.

Een uur later reed hij met Tomas weg uit Ybor naar Dions huis. Tomas sloeg de ochtendkrant open, de bovenste helft over het dashboard, de onderste helft op zijn schoot. Boven de vouw: de Slag om de Bismarckzee. Daaronder, rechts in de hoek: de dood van Billy Kovich, logistiek medewerker bij een taxibedrijf, met vermoedelijke banden met figuren uit de onderwereld.

'Wat is een arg-iepel?'

Joe keek zijn zoon aan. 'Een wat?'

Tomas knikte naar de krant. 'Een arg-iepel.'

'Een archipél,' zei Joe.

'O.'

'Probeer maar.'

Langzaam. 'Een archipél.'

'In één keer goed.' Joe sloeg lichtjes met zijn vuist op zijn zoons knie. 'Goed zo. Zo noem je een groepje eilanden.'

'Waarom noem je het niet gewoon "een groepje eilanden"?'

Joe glimlachte. 'Waarom zou je een dozijn dingen twaalf noemen? Waarom een mannetjeshond een reu?'

'Of een kat een kater?'

'Of een kind een kleuter?' Joe wist dat als ze eenmaal op gang kwamen ze de hele dag door konden blijven gaan, en hij begon al in tijd-nood te raken.

Gelukkig gaf Tomas het op. 'Nieuw Guin-ea?'

'Nieuw Gui-nea, je zegt een "ie".'

Tomas zei het hem na, opnieuw in één keer goed.

Het was al twee dagen de hoofdmoot in alle kranten: Amerika en de Australische luchtmacht die gezamenlijk de poorten van de hel openzetten boven een Japans marinekonvooi in de Bismarck-archipel. En het nieuws van vandaag luidde dat er een nieuw front was geopend bij Bougainville, een van de Salomonseilanden.

'Nou, ze geven ze wel op hun donder, niet?'

'Later wil ik soldaat worden.'

Joe stuurde de auto bijna tegen de stoep op.

'O ja?' zei hij luchtig.

'Ja.'

'Waarom?'

'Vechten voor mijn land.'

'En zou jouw land ook vechten voor jou?'

'Wat bedoel je?'

'Je weet toch waarom we in Ybor wonen?'

'Omdat we daar een mooi huis hebben.'

'Eh, ja,' zei Joe. 'Maar ook omdat het de enige plek is in dit land waar Cubanen kunnen wonen zonder dat de mensen ze behandelen als tweederangsburgers. Je weet toch wat "tweederangs" betekent?'

Tomas knikte. 'Niet net zo goed.'

'Precies. Want je moeder woonde hier en ze behandelden haar alsof ze tweederangs was. In veel restaurants of hotels lieten ze haar niet binnen. En als ze naar de bioscoop in het centrum ging? Dan moest ze water drinken uit de kraan voor zwarten.' Joe voelde zijn keel dik worden alleen al door erover te praten.

'En dus?' vroeg Tomas.

'En dus is dit land nooit erg verwelkomend geweest voor je moeder.'

'Dat weet ik,' zei Tomas, hoewel Joe merkte dat hij er ondersteboven van was. Het verhaal over de kraan had Joe hem nog nooit verteld.

'O ja?'

Tomas staarde met grote ogen voor zich uit, en dat maakte zijn verdriet des te zichtbaarder.

Joe besloot van tactiek te veranderen. 'Wacht even – welk land, trouwens?'

'Welk?'

Joe knikte. 'Hier of Cuba?'

Tomas keek een hele poos uit het raam, zo lang dat ze bij Dions huis waren aangekomen, de wachten bij zijn poort waren gepasseerd en de door palmbomen en hoge magnolia's omzoomde oprijlaan hadden afgelegd, voordat hij weer iets zei. Het was een vraag die Joe nooit eerder aan zijn zoon had gesteld omdat hij altijd bang was geweest voor het antwoord. Graciela was een volbloed Cubaanse. Zijn grootmoeder en tantes waren allemaal Cubanen. Tomas was de eerste twee jaar in Havana naar school gegaan. Hij sprak even makkelijk Spaans als Engels.

'Hier,' zei hij. 'Amerika.'

Het antwoord verbaasde Joe zo dat hij bijna vergat te schakelen toen ze voor Dions huis stopten en de auto een ogenblik stond te sputteren voor hij de pook in z'n vrij kon zetten.

'Amerika is jouw thuis?' vroeg Joe. 'Ik dacht…'

Tomas schudde zijn hoofd. 'Cuba is mijn thuis.'

'Nou weet ik het niet meer.'

Tomas pakte de deurhendel vast; de blik op zijn gezicht verried dat het voor hem allemaal volstrekt logisch was. 'Maar Amerika is het waard om voor te sterven.'

'Maar ik vertel je net hoe Amerika tegen je moeder deed.'

'Weet ik,' zei Tomas. 'Maar, pap…' Hij deed zijn best het te formuleren in zijn hoofd en zijn handen waren beweeglijker dan gewoonlijk.

'Wat?' vroeg Joe uiteindelijk.

'Niemand is volmaakt,' antwoordde Tomas, en hij opende het portier.

Toen Tomas uitstapte opende Dion de voordeur, sigaar al in zijn mondhoek, om acht uur in de ochtend. Hij schepte Tomas zonder een woord te zeggen op van het terras en tilde hem als een groot brood op zijn heup het huis in.

'Ik hoorde dat je ziek was.'

'Zet me neer, oom D.'

'Je ziet er niet ziek uit.'

'Ik ben ook niet ziek. Ik heb de waterpokken gehad.'

'Ik hoorde dat je eruitzag als een circusclown.'

'Niet.'

Joe volgde hen naar binnen. Hun vrolijke gesnater was bijna in staat de afgrijselijke angst te verzachten die zich in de loop van de ochtend en wellicht de hele maand, als hij er goed over nadacht, in hem had opgebouwd. En het was niet alleen de angst voor de moordenaar die daarbuiten wellicht rondliep, hoewel die hem zeker stevig in zijn greep had. Het was niet alleen de angst voor de jongen die hem achtervolgde, hoewel hij een nieuwe verschijning van dat angstaanjagende onding meer vreesde dan hij ooit zou willen toegeven. Het was een bredere angst, van een meer ongrijpbare soort. Het was het gevoel dat hij de laatste paar maanden had gehad, dat de hele wereld opnieuw in de maak was en dat diep in het hart ervan duivelsslaven dag en nacht onvermoeibaar doorwerkten aan vernieuwing en verandering. De duivelsslaven werkten in vuurputten en sliepen nooit.

Joe voelde brede stroken grond verschuiven onder zijn voeten, maar telkens wanneer hij keek, bleek dat er niets had bewogen.

'Ga je bij het circus?' vroeg Dion aan Tomas.

'Ik ga niet bij het circus.'

'Dan kon je je eigen lievelingsaapje hebben.'

'Ik ga niet bij het...'

'Of bijvoorbeeld een jong olifantje. Dat zou leuk zijn.'

'Een jonge olifant zou ik nooit kunnen hebben.'

'Waarom niet?'

'Die wordt veel te groot.'

'O, dus je bent bang dat je al zijn poep zou moeten opruimen.'

'Nee.'

'Nee? Het is anders een hele berg poep.'

'Hij zou te groot zijn om in huis te hebben.'

'Ja, maar jullie hebben die boerderij op Cuba.' Dion zette Tomas met een hand wat beter op zijn heup en herschikte de sigaar in zijn mond met de andere. 'Maar je zou waarschijnlijk bij het circus weg moeten. Want een olifant heeft veel aandacht nodig.' Toen ze in de keuken kwamen zette hij Tomas neer.

'Ik heb iets voor je.' Uit de spoelbak haalde hij een basketbal tevoorschijn. Hij wierp hem Tomas toe.

'Super.' Tomas liet de bal tussen zijn handen heen en weer rollen. 'Wat moet ik ermee doen?'

'Door een ring gooien.'

Een frons. 'Weet ik. Maar er is geen ring.'

'Die wás er niet,' zei Dion, een wenkbrauw opgetrokken naar Joe's zoon – tot die het doorhad.

'Jezus,' zei Joe.

Dion keek hem aan. 'Wat is er?'

'Waar? Waar?' Tomas maakte luchtsprongetjes.

Dion knikte in de richting van de glazen schuifdeuren. 'Achter. Net voorbij het zwembad.'

Tomas ging er hollend vandoor.

'Hé,' zei Joe.

Hij bleef staan.

'Wat zeg je dan?'

'Bedankt, oom D.'

'Alsjeblieft, jongen.'

Tomas rende het huis uit.

Joe keek naar buiten, voorbij het zwembad. 'Een basketbalveld?'

'Niet een heel veld. Alleen een ring. En ik heb de koivijver en een rozenstruik onder de tegels gegooid.' Hij haalde zijn schouders op. 'Vissen en bloemen – die gaan toch verdomme alleen maar dood. Makkelijk zat.'

'Je verwent die jongen alsof het je enige kleinkind was.'

'Ik ben niet oud genoeg om opa te zijn, lul.' Dion schonk wat sinaasappelsap bij zijn champagne. Hij hief het glas. 'Jij ook?'

Joe liep hoofdschuddend naar de woonkamer. Hij knikte de daar aanwezige mannen toe: Geoff the Finn en Granite Mike Aubrey. The Finn was een geweldige soldaat als hij nuchter was, maar dat was een toestand waarin je hem steeds minder vaak aantrof. Aan Aubrey had je niets. Ze noemden hem Granite Mike omdat hij uit graniet gehouwen leek. In de halterkamer bij Philo kon niemand zich met hem meten. Hij kon met flair een mop vertellen en stond altijd klaar om je sigaret of sigaar aan te steken, maar hij was een spierbundel zonder hersens. Erger nog, een spierbundel zonder ballen. Joe had hem wel zien terugdeinzen voor een auto met een knallende uitlaat.

Maar Dion bleef dit soort figuren om zich heen dulden omdat ze hem aan het lachen maakten en ze glas voor glas en biefstuk voor biefstuk tegen hem opgewassen waren. Joe vond hem te kameraadschappelijk met zijn mannen; als hij er een op zijn plaats moest zetten of een uitbrander geven, voelden ze zich persoonlijk beledigd. Als Dion de verontwaardiging daarover op hun gezichten las, voelde dat voor hem op zijn beurt als verraad of ondankbaarheid en dat kon zomaar de knop van een woedeaanval omzetten. En Dions woede was niet iets wat je twee keer wilde meemaken, hoewel de meesten daar de tijd van leven niet voor kregen.

'Ik weet dat je een hoop aan je kop hebt op dit moment, maar zijn we al wat opgeschoten met die rat binnen onze muren?' Dion nam een slok.

'Ik weet niet meer dan jij.'

'Je weet niet meer dan ik,' zei Dion. 'Wat dacht je van er iets aan doen?'

'Ik ben je luitenant niet,' zei Joe. 'Ik ben je adviseur.'

'Je werkt voor me. Jij bent niet degene die grenzen aan je verplichtingen stelt.'

Ze liepen de biljartkamer in, namen plaats en staarden naar de lege tafel.

Joe zei: 'Met alle respect, D...'

'O, nu krijg ik ervan langs.'

'Je weet al maanden dat die rat alleen maar van hier kan komen.'

'Of uit het noorden. Donnies huis.'

'Maar Donnie runt Boston voor jou. Dus zit de rat bij ons in huis. En hij zit al niet meer alleen in de kelder. Hij zit in de voorraadkast.'

'Ik zou zeggen, pak een bezem en zorg dat je hem te pakken krijgt.'

'De straat is mijn terrein niet,' zei Joe. 'Ik zit in Havana, ik zit in Boston, ik zit in New York, ik zit overal en nergens. Ik ben het gezicht naar buiten toe, D. Ik run de legale zaken en het gokken. Jij bent de straat.'

'Maar de rat zit in huis.'

'Zeker,' zei Joe, 'maar hij is omhoog gekropen vanuit het riool.'

Dion kneep in de brug van zijn neus en zuchtte. 'Denk je dat ik een vrouw zou moeten nemen?'

'Wat?'

Dion keek uit over zijn tuin. 'Gewoon, iemand die voor me kookt en mijn kinderen baart, dat soort shit.'

Joe had Dion sinds ze samen uit handen van de leerplichtamb-tenaar probeerden te blijven in Boston, kort na de Eerste Wereld-oorlog, een eindeloze rij winkelmeisjes, danseressen en sigaretten-verkoopsters zien afwerken. Hij had het nooit langer dan een paar weken met een meisje uitgehouden.

'Een vrouw geeft te veel gedoe om in huis te halen,' zei Joe, 'of je moet al van haar houden.'

'Jij bent gaan samenwonen.'

'Ja, goed,' zei Joe, 'ik hield van haar.'

Dion nam een trek van zijn sigaar. Ze hoorden Tomas bezig achter het huis; het ketsen van de bal tegen het bord. 'Ga jij ooit nog weer met een vrouw samenwonen, denk je?'

Joe keek om zich heen naar Dions wangedrocht van een huis. Hij woonde alleen, maar omdat zijn lijfwachten ergens moesten slapen had hij een huis van zevenhonderd vierkante meter betrokken, en het enige waarvoor hij de keuken ooit had gebruikt was het verstop-pen van een basketbal in de spoelbak.

'Nee,' zei Joe, 'ik denk het niet.'

'Ze is al zeven jaar dood.'

'Praten we nu als vrienden? Of als baas en adviseur?'

'Vrienden.'

'Ik wéét verdomme dat ze al zeven jaar dood is. Ik heb de dagen ge-teld. Ik heb ze geleefd.'

'Oké. Oké.'

'Dag voor dag.'

'Oké, zei ik.'

Ze deden er het zwijgen toe, tot Dion luid kreunend de stilte ver-brak. 'Alsof we al die shit er nog bij konden hebben,' zei hij. 'Ik heb Wally Grimes onder de zoden, Montooth Dix verschanst zich in zijn fort, ik zit met vakbondsellende in Ybor, in drie van mijn bordelen gaat een of andere buikgriep rond en de oorlog is er met de helft van onze beste klanten vandoor.'

'O wat hebben we het zwaar.' Joe maakte een gebaar alsof hij een heel klein viooltje bespeelde. 'Ik ga even een tukje doen. Ik heb al dagen niet geslapen.'

'Het is je aan te zien.'

'Val maar dood.'

'Na jou.'

Van slapen kwam weinig terecht. Als hij niet inzat over een kogel met zijn naam erop, lag hij te piekeren over de rat in de organisatie. En als hij niet piekerde over de rat in de organisatie, maakte hij zich zorgen over hoe het zijn zoon zou vergaan als zijn vader iets zou overkomen. Wat hem terugbracht bij de kogel met zijn naam erop.

Om op een ander spoor te komen probeerde hij te denken aan Vanessa, maar dat bracht niet dezelfde troost als voorheen. Er was iets veranderd tussen hen. Of misschien alleen bij haar. Met vrouwen wist je het nooit. Maar de Vanessa met wie hij op de steiger had gezeten was een andere Vanessa. Er hing een wolk van spijt en mogelijk wanhoop – geen voorbijgaande maar blijvende – om haar heen. Ze hadden op de steiger gezeten, elkaars hand vastgehouden en een uur lang zo goed als niets gezegd. Maar toen ze was opgestaan om naar haar auto te lopen, leek het alsof zich een complete reis had voltrokken in de tijd dat ze daar hadden gezeten, een tocht van A naar Z.

Haar afscheid had bestaan uit een handpalm op zijn wang terwijl haar ogen zoekend heen en weer schoten over zijn gezicht. Op zoek waarnaar?

Hij had geen idee.

En het volgende moment was ze weg.

Het was dus een mislukt hazenslaapje. Joe liep de rest van zijn dag half comateus en prikkelbaar rond. Na het avondeten leefde hij wat op en hij en Dion liepen met de cognacfles naar Dions werkkamer, waar ze voor het eerst het onderwerp Billy Kovich aansneden. Tomas lag te slapen in een van de slaapkamers boven.

Dion schonk twee stevige borrels in en zei tegen Joe: 'Wat had je anders kunnen doen?'

'Maar ja, hij pakte toch echt alleen zijn sigaretten.' Joe trok een grimas en nam een teug van zijn cognac.

'Op dat moment wel,' hielp Dion hem herinneren.

'Ja, ja,' zei Joe. 'Ik weet het, ik weet het.'

Dion liep naar het raam achter zijn bureau om het open te zetten. Hij keek achterom naar Joe. 'Vind je 't goed?'

'Hè?' Joe keek op naar zijn vriend en toen naar de donkere bomen buiten het raam. 'Ja, best. Over mezelf maak ik me al niet eens zoveel zorgen meer. Ik wil alleen niet dat iemand Tomas pakt omdat hij zo dicht bij me staat.'

Dion opende het raam, en het briesje was aangenaam koel voor West-Florida in maart. Het geruis in de palmkronen klonk in het donker als fluisterende schoolmeisjes.

'Niemand komt aan Tomas,' zei Dion, 'en niemand komt aan jou. Jij wordt donderdagochtend wakker en dan vraag je je af hoe je je ooit zo hebt kunnen laten beetnemen. Dat wijf heeft je handig bespeeld, zodat je Lucius zou overhalen haar te sparen. En het kon verdomme nog weleens een plan zijn dat Lucius zelf heeft uitgedacht ook, zo slim is hij wel, om negentigduizend dollar in eigen zak te kunnen steken en haar haar leven te laten houden en in de waan te laten dat het haar eigen idee was om jou uit te spelen. En ondertussen loop jij een week slaap achter...'

'Twee.'

'Twee. Je valt af, krijgt wallen onder je ogen, jezus, je haar is zelfs dunner geworden. En waarvoor? Om een rijke duivel rijker te maken en een van zijn knechtjes haar liquidatie te besparen, die ze trouwens verdiend had.'

'Denk je echt dat dat het spel is?'

Dion ging op de rand van zijn bureau zitten en liet de cognac walsen in zijn glas. 'Wat zou het anders moeten zijn? Niemand, zeg ik,' – hij boog zich naar voren en gaf een tikje met zijn glas tegen Joe's knie – 'helemaal godverdomme niemand wil jou dood hebben. Dus waar zou het anders voor zijn dan jou achter je eigen staart aan te laten hollen zodat zij krijgen wat ze willen?'

Joe maakte het zich gemakkelijk in zijn stoel. Hij zette zijn glas op het bijzettafeltje en pakte zijn sigaretten. Stak er een op. Hij voelde de avondlucht op zijn gezicht en hoorde iets groots en snels – een eekhoorn of een rat, vermoedde hij – tussen de bomen door schieten. 'Als ik donderdag haal, een minuut na middernacht, dan slik ik elk verhaal waar je mee aankomt. Voor zoete koek. Maar tot die tijd hoor ik rennende voetstappen achter mijn rug, waar ik ook ben.'

'Begrijpelijk.' Dion schonk beide glazen nog eens bij. 'Wat dacht je van morgen even iets anders aan je hoofd?'

'Hoe ga ik dat aanpakken?'

'Montooth Dix.' Dion liet zijn glas klinken tegen dat van Joe.

'Wat is er met hem?'

'Hij is een dooie neger die nog rondloopt, dat weet je.' Dion opende de sigarendoos op zijn bureau. 'Hij moet weg. Ik lijk een zwakkeling, zolang hij daar zit en ademhaalt in dat fort van hem, met twee van mijn jongens al onder de grond.'

'Maar, zoals je al zei, hij zit in zijn fort. Ik kan niet bij hem komen.'

Dion stak zijn sigaar op en pufte tot hij hem aan de praat kreeg. 'Jou respecteren ze in Brown Town, net als overal hier in de stad. Jij kunt bij hem door de voordeur naar binnen gaan. Ik ken je. Je zorgt dat je daar binnenkomt en je vraagt hem mee naar buiten, in de frisse lucht, en voor je 't weet is het gebeurd. Hij zal het niet zien aankomen.'

'En als hij niet meegaat?'

'Shit, ja, dan zal ik eropaf moeten. Ik mag dit niet langer over m'n kant laten gaan. Te veel gezichtsverlies. Als hij niet naar buiten komt, dan bestook ik dat gebouw waarin hij zich verstopt zoals de moffen Leningrad. En of zijn kinderen daar zijn en zijn vrouwen: ik kan er verdomme niet mee zitten. Ik maak er een parkeerterrein van, van die hele tyfustent.'

Joe deed er een tijdje het zwijgen toe. Hij dronk zijn cognac en luisterde naar het ruisen van de bladeren en het borrelen van de fontein in de tuin.

'Ik ga wel met hem praten,' zei hij. 'Ik zal m'n best doen.'

Op de dinsdag voor Aswoensdag – de klok die in zijn hoofd had getikt was vervangen door de echo van zijn eigen hartslag – belde Joe heen en weer met mensen van Montooth tot hij een afspraak voor de volgende ochtend had.

Die nacht sliep hij opnieuw nauwelijks. Hij doezelde een kwartiertje weg om vervolgens opnieuw wakker te liggen, zijn blik op het plafond. Hij wachtte tot de blonde jongen zou verschijnen, maar die kwam niet. Joe bedacht dat het volstrekt willekeurige van de bezoekjes van de geest – soms met een week ertussen, soms een paar keer op dezelfde dag – hem bijna net zo van slag maakte als de bezoekjes zelf. Je wist nooit wanneer hij zou komen opdagen. En mocht hij een boodschap vanuit het hiernamaals proberen over te brengen, Joe zou niet kunnen verzinnen wat het was.

Hij ging naar de kamer waar Tomas sliep. Hij ging op de rand van het bed zitten en keek naar het op- en neergaan van zijn zoons borst – hoe tenger en fragiel. Hij streek de warrel in zijn haar glad met een vochtige handpalm, legde zijn neus dicht tegen de hals van de jongen en snoof zijn geur op. Tomas verroerde geen vin en Joe kon zijn aandrang om hem wakker te schudden en te vragen of hij een goede vader voor hem was geweest maar met moeite bedwingen. Hij ging met zijn gezicht naar zijn zoon gekeerd naast hem liggen en dommelde even weg, had zelfs een bijna-droom waarin een konijn over een schutting rende; waarvoor het dier op de vlucht was kon Joe niet zien. Maar toen was het konijn weer verdwenen en staarde hij klaarwakker naar zijn slapende zoon.

De volgende ochtend ging hij met Tomas naar de Sacred Heart, waar ze met de andere achthonderd gelovigen in de rij gingen staan. Pastoor Ruttle doopte zijn duim in de schaal met vochtige as en bracht de as aan op hun voorhoofd.

Voor de kerk hingen minder mensen rond dan op zondag, maar allemaal zagen ze er lichtelijk vreemd uit. Pastoor Ruttle had een stevige duim, en het kruisje op het voorhoofd van de mensen was zwaar aangezet, sommige liepen zwart uit in de hitte.

Terug bij Dion friste Joe zich op en kwam toen naar de keuken, waar Dion en zijn zoon aan tafel cornflakes zaten te eten.

Joe hurkte neer naast zijn zoon. 'Over een paar uur ben ik terug.'

Tomas keek hem vlak aan, precies Graciela. 'Een paar uur? Of vijf?'

Joe voelde zijn schuldgevoel overlopen in zijn glimlach. 'Wees aardig voor Dion.'

Tomas knikte namaak plechtig. Hij zat te friemelen.

'En prop je niet vol met zoetigheid. Je weet dat hij je meeneemt naar de bakker.'

'Bakker?' vroeg Dion. 'Welke bakker?'

'Tomas?' Joe keek zijn zoon recht aan.

Tomas schudde zijn hoofd. 'Nee, ik zal me niet volproppen met zoetigheid.'

Joe gaf hem een klopje op zijn schouder. 'Ik zie je straks.'

Dion vroeg met een mondvol cornflakes: 'Hoe weet je dat ik hem meeneem naar de bakkerij?'

Joe zei: 'Het is woensdag. Is dat niet je boterkoekdag?'

'Het is geen boterkoek, stuk onbenul. Het is *torta al cappuccino*.' Hij legde zijn lepel weg en stak een vinger op ter versterking van wat hij ging zeggen. 'Moskovisch gebak gedrenkt in cappuccino, gelardeerd met laagjes ricotta en bedekt met slagroom. En ze maken het ook niet elke woensdag, door die rotoorlog. Ze maken het één woensdag per maand. Deze woensdag.'

'Ja, zal wel, maar voer er niet te veel van aan die jongen van me. Hij heeft een Ierse maag.'

'Ik dacht dat ik Cubaans was.'

'Je bent een kruising,' verzekerde Joe hem.

'Ik zal die kruising een rotklein stukje van de *sfogliatelle* laten proeven, meer niet.' Hij wees met zijn lepel naar Tomas. 'Gaan wij basketballen, een beetje eetlust kweken?'

Tomas straalde. 'Absoluut.'

Joe gaf zijn zoon een kus op zijn hoofd en ging naar buiten.

18

Mannen vertrekken

Zoals was afgesproken bleven Dions lijfwachten achter toen Joe de zwarte wijk van Ybor City betrad. Iemand die twee autoladingen blanke criminelen in zuidelijke richting over Eleventh Avenue zag rijden, zou denken dat het uit was met de gewapende vrede en hen allemaal overhoopschieten. Daarom legde hij het laatste stukje alleen af.

Tijdens de rit erheen had hij zich steeds meer opgewonden over de manier waarop Montooth werd behandeld. Misschien omdat hij oprecht op hem gesteld was. Of misschien gewoon omdat hij zich verwant voelde met iemand die in de schaduw van zijn eigen strop stond. Joe was gevraagd Montooth over te halen zich naar buiten te wagen en te sterven, terwijl Joe zelf als een wanhopige probeerde zijn eigen dag des oordeels voor zich uit te schuiven. En wat was om te beginnen de misdaad die Montooth begaan had? Hij had zich verdedigd tegen mannen die zijn wijk waren binnengedrongen om hem te doden.

Joe was allesbehalve een moreel baken, maar onmiskenbaar onrecht stak hem. En wat Montooth werd aangedaan viel in die categorie.

Montooth Dix en zijn familie woonden boven de poolhal aan Fifth Avenue waarvan hij de eigenaar was. Het gebouw telde drie verdiepingen en besloeg de gehele lengte van het blok. Montooth, zijn kroost, bestaande uit negen kinderen, zijn drie vrouwen en zijn schare lijfwachten namen de bovenste drie woonlagen in beslag, waar zoveel ruimte was dat het er nooit overvol aandeed. Zoveel ruimte, bij zulk schaars licht, dat je er gemakkelijk verdwaald zou raken; Montooth had een voorliefde voor zware, donkere gordijnen

– vooral in rood- en bruintinten – die alle ramen afdekten.

Toen Joe voor de poolhal stopte kwam er meteen een parkeerplaats voor hem vrij doordat een van Montooth' mannen een rotanstoel weghaalde die de parkeerplek bezet had gehouden, hoewel Joe zich niet kon voorstellen dat iemand uit de buurt of zelfs heel Tampa zo stom zou zijn om bij Montooth voor de deur te parkeren. Of eigenlijk ook maar enigszins in de buurt van waar meneer zelf zijn bolide parkeerde, een kanariegele Packard Deluxe Eight, bouwjaar '31, een auto met de lengte van een klein jacht, waar misschien al Montooth' negen kinderen in pasten, maar waarschijnlijk niet zijn drie vrouwen, die aan de forse kant waren en elkaar naar verluidt niet konden luchten of zien. Joe reed tot voorbij de Packard en parkeerde achterwaarts in, waarbij hij delen van zijn eigen auto weerspiegeld zag in Montooth' glanzende wieldoppen.

De man van Montooth dirigeerde hem langs de stoeprand, de stoel nog in de hand. De meeste zwarten in de uitgaanswijken kleedden zich in een ruimzittend pak met brede schouders, tweekleurige brogues en breedgerande hoed, maar de mannen van Montooth droegen wat ze al tien jaar droegen: een onberispelijk zwart pak, een smetteloos wit overhemd waarvan het bovenste knoopje los was, maar nooit het op een na bovenste, geen das en zwarte schoenen die glanzend gepoetst werden bij de schoenpoetsstand voor de poolhal, waar juist twee van hen hadden plaatsgenomen om hun leer tot spiegels te laten wrijven.

Joe kwam met trage bewegingen uit zijn auto, zich ervan bewust dat alle ogen op hem gericht waren – niet alleen de ogen voor dit gebouw maar ook de ogen die hem al stratenlang in de gaten hielden. Ogen die zeiden: jij hoort hier niet en dat zal er niet van komen ook. Deels had dat natuurlijk te maken met hem als blanke in een zwarte wijk. Maar in Ybor was rassenhaat op zich onverstandig. De buurt was gesticht door Spanjaarden en Cubanen, waarna vrij snel ook Italianen en zwarten waren toegestroomd. Joe's vrouw was een Cubaanse geweest, haar vader had Spaanse voorouders, maar haar moeder stamde af van Afrikaanse slaven. Joe's zoon was een mengeling van Iers, Spaans en Afrikaans bloed. Joe had dus geen moeite met kleurlingen, maar nu was hij zich er voor het eerst in jaren scherp van bewust dat het laatste blanke gezicht dat hij had gezien zeven straten geleden was geweest.

Er was geen garantie dat Montooth' jongens niet om beurten met een loden pijp op zijn hoofd zouden losgaan tot zijn hersens bloot-lagen, om hem vervolgens als een stuiptrekkend lijk op de stoep ach-ter te laten. Montooth en Freddy DiGiacomo hadden elkaar de oorlog verklaard, wat betekende dat alle zwarte misdaadfamilies en alle blanke misdaadfamilies in Tampa met elkaar in oorlog waren.

De man zette de stoel naast de schoenpoetsstand tegen de muur en liep op Joe toe om hem te fouilleren.

Toen hij bijna klaar was wierp hij een blik op Joe's kruis. 'Ik moet je fluit checken, gast. Ik ken de verhalen.'

Joe had ooit een Derringer langs de broertjes John gekregen, in Palmetto County. Hij had het ding onder zijn ballen gestoken en tien minuten later opgevist en over de tafel heen op hun vader gericht.

Joe knikte. 'Niet blijven plakken graag.'

'Zolang jij maar zorgt dat-ie 't zelfde formaat blijft, oké?'

Joe meende dat hij een glimlach zag bij een van de lijfwachten in de schoenpoetsstand, nu diens collega zijn handen onder Joe's ballen door haalde en zijn liesstreek betastte; de man wendde met een gri-mas zijn gezicht af.

'Klaar.' Hij deed een stap terug. 'Ik ben niet blijven plakken en jij bent klein gebleven.'

'Misschien word ik wel nooit groter dan dat.'

'Dan zal God wel te veel gezopen hebben op de dag dat hij jou maakte. Ik leef met je mee.'

Joe schikte zijn jasje en streek zijn das glad. 'Waar zit-ie?'

'Trap op. Hij komt er zo aan.'

Joe ging het gebouw in. Rechts was de deur naar de poolhal. De walm van sigaretten en het getik van ballen drongen door tot in de hal, en dat om halfnegen 's morgens; de tent stond bekend om zijn marathonpoolwedstrijden en de vermogens die er gewonnen en ver-loren werden. Hij liep alleen de trap op. De rode stalen deur bovenaan stond wijd open en gaf toegang tot een kaal aandoende ruimte met een donkere houten vloer in dezelfde kleur als de wanden. De fluwe-len gordijnen waren gesloten en van een kleur paars die aan zwart grensde. Tussen twee ramen achter in de kamer stond een legergroen geverfde vurenhouten kleerkast.

Er stonden slechts twee stoelen en een tafel. Om precies te zijn: een stoel, een tafel en een troon.

Montooth zat op de troon en was prominent aanwezig in zijn witzijden pyjama, witsatijnen kamerjas en de bijpassende slippers aan zijn voeten. Hij rookte cannabis uit een maïskolfpijpje, dag en nacht deed hij dat, en ook nu, met zijn blik op Joe, die plaatsnam op de stoel tegenover hem – net zo'n stoel als die een parkeerplek voor hem had vrijgehouden. Op de tafel tussen hen in stonden twee flessen drank: cognac voor Montooth en rum voor Joe. Montooth' cognac was Hennessy Paradis, de beste van de wereld, maar met een fles Rhum Barbancourt Réserve du Domaine, de beste rum in het Caribisch gebied die niet door Joe en Esteban Suarez werd geproduceerd, had hij ook op Joe's drankje niet beknibbeld.

Joe knikte naar de fles. 'Ik moet van de concurrentie drinken.'

Montooth blies een dun stroompje rook uit. 'Was het maar altijd zo eenvoudig.' Hij zoog opnieuw licht aan zijn pijp. 'Waarom lopen jullie blanken met z'n allen rond met een kruis op je voorhoofd?'

'Aswoensdag,' zei Joe.

'Jullie zien eruit alsof jullie allemaal in de voodoo gegaan zijn. Straks verdwijnen de kippen nog van de straat.'

Joe glimlachte, keek Montooth recht in zijn ogen, het ene oesterkleurig, het andere zo bruin als de vloer. Hij zag er niet goed uit, niet als de oude Montooth Dix die Joe nu al vijftien jaar kende.

'Er is geen manier waarop je dit kunt winnen,' zei Joe.

Montooth haalde er traag zijn schouders over op. 'Dan wordt het oorlog. Ik zal jullie pakken op straat. Ik blaas al je clubs op. Ik zal de straten bloedrood…'

'Maar waarvoor?' vroeg Joe. 'Het zal alleen ten koste gaan van een stel van je eigen mensen.'

'En van jullie.'

'Ja, maar wij zitten ruimer in de mensen. En ondertussen heb jij straks je hele organisatie onttakeld en onherstelbaar verzwakt. En ben je zelf ook dood.'

'Maar wat kan ik anders? Want ik zou het zo gauw niet weten.'

'Ga op reis,' zei Joe.

'Waarheen?'

'Maakt niet uit, maar zorg dat je hier wegkomt. Laat alles wat bekoelen.'

'Dit zal nooit bekoelen zolang Freddy DiGiacomo nog leeft.'

'Dat weet je niet. Neem de vrouwen mee en ga een tijdje weg.'

'"Neem de vrouwen mee."' Montooth moest er hartelijk om lachen. 'Ken jij één vrouw die goed is op reis? En nu wou jij mij met drie gestoorde wijven op een boot zetten? Man, als je me dood wou hebben had je het niet beter kunnen bedenken.'

'Ik verzeker je,' zei Joe, 'het wordt tijd om wat van de wereld te gaan zien.'

'Shit, gast. Ik ben niet direct uit de baarmoeder in deze straat beland. Ik zat bij het 369ste Infanteriebataljon in de Eerste Wereldoorlog. De Hellfighters of Harlem, ooit van gehoord? Weet je waar we beroemd om waren behalve dat we de enige negers waren aan wie de regering ooit een wapen heeft gegeven?'

Joe wist het, maar hij schudde van nee om hem zijn verhaal te laten doen.

'We hebben zes maanden aan één stuk onder vuur gelegen, we verloren vijftienhonderd man, maar we verloren godverdomme nog geen centimeter grond. Niks. En er is ook nooit iemand van ons krijgsgevangene gemaakt. Probeer je dat maar eens in te denken. We hebben net zolang standgehouden tot ze moe werden van het doodgaan. Wij niet. Zij. Ik stond tot m'n enkels in het bloed. Bloed in m'n schoenen. Zes maanden non-stop vechten en niet slapen en het vlees van een of andere klootzak van mijn bajonet schrapen. En wat wou jij nu van mij? Dat ik bang was?'

Hij klopte de as uit zijn pijp in een asbak op de tafel en stopte bij vanuit een koperen pot naast de asbak.

'Na de oorlog,' zei hij, 'zei iedereen dat het anders zou worden. We zouden als helden naar huis gaan, behandeld worden als echte mannen. Ik wist dat het maar negerfantasieën waren, dus ik ben 'm gesmeerd. Ik ging naar Parijs, ik ging naar Duitsland, gewoon om te zien waarom iedereen zo nodig dood moest. Tegen de tijd dat ik hier terugkwam, in '22, had ik Italië en een heel stuk van Afrika gezien. Weet je wat het grappigste was aan Afrika? Niemand die me daar ooit voor een Afrikaan aanzag. Het was zo helder als glas voor die lui hoe een Amerikaan eruitziet, hoe donker of licht die ook is. Ik moest hier terugkomen om te horen te krijgen dat ik op z'n best maar een halve Amerikaan ben. Dus ja, jongen, de wereld heb ik wel gezien, en alles wat ik wil is nou uitgerekend precies hier. Had je nog iets anders in de aanbieding?'

'Ik zit te denken. Je geeft me niet veel ruimte, Montooth.'

'Vroeger, toen jij de boel nog runde, had je er iets op verzonnen.'

'Dat kan ik nog steeds.'

'Niet voor mijn leven.' Montooth boog voorover om het Joe te horen beamen.

'Nee,' zei Joe, 'niet voor jouw leven.'

Montooth liet deze definitieve bevestiging tot zich doordringen. Hij mocht een halfjaar lang elke dag oog in oog met de dood hebben gestaan op het slagveld in Frankrijk, maar dat was meer dan twintig jaar geleden. Dit was nu, en de dood zat dichterbij dan Joe. De dood zat op zijn schouder, liet zijn vingers door zijn haar glijden.

'Ik vind nog steeds gehoor bij de grote baas,' zei Joe.

Montooth leunde achterover. 'De ellende is alleen dat die misschien niet meer zo groot is als hij denkt.'

Joe glimlachte en fronste tegelijkertijd over die absurde veronderstelling.

Montooth beantwoordde de glimlach. 'O, jij denkt nog steeds van wel?'

'Ik weet het wel zeker.'

'Heb je nooit gedacht dat wat er tussen mij en Freddy is gebeurd vanaf het begin zo bedoeld was?' Hij liet zich onderuitzakken op zijn troon. 'Welke blanke gast heeft de gokwereld hier in de stad in handen?'

'Dion.'

Montooth schudde zijn hoofd. 'Rico DiGiacomo.'

'Voor Dion.'

'En wie heeft de havens?'

'Dion.'

Opnieuw een traag schudden van die grote kop. 'Rico.'

'Voor Dion.'

'Nou, Dion mag blij zijn dat al die mensen zoveel voor hem doen, want het lijkt erop dat hij geen ene fuck meer voor zichzelf doet.'

Was dit de overkoepelende angst die al de hele ochtend aan Joe knaagde? De hele week? De hele maand? Was dit de verklaring voor de loden zwaarte die zijn lichaam vulde als hij wakker schrok uit dromen die op slag vervluchtigden?

In de loop van zijn bestaan had hij de allerbelangrijkste waarheid over macht geleerd: zij die het kwijtraakten zagen het gewoonlijk niet verdwijnen, tot op het moment dat het al verdwenen was.

Joe stak een sigaret op om helder te kunnen denken. 'Je hebt de keuze uit twee mogelijkheden. En een van de twee is ervandoor gaan.'

'Die neem ik niet. En de andere?'

'Bedenken wat er gebeurt met wat je achterlaat.'

'Ik moet een opvolger aanwijzen, bedoel je dat?'

Joe knikte. 'Of anders krijgt Freddy DiGiacomo alles. Alles wat jij hebt opgebouwd.'

'Freddy en zijn broer Rico.'

'Ik geloof niet dat Rico hierbij betrokken is.'

'O? Dus jij denkt dat Freddy de slimme broer is?'

Joe zei niets.

Montooth wierp zijn handen in de lucht. 'Waar was je goddomme een maand geleden?'

'Cuba.'

'Dit was een juweel van een stad toen jij de baas was. Alles liep zoals het daarna nooit meer gelopen heeft. Waarom kun jij het niet opnieuw gaan doen?'

Joe wees naar de sproeten op zijn wangen. 'Foute ras.'

'Luister,' zei Montooth, 'jij brengt alle latino's en Ieren die je kent bij elkaar, sluit je aan bij mij en mijn negers en we pakken de stad terug.'

'Dat is een mooie droom.'

'Wat is er mis mee?'

'Wij zijn het winkeltje op de hoek, zij zijn de grootgrutters. We zouden een week, hooguit twee, krijgen voordat ze ons hier de grond in kwamen boren. Tot stof in het trottoir malen.'

Montooth schonk zichzelf een borrel in en knikte naar Joe's fles om Joe te laten weten dat hij zelf moest inschenken als hij ook wilde. Montooth wachtte tot Joe dat had gedaan, waarna ze het glas hieven.

'Waar proosten we op?' vroeg Montooth.

'Wat je maar wilt.'

Montooth keek naar de drank in zijn glas en toen om zich heen in de kamer. 'Op de zee.'

'Waarom dat?'

Hij haalde zijn schouders op. 'Ik heb altijd al graag naar de zee gekeken.'

'Daar doe ik het voor.' Ze klonken en namen een slok.

'Als je naar de zee kijkt,' zei Montooth, 'krijg je het gevoel alsof wat er ook maar aan de overkant is – al die werelden – alsof het daar beter is. Alsof ze je daar als een man zullen binnenhalen en behandelen.'

'Maar zo gaat het nooit precies,' zei Joe.

'Nee. Maar toch voel ik het zo. Al dat water,' zei hij, en hij nam nog een slok, 'al die werelden waar je naartoe kon, maar die nu gewoon verloren zijn. Net als alles, stel ik me voor.'

'Ik dacht dat je klaar was met reizen.'

'Is ook zo. Omdat ik weet hoe het in elkaar zit. Al die werelden zijn niks anders dan deze ene hier. Maar toch, als je naar al dat eindeloze blauw kijkt...' Hij grinnikte wat.

'Wat is er?' vroeg Joe.

Montooth wuifde het weg. 'Je zult denken dat ik gek ben.'

'Je moet me niet onderschatten.'

Montooth rechtte zich en plotseling kregen zijn ogen iets helders. 'Je weet toch dat de aarde vooral bestaat uit water?'

Joe knikte.

'En de mensen denken dat God hoog in de hemel zit, maar dat slaat eigenlijk nergens op, vind ik, want de hemel is een heel eind omhoog en zit niet aan ons vast, snap je?'

'Maar de zee?' vroeg Joe.

'Dat is de huid van de wereld. En ik geloof dat God in de druppels zit. Dat-ie net als het schuim door de golven beweegt. Wanneer ik naar de zee kijk, zie ik dat Hij terugkijkt.'

'Godsamme,' zei Joe. 'Daar drink ik nog eens op.'

Dat deden ze, en Montooth zette zijn lege glas op de tafel. 'Je weet dat ik Breezy als mijn opvolger zou aanwijzen.'

Joe knikte. Breezy, de tweede van de kinderen-Montooth, was slimmer dan een zaal vol bankiers bij elkaar. 'Dacht ik al.'

'Wat is er mis met hem?'

Joe haalde zijn schouders op. 'Niet zo heel veel. Hetzelfde wat mij mankeert.'

'Hij houdt niet van geweld.'

Joe knikte. 'Als Freddy geen andere mogelijkheid had, zou hij wel met hem in zee gaan. Maar als hij dacht dat hij hem opzij kon zetten en alles overnemen door zijn eigen man de negerkant van de handel te laten runnen, zie ik hem dat eerder doen.'

'En wie zou Freddy's neger zijn?'

Joe fronste. 'Montooth, kom op.'

Montooth schonk zich nog eens in. Zette de fles neer, pakte Joe's fles en schonk ook hem in.

'Little Lamar,' zei hij.

Joe knikte. Little Lamar was, zeiden sommigen, de negerversie van Freddy DiGiacomo. Ze waren beiden in deze contreien geboren en waren beiden hun carrière begonnen door klussen aan te nemen die niemand wilde. In het geval van Little Lamar was dat geweest dat hij een flink deel van de heroïnehandel op zich had genomen; daarbij was hij groot geworden in het oplichten van Chinezen die illegaal het land binnenkwamen, door de helft van hun vrouwen aan de heroïne te krijgen en als hoer aan het werk te zetten in de peeskamertjes aan de oostkant van de stad. Tegen de tijd dat Montooth Dix erachter kwam dat Little Lamar niet meer naar tevredenheid voor hem werkte en meer wilde, had Lamar een te sterke bende om zich heen verzameld om hem nog met geweld te kunnen aanpakken. Drie jaar geleden had hij hem moeten laten gaan, en sindsdien heerste er een uiterst wankele gewapende vrede.

'Shit,' zei Montooth. 'Freddy neemt mijn wijk over, maakt me af, pakt wat ik heb opgebouwd en geeft het aan die hufter van een nepneger?'

'Aardig samengevat.'

'En als ik dood ben, is mijn zoon de volgende?'

'Ja.'

'Hè, nee,' zei Montooth, 'dat is niet netjes.'

'Ik ben het met je eens,' zei Joe, 'maar het is een harde wereld.'

'Ik weet dat het een tyfusharde wereld is. Maar inslecht, dat hoeft nou ook weer niet.' Hij dronk zijn glas leeg. 'Zouden ze mijn jongen echt afmaken?'

Joe nipte van zijn rum. 'Ik geloof het wel, ja. Of ze moeten al met geen mogelijkheid om hem heen kunnen.'

Montooth keek hem zonder iets te zeggen aan.

'West-Tampa loopt niet zonder negers,' zei Joe. 'Dus Freddy moet met iemand zakendoen. Op dit moment bestaat zijn plan waarschijnlijk uit jou afmaken, dan je zoon en dan Little Lamar op de troon zetten. Maar nu wil ik je vragen, Montooth, wie zou de troon kunnen bestijgen als Lamar, jij én Breezy allemaal dood waren?'

'Niemand. Dan zou het hier een grote bende worden. Grote god, wat zou er een bloed vloeien.'

'En de handel zou naar de kloten gaan, en de hoeren zouden ervandoor gaan en de mensen zouden ophouden *bolita* te spelen omdat ze te schijtensbenauwd waren.'

'Al die dingen.'

Joe knikte. 'Dat snapt Freddy ook.'

'Dus als wij er alle drie niet meer zijn...'

Joe hield zijn handen op. 'Een ramp.'

'Maar ik ben er sowieso geweest.'

Joe knikte, gaf hem de ruimte om de gedachte af te maken.

Montooth leunde achterover in zijn troon, keek Joe aan met een versteende blik die met de seconde vlakker en doodser werd, totdat een haast fluwelen glimlachje verandering bracht. 'De vraag is niet of ik het overleef of niet. De vraag is welke andere klootzak het aflegt – mijn eigen zoon of Little Lamar.'

Joe vouwde zijn handen in zijn schoot. 'Weet iemand waar Little Lamar op dit ogenblik zit?'

'Waar hij 's morgens om deze tijd altijd zit.'

Joe knikte naar het raam. 'Die kapperszaak aan Twelfth Avenue?'

'Ja.'

'Geen burgers?'

Montooth schudde zijn hoofd. 'De kapper gaat ergens koffiedrinken. Little Lamar overlegt er elke morgen met zijn jongens terwijl een van hen hem een scheerbeurt geeft.'

'Hoeveel van zijn jongens?'

'Drie,' zei Montooth. 'Stuk voor stuk van onder tot boven behangen met wapens.'

'Dus, Little Lamar zit in de stoel en een van zijn jongens is bezig hem te scheren. Dan hou je alleen twee schutters bij de deur over.'

Montooth liet dat even tot zich doordringen. Toen hij het uiteindelijk begreep, knikte hij.

'Heb je je vrouwen weggestuurd?'

'Waarom vraag je dat?'

'Normaal gesproken zou ik er inmiddels toch minstens een gehoord moeten hebben.'

Montooth staarde hem een ogenblik aan over zijn pijp, en knikte.

'Waarom heb je ze weggestuurd?' vroeg Joe.

'Ik dacht dat je wel een manier zou vinden om me af te maken. Als iemand dat zou kunnen, dan jij, vanochtend.'

'Ik heb al sinds 1933 niemand meer gedood,' loog Joe.

'Ja, maar die dag heb je een koning gedood. Een koning die zijn dag begon met twintig mannen.'

'Vijfentwintig,' zei Joe. 'Maar nu je weet dat ik niet gekomen ben om je te doden, wou je je vrouwen niet terugroepen?'

Montooth fronste. 'Ik neem maar één keer afscheid van iemand.'

'Dus je hebt afscheid genomen.'

'Van de meesten.' Boven klonken gedempte voetstappen. Montooth keek omhoog naar het plafond. Kleine voetjes, van een kind. 'Nog een paar en dan...'

'Little Lamar moet wat dingen regelen in Jacksonville deze week. Om twaalf uur zit-ie op de trein. Weg Lamar.' Joe schudde zijn hoofd. 'En wie weet hoe de zaken ervoor staan tegen de tijd dat hij er weer is.'

Montooth keek opnieuw naar het plafond, zijn onderkaak ging heen en weer, de voetstappen waren verdwenen. 'Je hebt je huiswerk gedaan.'

'Da's een gewoonte van me.'

'Dus het is nu...'

'Of het is nooit.' Joe leunde achterover in zijn stoel. 'En in dat geval zul je de rest van je levensdagen zitten wachten tot iemand er een eind aan komt maken. Dan ben je de regie kwijt, geen keuze meer.'

Montooth haalde diep adem door zijn neus, zijn ogen werden zo groot als zilveren dollars. Hij sloeg een paar keer met zijn handen op zijn dijen en rekte zijn nek zo dat Joe het kon horen kraken.

Toen stond hij op en liep naar de donkergroene kleerkast.

Hij trok zijn kamerjas uit en hing hem, een plooi in een van de panden gladstrijkend, aan een hangertje. Hij stapte uit zijn slippers en zette ze in de kast, trok zijn pyjamabroek uit en vouwde hem op. Hetzelfde met het pyjamajasje. Een poosje stond hij in zijn ondergoed naar zijn garderobe te staren en tot een besluit te komen. 'Ik neem

bruin,' zei hij. 'Een bruine man in een bruin pak is een lastiger doelwit.'

Hij pakte een lichtbruin overhemd dat zo serieus was gesteven dat
het rechtop op de vloer zou blijven staan als hij het uit zijn vingers
liet glijden. Hij trok het aan en keek ondertussen over zijn schouder
naar Joe. 'Hoe oud is je zoon nu?'

'Negen.'

'Heeft een moeder nodig.'

'Dat denk jij.'

'Ik weet het wel zeker. Geen jongen kan zonder een mama. Anders
worden het wolven, gaan rot met hun vrouwen om, hebben geen
enkel gevoel voor nuance.'

'Zo, nuance.'

Montooth Dix schoof een donkerblauwe das onder zijn boord en
begon aan de knoop. 'Hou je van die jongen van je?'

'Meer dan van wie ook.'

'Hou dan op met vooral aan jezelf te denken en geef hem een ma-
ma.'

Joe keek toe terwijl Montooth een bruine broek uit de kast pakte en
erin stapte.

'Op een dag gaat-ie bij je weg.' Montooth haalde een riem door de
lussen op de band. 'Zo gaat dat. Al zitten ze de rest van hun leven in
een en dezelfde kamer met je, dan nog ben je ze kwijt.'

'Met mijn vader en mij ging het net zo.' Joe nam nog een slok van
zijn rum. 'Die van jou?'

Montooth gordde een paar leren schouderholsters om. 'Zo ongeveer. Het is het proces, hoe je een man wordt. Jongens blijven plakken, een man vertrekt.' Hij stak een automatische .44 in de linkerhol-
ster en een tweede in de rechter.

'Die smokkel je niet zomaar ergens naar binnen,' zei Joe.

'Dat was ik ook niet van plan.' Montooth stak nog een .45 automaat
achter de band van zijn broek, precies boven zijn bilspleet. Hij trok
zijn jasje aan. Hij maakte het af met een bruine regenjas en een bijpassende hoed. Hij drukte de rand van de hoed in model. Hij pakte
nog twee pistolen en liet die in de zakken van de regenjas glijden.
Daarna trok hij een geweer van de bovenste plank, draaide zich om en
keek Joe aan. 'Hoe zie ik eruit?'

'Als het laatste wat Little Lamar hier op aarde onder ogen zal krijgen.'

'Jongen,' zei Montooth Dix, 'dat heb je godverdomme goed gezegd.'

Ze namen de achtertrap naar de steeg. De man die Joe had gefouilleerd stond er met een collega, en in een auto aan de overkant van de steeg zaten nog twee lijfwachten. Ze keken allemaal met een ruk om toen ze hun baas bewapend voor de volgende wereldoorlog naar buiten zagen komen.

Montooth riep degene die Joe gefouilleerd had. 'Chester.'

Chester kon zijn ogen niet van zijn baas afhouden. Het grote geweer dat langs zijn zij bungelde, de kolf van de .44 die uit zijn jas stak.

'Ja, baas.'

'Wat is er aan het einde van deze steeg?'

'Cortlan's Barbershop, baas.'

Montooth knikte.

Zijn vier mannen wisselden geschrokken en wanhopige blikken.

'Het gaat daar een beetje een bende worden over een minuut of drie. Snap je?'

'Baas, luister, we...'

'Ik vroeg of je het begreep.'

Chester knipperde een paar keer, haalde diep adem. 'Ja, ik begrijp het.'

'Mooi. Over ongeveer vier minuten moeten een paar van jullie achter me aan komen en alles koud maken wat daar nog beweegt. Duidelijk?'

Chesters ogen werden vochtig en liepen goddomme bijna over. Maar hij keek een keer naar links en toen naar rechts, en alles was helder. En hij knikte. 'Er zal daar niks levends overblijven, meneer Dix.'

Montooth gaf hem een klopje op zijn wang en knikte naar de andere drie. 'Als dit voorbij is luisteren jullie naar Breezy. Is er iemand van jullie die problemen heeft met mijn zoon als baas?'

De mannen schudden hun hoofd.

'Goed. Hij is een goeie stuurman, die jongen van me. En jullie kennen hem allemaal als een redelijke vent.'

'Hij is alleen niet hetzelfde als u,' zei Chester.

''t Is shit, jongen, maar we zijn geen van allen onze vader.'

Chester liet zijn hoofd hangen, zocht afleiding in het controleren van zijn pistool.

Montooth stak Joe zijn hand toe. Joe drukte die.

'Freddy gaat erachter komen dat je me deze mogelijkheid hebt gegeven.'

'Hij zal het weten,' zei Joe, 'maar ook niet.'

Montooth keek hem lange tijd aan, zijn klauw nog steeds om die van Joe. 'Ik zie je aan gene zijde. Dan zal ik je leren cognac te drinken, als een beschaafde vent.'

'Daar verheug ik me op.'

Montooth liet zijn hand los en draaide zich zonder een woord te zeggen om.

Hij liep de steeg in, zijn passen werden langer, sneller, het geweer kwam omhoog in zijn handen.

19

Recht op leven

Joe reed weg uit Brown Town met zekere spijt dat hij Montooth Dix niet had kunnen volgen naar die kapperszaak, alleen al om de blik op het gezicht van Little Lamar te zien als Montooth met zijn geweer tot voorbij de lijfwachten wist te komen. Maar als Joe ook maar in de buurt van die chaos gesignaleerd werd zou Freddy DiGiacomo roepen dat het doorgestoken kaart was en de wapens opnemen tegen de hele Bartolo-familie.

Wat misschien vanaf het begin de opzet was geweest, behalve dat Freddy geen langetermijnspeler was. Hij was een kleindenker, altijd al geweest. Hij had Montooth' loterijnetwerk willen overnemen, en nu stond hij op het punt dat te doen. Als hij de hersens had gehad om het hele koninkrijk te pakken, had Joe bijna niet anders gekund dan respect opbrengen voor de klootzak. Maar in plaats daarvan zou hij een tiental levens – op z'n minst – ruïneren voor een handvol kleingeld.

Tenzij, zoals Montooth vermoedde, Freddy niet alleen stond in dit spel.

Maar, jezus, als Joe naast Dion één vent mocht aanwijzen in de hele organisatie die hij zijn oprechte vriend kon noemen, dan was het Rico. Aan de andere kant: als hij één vent moest aanwijzen die link en doortastend genoeg was om de ondergang van Montooth te organiseren, zou het ook Rico zijn. Maar Montooth eruit werken was een te kleine slag voor een gast als Rico. En Dion eruit willen werken zou net iets te hoog gegrepen zijn.

Of toch niet?

Hij is te jong, antwoordde Joe de stem in zijn hoofd. Charlie Luciano was jong toen hij deze hele organisatie op poten zette. Net als

Meyer Lansky. Joe zelf runde het hele Tampa-bedrijf tegen de tijd dat hij vijfentwintig was.

Maar dat waren andere tijden. Andere tijden.

De tijden mogen veranderen, fluisterde de stem, maar de mensen niet.

Joe stak Eleventh Avenue over en trof de twee lijfwachten van Dion aan die op hem wachtten. Het waren Bruno Caruso en Chappi Carpino. Joe stuurde zijn auto langszij, stopte en rolde zijn raampje naar beneden. Chappi deed hetzelfde aan de passagierskant van de andere auto.

Joe vroeg: 'Waren er geen twee wagens?'

'Mike en The Finn zijn teruggegaan nadat we ons bij de baas hadden gemeld.'

'Gedonder?'

Chappi gaapte. 'Nee, nee. Angelo had zich ziek gemeld, en de baas dacht dat u wel een mannetje bij hem en uw zoon wilde hebben.'

Joe knikte. 'En dat is ook waar jullie nu zouden moeten zijn.'

'We rijden achter u aan.'

Joe schudde traag zijn hoofd. 'Ik heb een privéafspraak. Jullie kunnen niet mee.'

Bruno Caruso boog voorover en keek over de stoel naar Joe. 'We hebben opdracht gekregen.'

'Bruno, jij hebt me zien rijden. Als ik deze auto in z'n versnelling zet ben ik bij de hoek voordat jij je voet van de koppeling hebt. Dan moet je nog keren, met al die dubbel geparkeerde bestelwagens daar. Wou je echt een achtervolging met me doen?'

'Maar Joe...'

'Ik heb een privédingetje. Tussen man en vrouw, zeg maar. Beetje stiekem. En ik zie jou en Chappi liever op een plek waar jullie meer van nut zijn. Zeg tegen de baas dat ik jullie geen keus gelaten heb en dat ik hem over twee uur weer zie bij hem thuis.'

Ze keken elkaar aan. Joe liet zijn motor loeien, glimlachte.

Bruno trok een gezicht. 'Bel je de baas om hem te waarschuwen?'

'Zal ik doen.'

Joe zette zijn auto in de versnelling.

'O,' zei Chappi, 'de baas zei dat Rico heeft geprobeerd je te pakken te krijgen. Hij zit op kantoor.'

'Welk?'

'Haven.'

'Prima. Bedankt. Eerste de beste telefooncel bel ik Dion om jullie uit de wind te houden.'

'Bedankt.'

Hij reed ervandoor voor ze van gedachten konden veranderen, nam een scherpe bocht meteen links op Tenth Avenue en was op weg naar de andere kant van de stad.

Het weggetje achter het Sundowner Motel nemend had hij geen idee wat hij ervan moest denken. Ze had hem 's avonds op hoogst zakelijke toon gebeld om te zeggen dat ze hem om twaalf uur de volgende dag verwachtte. Toen had ze opgehangen. Hij kon niet ontkennen dat hij zich ontboden voelde. Dat ze ondanks al hun vrolijk liefdesbedrijf en postcoïtale spielerei nog altijd een behoorlijk autoritaire vrouw was die van hen die ze bij zich riep verwachtte dat ze zonder aarzelen voor haar verschenen.

Grappig hoe macht werkte. Die van haar reikte niet verder dan de stad Tampa en het district Hillsborough. Maar dat was waar zijn schoenen op dit moment de grond raakten, zodat haar macht die van hem overklaste. De macht van Montooth Dix had onaantastbaar geleken tot het moment waarop hij twee mannen had omgebracht ter verdediging ervan, en die mannen verbonden bleken te zijn met een octopusachtige organisatie die veel machtiger was dan hijzelf. Polen, Frankrijk, Engeland, Rusland – al die landen hadden zich waarschijnlijk machtig genoeg gevoeld om niet bang te zijn voor de krankzinnige tiran die hun nu een vernederend lesje in macht bijbracht waarin het grootste deel van de vrije wereld werd meegezogen. Japan achtte zich machtig genoeg om de Verenigde Staten te bombarderen. De Verenigde Staten achtten zich machtig genoeg om terug te slaan en vervolgens een tweede front in Europa en een derde in Afrika te openen. En net als altijd in zo'n soort conflict was er een waarheid die boven alle andere stond: één kant had zich schromelijk misrekend.

Joe klopte op de deur van 107 en de vrouw die opendeed was niet Vanessa, het was de vrouw van de burgemeester. Ze droeg een stijf mantelpakje en haar haar zat stevig in een knot, wat het askruisje op haar voorhoofd des te scherper deed uitkomen. Haar gezicht stond strak, haar ogen afstandelijk, alsof hij van de roomservice was en zij meende dat hij haar bestelling had verprutst.

'Kom erin.'

Hij stapte de kamer in en nam zijn hoed af. Bij het smeedijzeren bed waarin ze zo vaak de liefde hadden bedreven bleef hij staan.

'Borrel?' vroeg ze op een toon alsof het haar niet uitmaakte wat hij zou antwoorden.

'Nee, dank je.'

Ze schonk hem desondanks in en vulde ook haar eigen glas opnieuw. Ze gaf hem zijn glas. Ze hief het hare. Ze klonken.

'Waar drinken we op?'

'Op wat we achter ons hebben gelaten.'

'En dat is?'

'Ons.'

Zij nam een slok, maar hij zette zijn glas op de rand van de ladekast.

'Het is prima whisky,' zei ze.

'Ik weet niet wat er aan de hand is,' zei hij, 'maar...'

'Nee,' zei ze, 'dat weet je niet.'

'Maar ik laat je niet gaan.'

'Dat moet jij weten, maar ik jou wel.'

'Dat had je ook telefonisch kunnen doen.'

'Je zou het niet geaccepteerd hebben. Je moest het aan mijn gezicht kunnen zien.'

'En wat moest ik dan zien?'

'Dat ik het meen. Dat als een vrouw vertrekt, ze niet omkijkt, en ik ben die vrouw.'

'Waar...' Plotseling leek hij zich met zijn handen geen raad te weten. 'Waar komt dit vandaan? Wat heb ik gedaan?'

'Je hebt niets gedaan. Ik leefde in een droom. Ik werd wakker.'

Hij legde zijn hoed naast zijn glas, wilde haar handen pakken, maar ze deed een stap achteruit.

'Doe het niet,' zei hij.

'Waarom niet?'

'Waaróm niet?'

'Ja, Joe. Geef me één reden waarom niet.'

'Omdat...' Om de een of andere reden zwaaide hij met zijn hand naar de muur.

'Nou?'

'Omdat,' zei hij zo beheerst mogelijk, 'ik zonder jou... zonder jou om naar uit te kijken – en, nee, niet de seks, niet alleen de seks in ieder geval, maar jijzelf – zonder dat is het enige waarvoor ik 's morgens mijn bed uit kom mijn zoon. Zonder jou is alles...' Hij wees naar het kruisje op haar voorhoofd.

'Een kruis?'

'As,' zei hij.

Ze dronk haar glas leeg. 'Ben je verliefd op me? Is dat wat je vandaag in de aanbieding hebt?'

'Wat? Nee.'

'Nee, je bent niet verliefd op me?'

'Nee. Nee, ik bedoel, weet ik het. Wat is er?'

Ze schonk haar glas opnieuw bij. 'Hoe zie jij dit verdergaan? Dat jij je pleziertjes hebt met mij totdat het uitkomt?'

'Het hoeft niet noodzakelijkerwijs uit te...'

'Maar natuurlijk wel. Daar denk ik al de hele week over na. Ik snap niet waarom ik dat niet eerder heb ingezien. En als het gebeurt vertrek jij vrolijk een poosje naar Cuba en tegen de tijd dat je terugkomt zal de ophef wel zijn weggeëbd. Ondertussen ben ik teruggestuurd naar Atlanta, waar ze het familiebedrijf zullen overdragen aan de raad van bestuur omdat geen hond het in zijn hoofd zal halen vertrouwen te stellen in een domme trut die het met een gangster deed en haar machtige echtgenoot voor lul heeft gezet.'

'Dat wil ik niet,' zei hij.

'Maar wat wil je dan wel, Joe?'

Hij wilde haar, natuurlijk. En wel nu, op bed. En als ze het konden managen zonder betrapt te worden – en waarom zou dat niet kunnen? – zou hij haar het liefst een paar keer per maand blijven zien, tot ze merkten dat ze zo in elkaar opgingen dat het een goed idee leek radicaal los te breken uit de gevestigde orde, of anders tot ze ontdekten dat hun passie een kasplantje was geweest waarvan de bloei al op z'n eind begon te lopen.

'Ik weet niet wat ik wil,' zei hij.

'Fijn,' zei ze. 'Geweldig.'

'Wat ik wel weet is dat ik je niet uit mijn gedachten kan krijgen, hoe ik mijn best ook doe.'

'Dat moet wel heel zwaar voor je zijn.'

'Nee, nee. Ik bedoel alleen maar, toe, we zouden het toch kunnen proberen?'

'Probéren?'

'Zien wat ervan komt. Tot nu toe ging het goed.'

'Dit?' Ze wees naar het bed.

'Ja.'

'Ik ben getrouwd. Met de burgemeester. Het enige wat hiervan kan komen is schande.'

'Misschien is het dat risico waard.'

'Alleen als er ook een beloning tegenover staat voor het verliezen van alles wat me vertrouwd is.'

Vrouwen. Jezus.

Misschien was hij wel verliefd op haar. Misschien. Maar moest hij haar daarom vragen haar man te verlaten? Dat zou het schandaal van de eeuw zijn. De knappe jonge burgemeester publiekelijk te kijk zetten als een bedrogen echtgenoot? Als ze dat deden zou Joe niet meer alleen buiten de wet staan, maar ook buiten de maatschappij raken. Hij zou nooit meer zaken in zijn stuk van Florida kunnen doen. Misschien zelfs in heel Florida niet. Ze glimlachten meer in het diepe zuiden, wist Joe inmiddels, maar ze waren er minder vergevingsgezind. En voor een man die er met de vrouw van een oorlogsheld uit een van Tampa's oudste families vandoor ging zouden alle deuren gesloten blijven. Joe zou terug moeten naar een bestaan als fulltime gangster, maar het probleem was dat hij nu zesendertig was en te oud om soldaat, en te Iers om baas te zijn.

'Ik begrijp niet goed wat je wilt,' zei hij uiteindelijk.

Hij zag aan haar ogen dat zijn antwoord iets bevestigd had voor haar. Hij was gezakt voor een of andere test. Hij had geen idee gehad dat hij er een onderging, maar desondanks was hij ervoor gezakt.

Toen hij haar over het bed heen aankeek fluisterde een stemmetje in zijn hoofd: niets zeggen.

Hij schonk er geen aandacht aan. 'Wou je dat ik een ladder tegen je raam zet? Dat we er in de nacht vandoor gaan?'

'Nee.' Haar vingers trilden licht in haar schoot. 'Maar het zou leuk geweest zijn te weten dat je had overwogen er een te kopen.'

'Wil je samen vluchten?' vroeg Joe. 'Want ik vraag me af hoe je man en al zijn machtige vriendjes daarop zullen reageren. Ik vraag me af...'

'Hou maar op.' Ze keek hem aan, haar lippen stijf op elkaar.

'Wat bedoel je?'

'Je hebt gelijk. Ik ben het met je eens. Er is niets om over te praten. Dus laten we daarmee stoppen.'

Hij knipperde een paar keer. Toen nam hij een slok van de borrel die ze voor hem had ingeschonken en wachtte op het vonnis voor een misdaad waarvan hij zich niet herinnerde dat hij hem had begaan.

'Ik ben zwanger,' zei ze.

Hij zette zijn glas neer. 'Zwanger.'

'Zwanger.' Ze knikte.

'En je weet zeker dat het van mij is.'

'Ja.'

'Heel zeker?'

'Honderd procent.'

'Zou je man dat uiteindelijk ook weten?'

'Ongetwijfeld.'

'Hij zou zich kunnen verrekenen. Hij zou...'

'Hij is impotent, Joe.'

'O.'

Een zuinig glimlachje, en een nog zuiniger knikje. 'Altijd al geweest.'

'Dus jullie hebben nooit...?'

'Twee keer,' zei ze. 'Anderhalf, eigenlijk, als ik er goed over nadenk. De laatste keer was meer dan een jaar geleden.'

'Wat ben je van plan?'

'O, ik ken wel een dokter,' zei ze met gespeelde opgewektheid. Ze knipte met haar vingers. 'Probleem opgelost.'

'Wacht even,' zei hij. 'Wacht even.'

'Wat is er?'

Hij stond op. 'Ik wil niet dat je mijn kind doodmaakt.'

'Het is nog geen kind, Joe.'

'Natuurlijk wel. En jij gaat het niet doodmaken.'

'Hoeveel mannen heb je vermoord, Joseph?'

'Dat heeft niets te maken met...'

'Als ook maar de helft van wat ik gehoord heb waar is, dan moet ik aannemen meerdere,' zei ze. 'Eigenhandig of in opdracht van jou. Maar jij dacht dat je...'

Hij liep zo snel om het bed heen dat haar stoel achteroversloeg toen ze opstond. 'Dit doe je niet.'

'O, jawel.'

'Ik ken iedere aborteur hier in de stad. Ik zal zorgen dat je er nergens in komt.'

'Wie zegt dat ik het hier laat doen?' Ze keek hem recht in zijn ogen. 'Zou je een stap achteruit willen doen, alsjeblieft?'

Hij hield zijn handen op, haalde diep adem en deed wat ze had gevraagd.

'Oké,' zei hij.

'Hoezo "oké"?'

'Oké. Jij verlaat je man en gaat met mij mee. Voeden we samen het kind op.'

'Vang me op,' zei ze. 'Ik val flauw.'

'Nee, luister nou...'

'Waarom zou ik mijn man verlaten voor een gangster? De kans dat jij volgend jaar om deze tijd nog in leven bent is niet veel groter dan die van een voetsoldaat in de Slag om Bataan.'

'Ik ben geen gangster.'

'Nee? Wie is Kelvin Beauregard?'

Joe vroeg: 'Wie?'

'Kelvin Beauregard,' herhaalde ze. 'Een zakenman hier in Tampa, van tien jaar geleden. Die had een conservenfabriek, toch?'

Joe zei niets.

Vanessa nam een slok water. 'Hij zou lid van de Klan zijn geweest.'

'Wat is er met hem?' vroeg Joe.

'Twee maanden geleden kwam mijn man naar me toe met de vraag of jij en ik iets met elkaar hadden. Hij is niet gek, weet je. Ik zei: "Nee. Natuurlijk niet." Hij zei: "Nou, mocht het er ooit van komen, dan zet ik hem voor de rest van zijn miserabele leven achter de tralies."'

'Hij zegt maar wat,' zei Joe.

Vanessa schudde traag en bedroefd haar hoofd. 'Hij heeft twee ondertekende verklaringen van getuigen die jou in Kelvin Beauregards kantoor hebben gezien op de dag dat iemand hem door het hoofd schoot.'

'Hij bluft,' zei Joe.

Ze schudde opnieuw haar hoofd. 'Ik heb ze gezien. Volgens beide verklaringen heb jij de schutter toegeknikt, vlak voor die de trekker overhaalde.'

Joe ging op het bed zitten, op zoek naar een uitweg uit deze impasse. Maar hij vond er geen. Na een tijdje keek hij naar haar op, zijn handen slap langs zijn knieën.

Vanessa zei: 'Ik laat me niet uit de burgemeesterswoning zetten en uit mijn familie zetten om op straat terecht te komen en in het armenhuis te bevallen van een kind dat zijn vader alleen achter tralies zal kennen. Dat wil zeggen' – ze schonk hem een droevige glimlach – 'als een van de rechters op de loonlijst van mijn man je niet de doodstraf geeft.'

Vijf minuten lang zaten ze zwijgend naast elkaar. Joe zocht naarstig naar een nooduitgang en Vanessa zag hem falen in zijn zoektocht.

Uiteindelijk zei Joe: 'Tja, als je het zo stelt.'

Ze knikte. 'Ik dacht wel dat je bij zou draaien.'

Joe zei niets.

Vanessa pakte haar tasje en haar hoed. Ze keek naar hem om, haar hand op de deurkruk. 'Je bent zo'n intelligente man, maar het is me opgevallen dat het je grote moeite kost om te zien wat zich vlak voor je neus afspeelt. Daar moest je misschien eens wat aan doen.' Ze opende de deur.

Toen hij zijn blik oprichtte, was ze verdwenen.

Na een paar minuten pakte hij het glas dat hij op de ladekast had laten staan en ging in de stoel bij het raam zitten. Hij kon niet helder denken door een grijze wolk die zich in zijn hoofd had genesteld en zijn bloed in sijpelde. Ergens diep vanbinnen begreep hij dat dat door de hevige emotie kwam, maar hij kon niet precies zeggen welk item – haar zwangerschap, haar voornemen tot een abortus, het feit dat ze de verhouding verbrak of de verklaringen die de burgemeester had – de belangrijkste aanleiding was voor zijn staat van verlamming.

Om zijn hoofd te klaren of tenminste zijn bloedstroom weer op gang te krijgen pakte hij de telefoon en vroeg om een buitenlijn. Hij was vergeten Dion te bellen om hem te laten weten dat hij Bruno en Chappi van hun taak had ontheven. Dat die twee door zijn toedoen hun ontslag zouden krijgen was iets wat hem natuurlijk uitgerekend vandaag moest overkomen.

Dion nam niet op en toen herinnerde hij zich dat het woensdag was, de dag voor zijn vaste bezoek aan Chinetti's Bakery. Joe besloot dat hij na zijn volgende telefoontje gewoon terug zou rijden; iedereen zou tegen die tijd wel weer thuis zijn en de cake was vast nog warm.

Hij hing op, nam opnieuw de hoorn van de haak en vroeg opnieuw om een buitenlijn. Hij belde zijn kantoor en vroeg Margaret of er berichten voor hem waren.

'Rico DiGiacomo heeft twee keer gebeld. Hij zei dat u zo snel mogelijk moest terugbellen.'

'Goed. Verder nog iets?'

'Die meneer van de Marine Inlichtingendienst, weet u nog?'

'Matthew Biel.'

'Ja, die heeft een vreemd bericht achtergelaten.'

Margaret was sinds 1934 Joe's secretaresse. In die tijd had ze al veel vreemds gehoord.

'Geef maar door,' zei Joe.

Ze schraapte haar keel, haar stem zakte een octaaf. 'Wat er nu gaat gebeuren, is al gebeurd.' Haar stem werd weer normaal. 'Weet u wat dat betekent?'

'Niet echt,' zei Joe. 'Maar die lui van de overheid houden beslist van dreigend overkomen.'

Nadat hij had opgehangen rookte hij een sigaret en probeerde zich zo goed als hij kon zijn gesprek met Matthew Biel te herinneren. Het kostte hem weinig moeite om zich het moment te herinneren waarop Biel hem verzekerd had dat Joe hun volgende stap niet leuk zou vinden.

Dus wat het ook mocht zijn, het was al ten uitvoer gebracht.

Jullie doen je best maar, dacht Joe, zolang je maar niet probeert mij onder de zoden te krijgen.

En nu hij er toch aan dacht...

Joe belde Rico DiGiacomo. Hij kreeg zijn secretaresse aan de lijn, die hem meteen doorschakelde.

'Joe?'

'Ja.'

'Godverdomme man, waar zat je?'

'Hoezo?'

'Mank zit niet in een sanatorium.'

'Natuurlijk wel.'

'Nee. Hij is terug in Tampa. En hij is op zoek naar jou. Hij is gesignaleerd vlak bij je huis. En twee uur eerder reed hij rond in de buurt van je kantoor. Waar je ook zit, blijf daar. Begrepen?'

Joe keek om zich heen in de kamer. Vanessa was in ieder geval zo aardig geweest om de fles whisky achter te laten.

'Dat gaat lukken,' zei Joe.

'We gaan achter hem aan. Oké. En als het moet leggen we hem om.'

'Best.'

'Hou jij je maar gedeisd tot we dit onder controle hebben.'

Joe dacht aan Mank, ergens in de stad, rondrijdend, met zijn vochtige ogen en schilferende kop, zijn adem die stonk naar goedkope drank en salami. Mank was niet een man die verfijning in zijn werk legde, zoals Theresa of Billy Kovich voorheen. Mank kwam gewoon vol gas en met een getrokken pistool op je af.

'Goed,' zei hij tegen Rico. 'Ik blijf waar ik ben. Bel me zodra het voorbij is.'

'Tuurlijk. Ik spreek je gauw.'

'Rico,' zei Joe.

Rico's stem kwam terug. 'Wat? Wat?'

'Je moet het nummer van hier hebben.'

'Hm?'

'Om me terug te bellen.'

'Je hebt gelijk. Shit.' Rico lachte. 'Goed. Even een pen pakken. Oké. Vooruit maar.'

Joe gaf hem het doorkiesnummer, rechtstreeks naar zijn kamer.

'Oké. Je hoort van me,' zei Rico, waarna hij ophing.

De gordijnen in de kamer waren dicht, maar Joe zag een kier tussen de gordijnen voor het raam dat uitkeek op de steiger. Hij ging op zijn buik op het bed liggen en stopte de gordijnen zo in dat ze over elkaar sloten.

Toen stond hij op van het bed, voor het geval Mank op dit moment daarbuiten stond, bezig zijn positie in het vertrek in te schatten.

Hij ging op de ladekast zitten en staarde naar de bruine wanden en het schilderij van de vissers die probeerden los te komen van een door stormweer geteisterde kust. De Cantillons hadden in elke kamer een reproductie van ditzelfde schilderij gehangen. In deze kamer hing het te laag en twee weken geleden had Vanessa het per ongeluk scheef gestoten in een poging ergens houvast te vinden toen Joe haar van achteren nam. Hij zag de kras in de wand die de achterkant van de lijst had gemaakt. Ook zag hij opnieuw haar haar, hoe de uiteinden zich vochtig vastklampten aan haar nek. Hij rook de drank aan haar adem – die dag was het gin geweest – en hoorde het ketsen van hun lichamen tegen elkaar toen hun bewegingen heftiger werden.

Het verbaasde hem hoe precies zijn herinnering was, hoeveel pijn het deed om erbij stil te staan. Als hij hier de hele dag aan haar zou zitten denken, met alleen een fles whisky, zonder iets te eten, zou hij kapotgaan. Hij moest aan iets anders denken, deed er niet toe wat. Bijvoorbeeld: wie nam er in vredesnaam een contract aan om iemand te vermoorden en liet zich vervolgens halverwege de klus opnemen in een inrichting?

Was dat misschien een truc geweest om Joe op een dwaalspoor te brengen? Of was de man echt even doorgedraaid? Want wie ook maar die prijs op Joe's hoofd had gezet zou wel meer dan een beetje uit zijn humeur zijn geraakt toen Mank zich drukte en een gesticht opzocht. In dat geval zou de man die het contract had uitbesteed iemand anders hebben ingehuurd om zowel Joe als Mank af te maken. Nee, moordenaars die een contract onder handen hadden namen niet een tijdje vrij om hun hersens te laten vlottrekken en dan op de dag van de aanslag tevoorschijn te komen om de klus af te maken. Dat was belachelijk.

Joe had de neiging om ogenblikkelijk de straat op te gaan en degene van Rico's jongens die Mank had gezien uit te horen, want hij durfde er duizend dollar om te verwedden dat ze bij vergissing iemand gezien hadden die op Mank leek. Tweeduizend zelfs, zo zeker was hij van zijn zaak.

Maar zijn leven? Zou hij dat erom verwedden? Want daar ging het om. Het enige wat hij hoefde te doen was in zijn kamer blijven – of in deze doos, zoals hij er inmiddels al tegenaan begon te kijken – en dan zou het niet lang duren voordat het bekeken was. Rico en zijn jongens zouden de Mank-lookalike, of, oké, wellicht Mank zelf, opsporen, waarna Joe kon beginnen met slaap inhalen.

Tot het zover was: in de doos blijven.

Hij bracht het glas naar zijn lippen maar hield het halverwege stil.

De doos, dat is het!

Wat had Vanessa gezegd voor ze de deur uit liep? Hij zag alles, behalve wat zich vlak voor zijn neus afspeelde.

Als iemand hem de afgelopen twee weken had willen vermoorden zou hij inmiddels wel dood moeten zijn. Tot het moment waarop hij op de hoogte was gebracht van de vermeende aanslag had hij zich zorgeloos en nietsvermoedend in het openbaar vertoond. Een makkelijk doelwit. Zelfs nadat hij zich van het mogelijke gevaar had laten overtuigen, had hij geprobeerd het gerucht te bagatelliseren; hij had onderhandeld over Theresa's leven; hij was aan boord gegaan bij King Lucius en twintig gedrogeerde moordmachines. Op elk van zijn verschillende uitstapjes had hij gemakkelijk vermoord kunnen worden, naar Raiford, naar de Peace River, en shit, gewoon rondrijdend door de stad.

Waar wachtte de moordenaar op?

Aswoensdag.

Maar waarom wachten?

Het enig mogelijke antwoord was dat ze niet wachtten. Er was geen 'ze'. Of indien wel, dan waren die 'ze' er niet op uit om Joe te vermoorden.

Ze wilden hem ergens buiten houden.

Hij nam de hoorn van de haak, vroeg om een buitenlijn en liet zich doorverbinden met het Lazworth-sanatorium in Pensacola. Tegen het meisje dat hij aan de lijn kreeg zei hij dat hij rechercheur Francis Cadiman was, van het hoofdbureau van politie in Tampa, en dat hij onmiddellijk de directeur wilde spreken in verband met een moordzaak.

Het meisje verbond hem door.

Dokter Shapiro kwam aan de lijn en vroeg wat er aan de hand was. Joe legde uit dat er de avond tevoren in Tampa een moord was gepleegd en dat ze een van hun patiënten daarover wilden spreken.

'We denken,' zei Joe tegen de arts, 'dat deze man in herhaling zou kunnen vervallen.'

'En mijn patiënt vermoorden?'

'Nee, dokter. Om eerlijk te zijn, uw patiënt is onze verdachte.'

'Ik kan u niet volgen.'

'We hebben twee getuigen die zeggen Jacob Mank op de plaats delict gezien te hebben.'

'Dat is onmogelijk.'

'Het spijt me, maar dat is het niet, dokter. We komen zo snel mogelijk bij u langs. Ik dank u voor uw tijd.'

'Hangt u nog niet op,' zei Shapiro. 'Wanneer werd die moord gepleegd?'

'Vanochtend vroeg. Kwart over twee, om precies te zijn.'

'Dan hebt u de verkeerde man. Want de patiënt in kwestie, Jacob Mank, toch?'

'Jawel, dokter.'

'Die heeft twee dagen geleden een zelfmoordpoging gedaan. Hij heeft zijn halsslagader doorgesneden met een scherf uit een kapot raam. Sindsdien ligt hij in coma.'

'Geen twijfel mogelijk?'

'Ik sta op dit moment naast hem.'

'Dank u, dokter.'

Joe hing op.

Wie had het meest baat bij de onttroning van Montooth Dix?

Niet Freddy DiGiacomo. Freddy kreeg alleen de gokhuizen.

Rico kreeg het hele territorium.

Wie kwam met het voorstel om Tomas onder de arm te nemen en naar Cuba te gaan?

Rico.

Wie had hem zojuist opgespoord en hem dé naam gegeven die ervoor zou zorgen dat hij zich gedeisd zou houden?

Rico.

Wie was slim genoeg om Joe even op een zijspoor te zetten zodat hij rustig een gooi naar de troon kon doen?

Rico DiGiacomo.

Waar had Rico Joe niet willen hebben op Aswoensdag?

In de kerk.

Nee, dat was het niet. Joe was er aangekomen en vertrokken zonder dat er iets was voorgevallen...

De bakkerij.

'Jezus,' fluisterde Joe, en hij greep de deurkruk.

20

De bakkerij

Toen Carmine, de chauffeur van oom Dion, de auto voor Chinetti's Bakery parkeerde was het halfeen en drukkend warm, hoewel de zon niet te zien was achter een wollen hemel die ergens tussen lichtgrijs en vuilwit was blijven steken. Oom Dion gaf Tomas een klopje op zijn been en zei: 'De sfogliatelle, toch?'

'Ik wil wel even met u meelopen.'

Mike Aubrey en Geoff the Finn stopten langs de stoep achter hen.

'Nee hoor,' zei Dion, 'ik maak het in orde. Sfogliatelle, toch?'

'Ja, graag.'

'En ik zal eens kijken of ze er niet wat pasticiotti bij doen.'

'Dank u, oom D.'

Carmine kwam omlopen en opende het portier voor zijn baas. 'Ik loop u even naar de deur.'

'Blijf bij de jongen.'

'Baas, zal ik niet voor u naar binnen gaan?'

Tomas keek op naar oom Dion en zag zijn dikke gezicht paars aanlopen.

'Heb ik je gevraagd Frans te leren?' zei hij tegen Carmine.

'Sorry?'

'Of ik je gevraagd heb om Frans te leren.'

'Nee, baas, nee. Natuurlijk niet.'

'Heb ik je gevraagd om de ijzerwinkel aan de overkant te schilderen?'

'Nee, baas, zeker niet.'

'Of je lul in een giraf te steken?'

'Wat?'

'Geef antwoord op mijn vraag.'

'Nee, baas, u vroeg me niet om…'

'Dus ik vroeg je niet om Frans te leren, de winkel aan de overkant te schilderen of je lul in een giraf te steken. Wat ik je wel vroeg was of je bij de auto wou blijven.' Dion gaf Carmine een klopje op zijn wang. 'Dus blijf goddomme bij de auto.'

Naar de bakkerij lopend fatsoeneerde Dion zijn pak en streek hij zijn das glad. Carmine nam weer plaats achter het stuur en zette de achteruitkijkspiegel zo dat hij Tomas kon zien.

'Vind je *boccia* leuk?' vroeg hij Tomas.

'Dat weet ik niet,' zei Tomas, 'ik heb het nog nooit gespeeld.'

'O,' zei Carmine, 'dat moet je echt eens doen. Wat spelen ze op Cuba?'

'Honkbal,' zei Tomas.

'Jij ook?'

'Ja.'

'Ben je er goed in?'

Tomas haalde zijn schouders op. 'Niet zo goed als de Cubanen.'

'Toen ik met boccia begon was ik ongeveer zo oud als jij nu,' zei Carmine, 'daarginds nog, in Italië. De meeste mensen denken dat ik het van mijn vader heb geleerd, maar het is van mijn moeder. Zie je het voor je? Mijn moeder in haar bruine jurk. Ze was gek op bruin. Bruine jurken, bruine schoenen, bruine borden. Ze kwam uit Palermo, wat volgens mijn vader betekende dat ze een gebrek aan fantasie had. Mijn vader kwam uit…'

Tomas schakelde Carmine uit. Zijn eigen vader had hem bij meerdere gelegenheden verteld dat een man die naar andere mannen luisterde – echt naar ze luisterde – kon rekenen op hun respect en vaak ook hun dankbaarheid. 'Mensen willen gewoon dat jij ze ziet zoals ze zelf graag gezien willen worden. En iedereen wil gezien worden als een interessant mens.' Maar wanneer iemand overduidelijk een zeurkous was of gewoon niet zo'n onderhoudende prater, kon Tomas alleen maar doen alsof hij luisterde. Soms wilde hij dat hij half zo goed was als zijn vader, maar soms ook wist hij dat zijn vader gewoon ongelijk had. Maar als het ging om geduld hebben met sukkels wist hij niet goed wie er gelijk had, hoewel hij vermoedde dat ze misschien beiden goed zaten.

Terwijl Carmine maar door kwekte klonk de bel van de postbode die langsreed op zijn gele fiets. Hij zette hem tegen de muur net voorbij de bakkerij en ging in zijn postzak op zoek naar de post voor de straat.

Een lange man met ingevallen wangen en een askruisje op zijn bleke voorhoofd liep tot net voorbij de postbode en bukte zich om zijn veter te strikken. Tomas zag dat de veters van de man al gestrikt waren. Maar hij bleef waar hij was, zelfs toen hij opkeek en zijn blik en die van Tomas elkaar kruisten. Hij had diepliggende ogen. Het viel Tomas op dat de rand van zijn kraag vochtig was. De man richtte zijn blik naar beneden en ging door met aan zijn veter friemelen.

Vanachter hun auto, over het trottoir van Seventh Avenue, kwam nog een man aangelopen, kleiner en steviger dan de eerste. Hij ging met snelle, doelbewuste passen de bakkerij in.

Carmine zei: '... Maar mijn tante Concetta, die was...' Waarna zijn woorden wegebden op het moment dat zijn hoofd zich naar iets op straat wendde.

Twee mannen in regenjas stapten van het trottoir aan de overkant. Midden op straat hielden ze even de pas in om een auto te laten passeren, waarna ze synchroon doorliepen, met de ceintuur van hun regenjas losjes om het middel. Beide mannen gespten ze tegelijkertijd open.

Carmine zei: 'Even hier blijven, knul,' en hij stapte uit de auto.

De auto schommelde een beetje toen Carmine ertegenaan klapte. Tomas staarde naar de rug van de man, terwijl de stof van zijn jas van kleur veranderde en de echo's van schoten weerklonken. Toen ze voor de tweede keer het vuur op Carmine openden, gleed hij weg van het autoraampje. Er verschenen bloedspetters op het glas.

Mike Aubrey en Geoff the Finn kregen niet eens de gelegenheid om uit te stappen. De twee mannen op straat namen Aubrey voor hun rekening, en Tomas hoorde de dreun van een geweer, waarna van Geoff the Finn niets restte dan een verbrijzeld raampje aan de passagierskant en een bloedmassa aan de binnenkant van de voorruit.

De twee mannen op straat hadden Thompson-machinegeweren. Ze richtten hun blik op Tomas. Een van hen kneep verbaasd zijn ogen halfdicht – is dat een kind daarbinnen? – en de lopen van hun Thompsons draaiden mee.

Tomas hoorde kreten en luide knallen in de lucht achter hem. Winkelpuien gingen aan scherven. Een pistoolschot werd gevolgd door nog een schot en vervolgens iets harders, wat volgens Tomas een geweerschot moest zijn. Hij draaide zich niet om om te kijken maar liet zich ook niet op de vloer van de auto zakken, omdat hij zijn ogen niet van zijn eigen dood kon afhouden. De lopen van de Thompsons bleven naar hem wijzen terwijl de mannen elkaar aankeken en zonder een woord met elkaar te wisselen tot een onaangenaam besluit kwamen.

Toen de auto hen ramde, moest Tomas overgeven. Een beetje maar – een hikje van gal van de schrik. Een van de mannen vloog omhoog uit het zicht en kwam met een klap neer op de motorkap van oom Dions auto. Hij landde op zijn hoofd, dat een vreemde knik maakte ten opzichte van zijn lichaam. Tomas had geen idee wat er met de andere man was gebeurd, maar die op de motorkap staarde hem aan, keek met de rechterkant van zijn gezicht en kin over zijn linkerschouder alsof het de gewoonste zaak van de wereld was. Het was de man die hem met samengeknepen ogen had aangekeken. Tomas voelde de gal door het midden van zijn borst naar boven komen, want de man bleef maar staren, zijn bleke ogen zo dood als ze waren geweest toen hij nog leefde.

Kogels vlogen door de lucht als een zwerm wespen. Weer wist Tomas dat hij zo laag mogelijk achter de zitting zou moeten kruipen, maar wat zich voor zijn ogen afspeelde lag zo ver buiten zijn begrip of ervaring dat hij maar één ding zeker wist: dat hij zoiets van zijn leven niet nog eens zou zien. Alles voltrok zich in rauwe uitbarstingen en niets scheen met elkaar in verband te staan.

De auto die de twee mannen had geramd was tegen de zijkant van een truck gebotst, en een man in een licht zijden pak vuurde met een machinegeweer naar binnen.

Op het trottoir schoot de man die had gedaan of hij zijn veter strikte zijn pistool leeg in de bakkerij.

De postbode hing verwrongen over zijn omgevallen fiets, zijn heldere bloed vloeide over de poststukken.

De man die had gedaan of hij zijn veter strikte schreeuwde. Het was een kreet van schok en ontkenning, een hoge gil als van een meisje. Hij zakte op zijn knieën en verloor de grip op zijn pistool. Hij bedekte zijn ogen met zijn vingers, het askruisje op zijn voorhoofd begon uit te lopen van de hitte. Oom Dion kwam strompelend uit de bakkerij, de onderste helft van zijn blauwe overhemd was doordrenkt met bloed. Hij hield een gebaksdoos in een hand en een pistool in de andere. Hij richtte het pistool op de geknielde man en vuurde een kogel recht door het kruisje op zijn voorhoofd. De man viel voorover.

Oom Dion wrikte het portier van de auto open. Hij zag eruit als een wezen dat brullend uit een grot was gekropen om kinderen op te eten. Zijn stem klonk als het grommen van een hond.

'Plat op de vloer.'

Tomas maakte zich klein op de vloer voor de achterbank en Dion boog over hem heen en liet de gebaksdoos achter de bestuurdersstoel vallen.

'Niet bewegen. Hoor je me?'

Tomas zei niets.

'Hoor je me?' riep oom Dion.

'Ja, ja.'

Dion gromde, smeet het portier met een klap dicht. Hagel tikte tegen de zijkant van de auto, maar Tomas wist dat het geen hagel was...
Het was geen hagel.

Het kabááál. Geweren, pistolen en machinegeweren barstten tegelijk los. De schrille kreten van volwassen mannen die geraakt werden.

Het kletsen van schoenen op het wegdek, mannen die renden nu, de meesten in dezelfde richting, weg van de auto. Het geluid van geweervuur stierf bijna meteen weg tot vrijwel niets: een verdwaald schot van verderop uit de straat, nog een van ergens voor de auto. Maar het was alsof er een knop was omgedraaid waarmee het geluid was uitgezet.

Nu heerste de galmende stilte van een straat waar zojuist een optocht doorheen was gekomen.

Iemand opende het portier. Tomas keek op in de verwachting Dion te zien, maar daar stond een vreemde man. Een man in een groene regenjas en met een donkergroene hoed. Hij had heel dunne wenkbrauwen en een soortgelijke snor. Iets aan de man kwam Tomas bekend voor, maar hij kon hem nog niet goed thuisbrengen. Hij rook naar goedkope aftershave en droge worst. Hij had een zakdoek om zijn bebloede linkerhand gewikkeld, maar in zijn rechter hield hij een pistool.

'Het is niet veilig,' zei hij.

Tomas zei niets. Maar toen hij nog eens keek realiseerde hij zich dat dit de man was die soms op het speelplein stond na de zondagsmis, samen met de heksachtige oude dame in het zwart.

De man stootte met zijn gewonde hand tegen Tomas' schouder. 'Ik zag je. Van de andere kant van de straat. Ik neem je mee naar waar het veilig is. Hier is het niet veilig. Ga mee, kom.'

Tomas kroop nog meer in elkaar op de vloer.

De man stootte hem opnieuw aan. 'Ik kom je redden.'

'Ga weg.'

'Niet zeggen dat ik weg moet gaan. Niet doen. Zeg dat niet. Ik kom je redden.' Hij klopte Tomas op zijn schouder en hoofd alsof hij een hondje was, begon toen aan zijn shirt te rukken. 'Kom.'

Tomas haalde uit naar zijn hand.

'Sh-sh-sh,' deed de man. 'Luister,' zei hij. 'Luister, luister. Luister nou gewoon. We hebben niet veel...'

'Freddy!'

De ogen van de man werden groot bij het geluid van zijn naam.

En de man ginds op het trottoir riep nogmaals: 'Freddy!'

Tomas herkende de stem van zijn vader en zijn opluchting was zo overweldigend dat hij voor het eerst in vijf jaar in zijn broek plaste.

Freddy fluisterde: 'Zo terug.' Hij rechtte zijn rug en draaide zich om naar het trottoir. 'Dag, Joe.'

'Is dat mijn zoon daar, Freddy?'

'Is dat jóúw zoon?'

'Tomas!'

'Ik ben hier, papa.'

'Alles goed met jou?'

'Ja.'

'Ben je geraakt?'

'Nee. Ik ben oké.'

'Heeft-ie je aangeraakt?'

'Alleen mijn schouder, maar...'

Freddy maakte een sprongetje op zijn plaats.

Later hoorde Tomas dat zijn vader vier keer had geschoten, maar die schoten kwamen zo snel achter elkaar dat hij het aantal niet had kunnen onderscheiden. Het enige wat hij wist was dat Freddy DiGiacomo's hoofd plotseling boven hem op de zitting lag en dat de rest van Freddy zich uitspreidde over het trottoir.

Zijn vader greep Freddy's haar en trok hem met een ruk uit de auto. Hij liet hem vallen in de goot en stak zijn handen uit naar Tomas.

Tomas sloeg zijn armen om zijn vaders nek en begon zomaar luid te jammeren. Hij brulde. Hij voelde de tranen als badwater uit zijn ogen rollen, hij kon niet meer ophouden, niet meer ophouden. Hij bleef maar huilen. Zelfs in zijn eigen oren klonk het als iets buitenaards. Het was het geluid van een enorme woede en paniek.

'Stil maar,' zei Joe. 'Ik heb je vast. Papa is hier. Ik heb je.'

21

De benen nemen

Joe hield zijn zoon vast en keek om zich heen naar de slachting op Seventh Avenue. Tomas hing schokkend in zijn armen en huilde zoals hij niet gehuild had sinds zijn dubbele oorontsteking toen hij een halfjaar oud was. Joe's auto – waarmee hij was ingereden op Antonio Bianco en Jerry Tucci – was total loss. Niet door de botsing met de lantaarnpaal, maar doordat Sal Romano was komen aanrennen om er een heel magazijn van zijn Thompson in leeg te schieten. Joe was achter de kofferbak van een twee plekken verderop geparkeerde auto vandaan gekomen en had Romano in zijn heup geschoten toen die aan het herladen was. Hij kon hem nog steeds horen kreunen midden op straat. Romano was quarterback geweest in het footballteam van zijn middelbare school in New Jersey. Hij werkte nog steeds met halters en deed elke dag vijfhonderd push-ups, beweerde hij tenminste. Maar nu Joe zijn linkerheup naar honderd meter verderop had geschoten, leken toekomstige push-ups twijfelachtig.

De straat overstekend had Joe iemand in een zeemleren jasje neergeschoten. De man had met zijn geweer op de bakkerij staan schieten en dus had Joe een kogel in zijn rug gejaagd en was doorgelopen. Ook hem hoorde Joe nog, een meter of vijf achter zich, schreeuwend om een dokter, schreeuwend om een priester. Hij klonk een beetje als Dave Imbruglia, en van achteren gezien leek hij ook op hem. Joe kon zijn gezicht niet zien.

Zijn zoon was gestopt met jammeren en probeerde weer lucht te krijgen.

'Stil maar.' Joe streelde Tomas' haar. 'Het is goed. Ik ben bij je. Ik laat je niet meer los.'

'Jij...'

'Ja?'

Tomas leunde achterover in Joe's armen en keek naar het lijk van Freddy DiGiacomo. 'Jij hebt hem doodgeschoten,' fluisterde hij.

'Ja.'

'Waarom?'

'Om een heleboel redenen, maar vooral omdat het me niet beviel zoals hij naar jou keek.' Joe keek zijn zoon diep in zijn bruine ogen, de ogen van zijn overleden vrouw. 'Begrijp je dat?'

Tomas knikte eerst, maar schudde toen traag zijn hoofd.

'Je bent mijn zoon,' zei Joe. 'Dat betekent dat er niemand met z'n poten aan je komt. Nooit.'

Tomas knipperde, en Joe wist dat hij iets in zijn vader zag wat hij nooit eerder had gezien: de ijzige woede die hij al zijn hele leven probeerde te leren verbergen. Zijn vaders woede, die van zijn broers, het geboorterecht van de Coughlin-mannen.

'We moeten oom Dion zien te vinden en hier wegwezen. Kun je lopen?'

'Ja.'

'Zie je je oom ergens?'

Tomas wees.

Dion zat in de vensterbank van een dameshoedenzaak, waarvan de ruiten tijdens de schietpartij gesneuveld waren, naar hen te kijken. Hij zag bleek als verse as, zijn overhemd zat onder het bloed, hij ademde zwaar.

Joe zette Tomas neer en ze liepen naar hem toe, het glas knisperde onder hun voeten.

'Waar ben je geraakt?'

'Mijn rechtertiet,' zei Dion. 'Ging er dwars doorheen. Ik voelde hem er verdomme weer uit komen. Niet te geloven.'

'Je arm ook,' zei Joe. 'Shit.'

'Wat is er?'

'Je arm, je arm.' Joe deed zijn das af. 'Dat is een slagader, D.'

Het bloed spoot recht uit een gat aan de binnenkant van Dions rechterarm. Joe legde zijn das in een knoop net boven de wond.

'Kun je lopen?'

'Nauwelijks ademhalen.'

'Ik hoor het. Maar kun je lopen?'

'Niet ver.'

'We gaan ook niet ver.'

Joe sloeg zijn arm onder Dions linkerarm door en hees hem van de vensterbank. 'Tomas, doe de achterdeur eens open. Oké?'

Tomas rende naar Dions auto, maar bleef als versteend staan toen hij bij Freddy's lijk kwam, alsof die wakker zou schrikken en op hem af zou springen.

'Tomas!'

Tomas opende het portier.

'Goed zo. Ga voorin zitten.'

Joe zette Dion op de bank. 'Ga achterover liggen.'

Hij deed het.

'Trek je benen op.'

Hij tilde zijn benen op de zitting en Joe sloot het portier.

Toen hij omliep naar de bestuurderskant zag hij Sal Romano aan de overkant van de straat. Sal was weer op de been. Nou ja, op één been. Het andere bungelde erbij terwijl hij zich overeind hield aan wat er over was van Joe's auto. Hij ademde moeilijk. Meer een soort sissen, eigenlijk. Joe hield zijn wapen op hem gericht.

'Je hebt Rico's broer vermoord.' Sal huiverde.

'Absoluut.' Joe opende het portier.

'We wisten niet dat jouw zoon in de auto zat.'

'Ja, nou,' zei Joe, 'hij zat erin.'

'Het zal je niet redden. Rico zal je kop er afhakken en in de fik steken.'

'Het spijt me van je heup, Sal.' Joe haalde zijn schouders op, er viel niets meer te zeggen, en stapte in de auto. Hij draaide achteruit de weg op en reed – omdat hij nu rechts en van voren sirenes hoorde – achteruit de straat uit.

'Waar gaan we heen?' vroeg Tomas.

'Een paar straten verderop,' zei Joe. 'We moeten deze auto van de weg zien te krijgen. Hoe gaat het, D?'

'Top.' Dion kon een zachte kreun niet onderdrukken.

'Hou vol.' Joe nam in de achteruit de bocht naar Twenty-Fourth Street, zette de auto in z'n een en reed weg in zuidelijke richting.

'Ik was verbaasd je te zien,' zei Dion. 'Je had er altijd een hekel aan om vuile handen te maken.'

'Met mijn handen heeft het niks te maken,' zei Joe. 'Het is m'n haar. Moet je kijken. En ik zit zonder Brylcreem.'

'Wat ben je toch een mietje.' Dion glimlachte zwakjes en sloot zijn ogen.

Tomas had nog nooit zo'n angst gekend. Angst die zijn tong en verhemelte tot stof had gemaakt. Angst die als een grote bal in zijn keel klopte. En daar zat zijn vader grápjes te maken.

'Papa.'

'Ja?'

'Ben jij slecht?'

'Nee, jongen.' Joe zag vlokjes braaksel op Tomas' blouse. 'Alleen ook weer niet zo heel goed.'

Hij reed naar een zwarte dierenarts in een armoedig stuk van Fourth Avenue in Brown Town. In een steegje achterlangs had de dierenarts een carport die je makkelijk over het hoofd zou kunnen zien tussen een wirwar van roestend harmonicagaas en prikkeldraad dat de dierenarts scheidde van zijn buren: een handelaar in autowrakken en een ongediertebestrijder. Joe gaf Tomas opdracht bij Dion te blijven, en nog voor zijn zoon had kunnen antwoorden rende hij over het achterpad en liet zichzelf binnen door een van de hitte kromgetrokken witte deur.

Tomas keek om naar de achterbank. Oom Dion zat overeind, maar zijn ogen waren halfdicht en zijn ademhaling was erg hijgerig. Tomas keek naar de deur waardoor zijn vader was verdwenen en toen de steeg in, waar twee straathonden langs het hek liepen en naar elkaar gromden als er een te dichtbij kwam.

Tomas leunde over de rugleuning. 'Ik ben echt bang.'

'Groot gelijk,' zei Dion. 'We zijn hier nog lang niet uit.'

'Waarom wilden die mannen je vermoorden?'

Dion grinnikte zacht. 'Ja, jongen, omdat ontslag niet bestaat in onze kringen.'

'Onze kringen,' herhaalde Tomas bedachtzaam, met nog steeds iets beverigs in zijn stem. 'Zijn papa en jij gangsters?'

Opnieuw zacht gegrinnik. 'Nou ja, vroeger wel.'

Joe en een zwarte man in een witte jas kwamen een brancard voor zich uitduwend naar buiten. Het was een korte brancard, zo te zien niet langer dan Tomas, maar Joe en de zwarte man kregen Dion uit de auto en op de brancard. Zijn benen bungelden over de rand toen ze hem over het pad en vervolgens naar binnen duwden.

De dierenarts was dokter Carl Blake, voorheen praktiserend arts in een kliniek voor niet-blanken in Jacksonville, tot hij zijn artsvergunning was kwijtgeraakt en naar Tampa was gekomen om voor Montooth Dix te werken. Hij lapte de mannen van Montooth op en hield diens hoeren gezond en schoon, waarvoor Montooth hem betaalde in opium, het middel waardoor hij ooit zijn vergunning was kwijtgeraakt.

Dokter Blake smakte voortdurend met zijn lippen en bewoog zich met een vreemd, gekunsteld soort gratie, als een danser die zijn best doet het meubilair niet omver te stoten. Het viel Tomas op dat zijn vader hem de hele tijd Dokter noemde, hoewel Dion gewoon Blake tegen hem had gezegd, voor ze hem onder zeil hielpen.

Toen Dion bewusteloos was zei Joe: 'Ik zal een hoop morfine nodig hebben. Waarschijnlijk uw hele voorraad, dokter.'

Dokter Blake knikte en goot water over de jaap in Dions arm. 'Bovenarmslagader opengehaald. Die man had dood moeten zijn. Is dat uw das?'

Joe knikte.

'Daar hebt u dan z'n leven mee gered.'

Joe zei: 'Ik zal iets sterkers nodig hebben dan zwavel.'

Dokter Blake keek hem over Dion heen aan. 'Nu, met die oorlog? Veel geluk, knul.'

'Vooruit. Wat hebt u voor me?'

'Prontosil is het enige wat ik heb.'

'Dan moeten we het daar maar mee doen. Dank u, dokter.'

'Wilt u die lamp even daar vasthouden?'

Joe hield de lamp recht boven de onderzoektafel, zodat de dokter Dions arm beter kon bekijken.

'Kan die jongen hiertegen?'

Joe keek naar Tomas. 'Wou je naar een andere kamer?'

Tomas schudde zijn hoofd.

'Weet je 't zeker? Hier kon je weleens misselijk van worden.'

'Ik word niet misselijk.'

'Echt niet?'

Tomas schudde opnieuw zijn hoofd en dacht: ik ben jouw zoon.

Dokter Blake prutste wat in de wond in Dions arm en zei ten slotte: 'Het is een schone wond. Er zit geen rommel van buiten in. Nu die slagader maar plakken.'

Een tijdje werkten ze zwijgend voort, waarbij Joe de dokter de instrumenten aangaf waarom hij vroeg, de lamp anders richtte of na een teken van de dokter diens voorhoofd bette met een doek.

Tomas werd zich bewust van één ding: hij zou nooit zo kalm kunnen zijn onder zware druk als zijn vader. Hij had met bewondering naar zijn vaders gezicht gekeken toen die de met kogelgaten doorzeefde auto in z'n achteruit naar Twenty-Fourth Street loodste. Terwijl in de verte het geloei van de sirenes aanzwol en Dion lag te kreunen op de achterbank, had zijn vader naar het dichtstbijzijnde straatnaambord getuurd als iemand die tijdens een zondagsritje even de weg kwijt was.

'Heb je het gehoord, van Montooth?' vroeg dokter Blake aan Joe.

'Nee,' zei Joe luchtig. 'Wat is er met hem?'

'Heeft Little Lamar en drie van zijn jongens omgelegd en is er zelf zonder ook maar een schrammetje vanaf gekomen.'

Joe lachte. 'Echt waar?'

'Geen schrammetje. Misschien is die voodoo-shit zo gek nog niet.' Dokter Blake legde de laatste hechtingen in Dions arm.

'Wat zei je nou?' vroeg Joe scherp.

'Huh? O, nou ja, al die geruchten in de loop van de jaren, over dat Montooth in een speciaal vertrek ergens in dat fort van hem aan voodoo doet, dat hij een vloek uitspreekt over zijn vijanden en zo. Die man loopt zo'n kapperszaak in en komt als enige levend weer naar buiten, misschien is er toch iets van waar.'

Er verscheen een vreemde uitdrukking op Joe's gezicht. 'Mag ik even je telefoon gebruiken?'

'Natuurlijk. Daar staat-ie.'

Joe trok de plastic handschoenen uit en belde terwijl dokter Blake zich richtte op de wonden in oom Dions borst. Tomas hoorde zijn vader zeggen: 'Zorg dat je over een kwartier hier bent, oké?'

Hij hing op, trok een nieuw paar handschoenen aan en voegde zich weer bij de dokter.

Dokter Blake vroeg: 'Hoeveel tijd denk je dat je hebt?'

Joe's gezicht versomberde. 'Hooguit een paar uur.'

De deur naar de behandelkamer ging open, waarop een andere zwarte man, gekleed in een overall, zijn hoofd om de hoek stak. 'Alles klaar.'

'Dank je, Marlo.'

'Geen probleem, dokter.'

'Dank je, Marlo,' zei Joe.

Toen hij weg was wendde Joe zich tot Tomas. 'In de auto liggen een broek en een onderbroek voor je klaar. Ga jij die even halen?'

'Waar?'

'In de auto,' zei Joe.

Tomas liep de behandelkamer uit en terug door de gang, waar de honden in hun kooi aansloegen op zijn geur. Toen hij de achterdeur openduwde kwam het volle daglicht hem tegemoet. Hij liep het pad af tot waar ze de auto hadden achtergelaten. Die stond nog precies op dezelfde plek, alleen was het niet dezelfde auto. Het was een vierdeurs Plymouth, een personenauto uit het eind van de jaren dertig, zonder hoogglans, alleen primer, een onopvallender auto was niet denkbaar. Op de voorbank vond Tomas een zwarte broek in zijn maat en een onderbroek, en pas nu herinnerde hij zich dat hij in zijn broek geplast had net voordat zijn vader de man met de stinkadem en wazige ogen had neergeschoten. Hij vroeg zich af hoe hij het had kunnen vergeten, want plotseling rook hij zichzelf en voelde hij de koude plakkerigheid van zijn eigen urine tegen de binnenkant van zijn benen schuren. Maar hij had er een uur mee rondgelopen zonder er erg in te hebben.

Toen hij uit de auto stapte zag hij zijn vader in de steeg staan praten met een heel kleine meneer. De man knikte aan één stuk door terwijl zijn vader aan het woord was. Toen Tomas dichterbij kwam hoorde hij zijn vader zeggen: 'Ben je nog steeds familie van Boch?'

'Ernie?' De kleine man knikte. 'Hij was getrouwd met mijn oudere zus, maar is van haar gescheiden en met mijn jongere zus getrouwd. Ze zijn gelukkig samen.'

'Is hij nog altijd een meester?'

'In de Tate in Londen hangt sinds 1935 een Monet die Ernie ooit in één weekend geschilderd heeft.'

'Mooi, want je zult hem hierbij nodig hebben. Ik betaal een top-tarief.'

'Je betaalt mij helemaal niks. Zolang je die medicijnman maar niet belt.'

'Ik betaal jou niet, ik betaal je zwager. Die is me geen fuck verschuldigd. Dus zorg dat hij weet dat hij de volledige marktwaarde zal krijgen. Maar het is een spoedbestelling.'

'Begrepen. Is dat je zoon?'

Ze draaiden zich beiden om en keken naar Tomas, en er kwam iets droevigs in zijn vaders ogen, een soort loodzware spijt. 'Ja. Geen zorgen. Hij heeft vandaag kennisgemaakt met de grote wereld. Tomas, zeg dag tegen Bobo.'

'Dag, Bobo.'

'Hé, knul.'

'Ik moet me omkleden,' zei Tomas.

Zijn vader knikte. 'Ga maar gauw.'

In een wc achter in de kliniek trok hij de andere kleren aan. In de wastafel maakte hij het onderste stuk pijp van zijn vieze broek nat en waste zo goed als mogelijk zijn bovenbenen. Hij rolde de pisbevlekte broek en onderbroek op en nam ze mee naar de behandelkamer, waar hij zag hoe zijn vader dokter Blake een stapeltje bankbiljetten in de hand drukte.

'Gooi die maar weg,' zei zijn vader toen hij de oude kleren zag. Tomas vond een ton in een hoek van het vertrek en gooide zijn kleren bij het bebloede verband en flarden van Dions bebloede overhemd.

Hij hoorde dokter Blake tegen zijn vader zeggen dat Dion een ingeklapte long had en dat hij zijn arm een hele week volstrekt niet mocht bewegen.

'Bedoel je daarmee dat hijzelf ook niet mag bewegen?'

'Hij mag zelf wel bewegen, maar hij moet ook niet al te veel in het rond stuiteren.'

'Wat als ik dat stuiteren van hem de komende paar uur nou niet zo in de hand heb?'

'Dan kan de hechting in de slagader scheuren.'

'En dan kan hij doodgaan?'

'Nee.'

'Nee?'

Dokter Blake schudde zijn hoofd. 'Dan gaat hij dood.'

Dion was nog buiten bewustzijn toen ze hem op de achterbank legden en de beenruimte vulden met oude hondendekens, zodat hij er niet af kon rollen en zich verwonden. Ze lieten de raampjes open, maar desondanks stonk het nog naar hondenhaar, hondenpis en hondenkots.

'Waar gaan we heen?' vroeg Tomas.

'Vliegveld.'

'Gaan we naar huis?'

'We gaan proberen op Cuba te komen, ja.'

'En die mannen zullen niet meer proberen jou kwaad te doen?'

'Dat weet ik niet zo zeker,' zei Joe. 'Maar ze zullen geen enkele reden hebben om jou kwaad te doen.'

'Ben je bang?'

Joe glimlachte naar zijn zoon. 'Een beetje.'

'Maar hoe kan het dat je dat niet aan jou kan zien?'

'Omdat dit zo'n moment is waarop denken belangrijker is dan voelen.'

'Maar wat denk je dan?'

'Ik denk dat we moeten maken dat we het land uit komen. En ik denk dat de man die heeft geprobeerd ons iets aan te doen, dat die zichzelf in verlegenheid heeft gebracht. Hij heeft geprobeerd je oom Dion te vermoorden en dat is hem niet gelukt. Hij wilde nog een andere vriend van me doodschieten, maar die vriend was hem ook te slim af. En de politie zal ontzettend boos zijn over wat er vandaag bij de bakkerij is gebeurd. De burgemeester en de Kamer van Koophandel ook. En ik denk dat als ik ons naar Cuba kan krijgen, er met die man misschien wel te praten valt over een vredesakkoord.'

'En waar is zijn cake nu?'

'Hè?'

Tomas zat op zijn knieën op de voorbank en keek naar de hondendekens achterin. 'De torta al cappuccino van oom Dion.'

'Wat is daarmee?'

'Die stond op de achterbank.'

'Ik dacht dat hij in de bakkerij was geraakt.'

'Is ook zo.'

'Dus... Wacht eens even, wat zeg je nou?' Joe keek zijn zoon aan.

'Maar hij heeft de cake nog in de auto gezet.'

'Toen het schieten al begonnen was?'

'Eh, ja. Hij kwam naar mij toe om te zeggen dat ik op de vloer moest gaan liggen. Hij schreeuwde naar me. "Op de vloer," zei hij.'

'Oké,' zei Joe, 'al goed. Maar dat was tijdens die schietpartij?'

'Ja.'

'En toen?'

'En toen zette hij de cake achterin, op de vloer van de auto, en ging weer naar buiten.'

'Daar snap ik niks van,' zei Joe. 'Weet je wel zeker dat je je dat goed herinnert? Er gebeurde een hele hoop tegelijk en je was...'

'Vader,' zei Tomas, 'ik weet het zeker.'

22

Vlucht

Coughlin-Suarez Import/Export vervoerde een groot deel van haar goederen met een Grumman Goose-watervliegtuig. Tegen het eind van de jaren dertig had Esteban Suarez het vliegtuig gekocht van bankier, ambassadeur en filmproducent Joseph Kennedy, nadat die had besloten zich terug te trekken uit de illegale drankhandel, waarin hij zijn fortuin vergaard had.

Joe had Kennedy een paar keer ontmoet. Ze waren beiden van Ierse afkomst, heetten allebei Joseph en kwamen uit Boston: Joe uit het zuidelijke stadsdeel, Kennedy uit het oostelijke. Ze waren allebei ritselaar en dranksmokkelaar. Twee ambitieuze mannen.

Het was haat op het eerste gezicht.

Kennedy, veronderstelde Joe, had een hekel aan hem omdat hij de belichaming was van de ergste soort typisch Ierse stoker en hij geen enkele poging deed om het te verbergen. Joe had de pest aan Kennedy om precies de tegenovergestelde reden: omdat die het illegale bestaan had omarmd toen dat bij zijn hebzucht te pas kwam, maar nu hij uit was op aanzien deed voorkomen alsof het vermogen dat hij had vergaard hem van hogerhand was toegevallen als beloning voor zijn vroomheid en hoogstaande morele inborst.

Maar zijn vliegtuig had hun nu al vijf jaar goede diensten bewezen, vooral geholpen door de vliegenierstalenten van Farruco Diaz, een van de meest krankzinnige mannen die ooit het levenslicht hadden gezien, maar als piloot zo geniaal dat hij de Goose door een waterval kon sturen zonder nat te worden.

Farruco stond op hen te wachten op Knight Airfield, op Davis Islands, zo'n tien minuten rijden vanuit het centrum, over een krakende brug die bij het geringste briesje begon te schommelen. Knight

Airfield had, net als op dat moment de meeste vliegvelden in het land, een groot deel van zijn grond en startbanen verhuurd aan de overheid, in dit geval als reservebaan voor een luchtmachtonderdeel in Drew en MacDill. Maar in tegenstelling tot de andere vliegvelden bleef Knight grotendeels onder burgerlijk gezag staan, hoewel dat gezag door Uncle Sam voor elk wissewasje aan de kant kon worden geschoven, iets waar Joe jammerlijk aan herinnerd werd toen hij over de hoofdweg kwam aanrijden en Farruco aan de andere kant van het hekwerk naast de Goose zag staan.

Joe stopte en stapte uit. Hij en Farruco spraken elkaar bij het hek.

'Waarom staat de motor nog niet warm te draaien?'

'Kan niet, baas. Ze staan het niet toe.'

'Wie niet?'

Farruco wees naar de verkeerstoren, die oprees vanachter de tunnelvormige barak waarin zich de wachtruimte voor de passagiers bevond. 'Een gast daarboven. Grammers.'

Lester Grammers had in de loop van de jaren ten minste honderd keer geld aangenomen van Joe of Esteban, in het bijzonder wanneer ze ladingen marihuana oppikten in Hispaniola of Jamaica. Maar sinds het begin van de oorlog was Lester iets te veel gaan lopen oreren over zijn patriottische verantwoordelijkheden als luchtverkeersleider, als buurtwacht en als herboren gelover in de superioriteit van het Angelsaksische ras.

Hij nam natuurlijk wel nog steeds geld van ze aan, alleen met meer onverholen minachting.

Joe trof hem aan in de toren in gezelschap van nog twee verkeersleiders, maar gelukkig geen personeel in uniform.

'Is er slecht weer op komst waar ik niet van weet?' vroeg Joe.

'Integendeel. Prima weer.'

'Dus, Lester...'

Lester liet zijn hielen van de rand van zijn bureau glijden en kwam overeind. Hij was een lange kerel, in tegenstelling tot Joe, zodat Joe naar hem moest opkijken, wat waarschijnlijk Lesters bedoeling was.

'Dus,' zei Lester, 'u kunt niet vertrekken. Weer of geen weer.'

Joe voelde in zijn zak, zorgvuldig de panden van zijn jas voor zijn bebloede overhemd houdend. 'Wat moet het kosten?'

Lester hief zijn handen. 'Ik zou niet weten waar u het over hebt.'

'Natuurlijk wel.' Joe nam het zichzelf kwalijk dat hij Blakes assistent Marlo niet had gevraagd ook even een schoon overhemd voor hemzelf te pakken toen hij een verschoning voor Tomas ging halen.

'Toch niet, meneer,' zei Lester.

'Lester, moet je horen.' Joe was niet blij met het zelfvoldane genoegen dat hij in Lesters ogen zag. Verre van. 'Alsjeblieft. Ik moet nu vertrekken. Noem maar een prijs.'

'Er is geen prijs, meneer.'

'En hou op met dat gemeneer.'

Lester schudde zijn hoofd. 'Ik sta niet onder gezag van u, meneer.'

'Van wie dan wel?'

'De Verenigde Staten van Amerika. En die willen niet dat u vanavond vliegt, meneer.'

Shit, dacht Joe. Matthew Biel van de Marine Inlichtingendienst. Wraakzuchtige klerelijer die je bent.

'Prima.' Joe nam Lester in alle rust van onder tot boven op.

'Wat nou?' vroeg Lester uiteindelijk.

'Ik kijk even wat je maat voor een infanterie-uniform zou zijn, Lester.'

'Ik ga niet bij de infanterie. Ik lever hier mijn bijdrage aan de oorlog.'

'Maar als ik je straks je baan heb afgenomen, Lester, is jouw bijdrage gewoon ergens aan het front.'

Joe gaf hem een klap op zijn schouder en verliet de toren.

Vanessa kwam door de dienstingang van het hotel de steeg in. Toen Joe een pand van zijn jas naar achteren schoof om zijn aansteker te pakken, zag ze het bloed op zijn overhemd.

'Je bent gewond. Ben je gewond?'

'Nee.'

'Mijn god. Al dat bloed.'

Joe stak de steeg over en nam haar handen in de zijne. 'Het is niet van mij, het is van hem.'

Ze keek over zijn schouder naar Dion, die onderuit hing op de achterbank. 'Leeft hij nog?'

'Nog wel, ja.'

Ze liet zijn handen los en krabbelde zenuwachtig aan haar hals. 'Overal in de stad liggen doden.'

'Ik weet het.'

'Een groep negers doodgeschoten in een kapperszaak. En in Ybor zijn zes – zes, heb ik dat goed gehoord? – mannen doodgeschoten. Misschien meer.'

Joe knikte.

'Was jij daarbij betrokken?' Ze keek hem aan.

Liegen had geen zin. 'Ja.'

'Dat bloed is...'

'Luister, ik heb niet veel tijd, Vanessa. Ze zullen me vermoorden. Mij en mijn vriend en misschien zelfs mijn zoon, als ze besluiten dat hij te veel heeft gezien. Ik kan geen uur langer in Amerika blijven.'

'Ga naar de politie.'

Joe lachte.

'Waarom niet?'

'Omdat ik niet met die mensen praat. En al deed ik het, een aantal van die lui staat bij hem op de loonlijst.'

'Wiens loonlijst?'

'Van de vent die mij probeert te vermoorden.'

'Heb jij vandaag mensen vermoord, Joe?'

'Vanessa, luister...'

Ze wrong haar handen. 'Zeg het. Heb jij mensen gedood?'

'Ja. Mijn zoon zat midden in die schermutseling. Ik heb gedaan wat ik moest doen om hem eruit te krijgen. En ik zou er nog twaalf gedood hebben als ze mijn zoon bedreigden.'

'Je zegt het met trots.'

'Met trots heeft het niks te maken. Het is gewoon wilskracht.' Hij slaakte een lange, trage zucht. 'Ik heb je hulp nodig. En wel nu. 't Zand is bijna door de loper.'

Ze keek langs hem heen naar zijn zoon, die op zijn knieën op de voorbank zat, en naar de onderuitgezakte Dion op de achterbank.

Toen ze hem weer aankeek las hij verbittering en verdriet in haar blik. 'Wat gaat dat mij kosten?'

'Alles.'

In de toren hield Joe zijn jas dicht terwijl mevrouw Belgrave Lester Grammers vroeg tot een besluit te komen.

'Dat vliegtuig vervoert niet gewoon maar maïs en tarwe,' zei ze.

'Het heeft een privécadeau aan boord van de burgemeester van Tampa aan de burgemeester van Havana. Iets persoonlijk, meneer Grammers.'

Lester trok een bezorgde en gepijnigde blik. 'De man van de regering was heel duidelijk, mevrouw.'

'Kunt u hem aan de telefoon krijgen?'

'Sorry?'

'Nu meteen. Kunt u hem aan de telefoon krijgen?'

'Niet op dit tijdstip.'

'Nou, wat ik wel kan doen is de burgemeester bellen. Zou u aan hem willen uitleggen waarom u zo vijandig doet tegen zijn vrouw?'

'Het is geen vijan... Jezus.'

'O nee?' Ze ging op de rand van het bureau zitten, deed haar rechteroorring uit en nam de hoorn van de haak. 'Kan ik een buitenlijn krijgen, alstublieft?'

'Mevrouw de burgemeester, luistert u alstu...'

'Hyde Park 789,' zei ze tegen de telefonist.

'Ik kan niet zonder deze baan, mevrouw. Ik... heb drie kinderen, alle drie nog op de middelbare school.'

Ze gaf hem een begrijpend klopje op zijn knie en keek hem aan met opgetrokken neus. 'Hij gaat over.'

'Ik ben geen soldaat.'

'Trring,' zei Vanessa. 'Trring.'

'Mijn vrouw, die...'

Vanessa trok haar wenkbrauwen op en richtte haar aandacht weer op het toestel.

Lester reikte over haar schoot heen en legde zijn hand op de haak.

Ze keek hem aan, keek naar zijn arm die boven haar schoot zweefde.

Hij trok zijn arm terug. 'We zullen startbaan twee vrijmaken.'

'Puike beslissing, Lester,' zei ze. 'Dank je.'

'En nu?' Vanessa stond tegenover Joe aan het begin van de startbaan, beiden moesten schreeuwen om boven de herrie van de propellers uit te komen.

Farruco had Joe geholpen Dion aan boord te krijgen en hem op een stapel hondendekens te leggen. Tomas had een stoel bij het raam genomen. Joe had de klossen van de wielen getrokken; het toestel was lichtjes gaan wiegen op een plotselinge warme windvlaag uit de Golf.

'Nu?' zei Joe. 'Nu begint de rest van je leven. Jij en ik en die baby.'

'Ik ken je nauwelijks.'

Joe schudde zijn hoofd. 'Je hebt nauwelijks tijd met me doorgebracht. Maar je kent me. Ik ken jou.'

'Je bent...'

'Wat? Wat ben ik?'

'Je bent een moordenaar. Je bent een gangster.'

'Maar grotendeels gepensioneerd.'

'Niet grappig doen.'

'Doe ik ook niet. Luister,' riep hij – de wind van de Golf en de propellers blies zijn jas en zijn haren alle kanten op – 'je hebt hier niets meer te zoeken. Hij zal je dit nooit vergeven.'

Farruco Diaz verscheen in de deuropening van de Goose. 'Ze willen dat ik wacht, baas. De toren.'

Joe wuifde hem weg.

Vanessa zei: 'Ik kan niet gewoon maar in een vliegtuig stappen en verdwijnen.'

'Je zult niet verdwijnen.'

'Nee.' Ze schudde haar hoofd in een uiterste poging zichzelf te overtuigen. 'Nee, nee, nee.'

'Ze willen dat ik de klossen weer voor de wielen leg,' riep Farruco.

'Ik ben ouder dan jij,' zei Joe tegen Vanessa, zijn woorden klonken gehaast en wanhopig, 'en daarom weet ik dat je nooit spijt krijgt van de dingen die je doet in dit leven. Waar je spijt van krijgt is van de dingen die je niet doet. De doos die je niet geopend hebt, de sprong die je nooit hebt gewaagd. Je moet niet over tien jaar vanuit een keurige woonkamer in Atlanta willen terugkijken en denken: ik had toen in dat vliegtuig moeten stappen. Niet doen. Je hebt hier niets meer te zoeken en daarginds wacht een nieuwe wereld op je.'

'Maar die wereld ken ik niet,' riep ze.

'Ik geef je een rondleiding.'

Er sloop een soort verslagenheid en tegelijkertijd genadeloosheid in haar blik. Iets wat haar hart onmiddellijk van een laag zwart graniet voorzag.

'Daar zul jij niet lang genoeg voor leven,' zei ze.

Farruco Diaz riep: 'We moeten nu weg, baas. Nu.'

'Ogenblik.'

'Nee. Nu!'

Joe stak zijn hand uit naar Vanessa. 'Kom.'

Ze deed een stap terug. 'Tot ziens, Joe.'

'Doe dit niet.'

Ze rende naar de auto en opende het portier. Ze keek naar hem om. 'Ik hou van je.'

'Ik hou van jou.' Zijn hand hing nog steeds in de lucht. 'Zo...'

'Dat zal ons niet redden,' riep ze, en ze stapte in haar auto.

'Joe,' riep Farruco, 'de toren wil dat ik de motor uitzet.'

Toen zag Joe de koplampen aan de andere kant van de omheining: ten minste vier paar gele ogen die door hitte, stof en donker kwamen aanzweven over de weg naar het vliegveld.

Toen hij omkeek naar Vanessa's auto, zag hij haar wegrijden.

Joe sprong in het vliegtuig. Hij trok de deur met een klap dicht en gooide de hendel erop.

'We gaan,' riep hij naar Farruco terwijl hij op de vloer ging zitten. 'Vooruit maar.'

23

Een kwestie van genoegdoening

Toen Charlie Luciano in 1936 naar de gevangenis ging, werd het bestuur van het bedrijf verdeeld over Meyer Lansky, uit New York en
Havana, Sam Daddano, uit Chicago, en Carlos Marcello, uit New Orleans. Deze drie mannen hadden samen met drie juniorbedrijfslei-
ders – Joe Coughlin, Moe Dietz en Peter Velate – de leiding in de Commissie.

Een week na zijn vlucht uit Tampa werd Joe opgeroepen voor een
bijeenkomst met de Commissie op El Gran Sueño, een jacht van kolonel Fulgencio Batista, maar dat vaker wel dan niet in bruikleen was
bij Meyer Lansky en zijn partners. Joe werd op een steiger van de
United Fruit Company opgewacht door Vivian Ignatius Brennan,
om aan boord te gaan voor een tochtje van tien minuten naar het
jacht in Havana Harbor. Vivian werd 'Saint Viv' genoemd omdat
meer mannen vlak voor hun dood tot hem hadden gebeden dan er
ooit tot de Heilige Antonius of de Heilige Maagd hadden gebeden.
Hij was een verzorgd uitziende kleine man met licht haar, bleke
ogen. Zijn manieren waren even onberispelijk als zijn smaak in wijn.
Sinds zijn komst naar Cuba met Meyer Lansky in '37 kleedde hij zich
graag als een Cubaan – zijden overhemden met korte mouwen die
losjes om het middel vielen, zijden broeken en tweekleurige schoenen – en hij was zelfs met een Cubaanse getrouwd. Maar als het op
zijn loyaliteit aankwam was hij honderd procent Familie. Als Ier uit
Donegal, maar opgegroeid in het New York van de Lower East Side,
deed Saint Viv zijn werk zonder klagen of missers. Toen Charlie Luciano het concept bedacht van de BV Moord – een groep huurmoordenaars zonder banden met de steden waarin ze hun slachtoffers
maakten – gaf hij er Vivian Ignatius Brennan de leiding over, totdat

Meyer Lucky zover kreeg dat hij Viv mee mocht nemen naar Cuba, waarna de teugels van de bv in handen kwamen van Albert Anastasia. Maar zelfs nu nog, als Charlie of Meyer de absolute zekerheid wilde dat iemand die vandaag nog op twee benen rondliep dat morgen niet meer zou doen, werd Saint Viv erbij gehaald om het contract uit te voeren.

Joe gaf Viv de tas die hij bij zich droeg. Viv maakte hem open en zag twee mappen die er hetzelfde uitzagen. Hij haalde ze eruit en beklopte de tas van alle kanten tot hij tevreden was. Hij deed de mappen terug in de tas en stapte achteruit, zodat Joe aan boord van de sloep kon gaan. Eenmaal aan boord gaf Viv hem de tas terug.

'Hoe gaat het?' vroeg Joe.

'Top.' Vivian schonk hem een droevige glimlach. 'Ik hoop dat het goed gaat daar.'

Joe kon een lachje niet onderdrukken. 'Dat hoop ik ook.'

'Ik mag je, Joe. Man, iedereen is op je gesteld. Het zou m'n hart breken als ik jou moest laten gaan.'

Moest laten gaan. Jezus.

Joe zei: 'Laten we hopen dat het zover niet zal komen.'

'Inderdaad.' Vivian stuurde de sloep weg van de steiger. De pruttelende motor blies blauwe rookwolkjes uit naar een vettige, oranje hemel.

Onderweg naar wat zijn dood zou kunnen worden realiseerde Joe zich dat hij niet zozeer de dood vreesde als wel het idee dat hij zijn zoon als wees achter zou laten. Zeker, hij had voorzorgsmaatregelen getroffen. Er was meer dan voldoende geld opzijgezet om Tomas een zorgeloos bestaan te garanderen. En ja, de grootmoeder en tantes van de jongen zouden hem als hun eigen kind grootbrengen. Maar hij zou niet hun eigen kind zijn. Hij was het product van Graciela en Joseph, zijn ouders. Zonder hen zou hij een wees zijn. Joe, die zelf als wees was opgegroeid, ook al hadden hij en zijn biologische vader en moeder onder een en hetzelfde dak hun leven geleid, zou niemand een ouderloos leven toewensen, zelfs Rico DiGiacomo of Mussolini niet.

Een andere sloep naderde, onderweg terug naar de steigers van de United Fruit Company. Er was een gezin aan boord, een vader, een moeder en een kind, die alle drie kaarsrecht in de boot stonden. Joe herkende de jongen aan zijn blonde haar. Het verbaasde hem niet dat de geest zich juist vandaag opnieuw liet zien, en eigenlijk was het op een bepaalde manier zelfs begrijpelijk.

Wel verbaasd was hij over de man en de vrouw, die weigerden hem aan te kijken toen de twee sloepen elkaar passeerden. De man zag er slank en fit uit, met zijn vlasblonde, kort over de schedel gekapte haar en zijn ogen van hetzelfde lichtgroen als het water. Ook de vrouw was dun en schraal. Ze droeg haar haar omhoog in een strakke knot en haar trekken waren zo streng van angst vermomd als fatsoen, en van zelfverachting die zich voordeed als hooghartigheid, dat hij moeite had om te zien hoe mooi ze ooit geweest moest zijn. Ook zij negeerde Joe. Wat nog wel het minst verbazende aspect was aan de hele ervaring, omdat ze al zijn kinderjaren niet anders had gedaan dan hem negeren.

Zijn moeder. Zijn vader. En de jongen met het uitdrukkingsloze gezicht. Ze staken Havana Harbor over met dezelfde grimmige vastberadenheid als waarmee George Washington de Delaware was overgestoken.

Ze voeren voorbij. Joe draaide zich om om ze na te kijken en voelde zich klein worden vanbinnen. Tegen de tijd dat hij zich had aangediend was hun huwelijk al een schijnvertoning geweest. Hun ouderschap, tegen de tijd dat hij kwam, was een nagekomen verplichting geweest, een last om te dragen, vol zelfingenomen irritatie en korte lontjes. Achttien jaar lang hadden ze geprobeerd zijn geest elke vorm van vreugde, ambitie of roekeloze liefde af te leren. En het enige wat ze al doende geproduceerd hadden was een instabiel en onverzadigbaar organisme.

Hier ben ik, wilde hij ze naroepen. *Misschien niet lang meer. Maar ik was er, en ik heb goddomme groots geleefd.*

Jullie hebben verloren, wilde hij ze naroepen.

Maar toch...

Jullie hebben gewonnen.

Hij keek weer voor zich uit. El Gran Sueño doemde voor hen op als een uitbarsting van wit tegen een vuil blauwe hemel.

'Veel geluk daarbinnen,' zei Vivian toen ze het bij jacht aankwamen. 'Ik meende het toen ik zei dat het mijn hart zou breken.'

'Het zou je hart breken om dat van mij te laten stoppen, zeker,' zei Joe.

'Zoiets, ja.'

Joe schudde hem de hand. 'Mooi vak hebben we toch.'

'Ach, ja, maar het is beter dan een saai bestaan, of niet? Voorzichtig op die ladder. Ding wordt nat.'

Joe beklom de ladder en stapte aan dek, waarna Vivian hem zijn tas aangaf. Meyer stond hem gewoontegetrouw rokend op te wachten in gezelschap van vier andere mannen – handlangers of lijfwachten, naar hun uiterlijk te oordelen. Joe herkende alleen Burt Mitchell, een pistolenman uit Kansas City en lijfwacht van Carl the Bowler. Geen van hen keek Joe aan. Voor hetzelfde geld stonden ze over een halfuur zijn lichaam aan de haaien te voeren, dus vriendschappelijk worden leek zinloos.

Meyer wees op de tas. 'Is dat het?'

'Ja.' Hij gaf hem aan Meyer, die hem doorgaf aan Burt Mitchell. 'Breng dit naar de boekhouder in mijn privéhut.' Hij legde zijn hand op Burts schouder. 'En niemand anders.'

'Zeker, meneer Lansky. Absoluut.'

Toen Burt wegliep schudden Joe en Meyer elkaar de hand en Meyer gaf hem een joviale klap op zijn schouder. 'Je bent een begenadigd spreker, Joseph. Ik hoop dat je alles uit de kast zult halen vandaag.'

'Heb je Charlie gesproken?'

'Een vriend van me, namens mij, ja.'

'Wat zei die?'

'Dat hij niet van ruchtbaarheid houdt.'

Daarvan was er de afgelopen week veel te veel geweest in Tampa. Er werd beweerd dat de FBI een onderzoek zou laten instellen naar de georganiseerde misdaad in Florida en New York. Dions kop had dagen achtereen op alle voorpagina's gestaan, naast sensatiefoto's van de lijken die Joe had achtergelaten op Seventh Avenue en de vier doden in de zwarte kapperszaak. Een paar kranten hadden zelfs een link gelegd tussen Joe en de moorden, hoewel ze zich omzichtig genoeg bedienden van termen als 'vermoedelijk', 'vermeend' en 'naar wordt beweerd'. Maar alle bladen vermeldden dat Joe noch Dion sinds de schotenwisseling die middag bij de bakkerij gezien was.

'Zei Charlie verder nog iets?' vroeg Joe aan Meyer.

'Dat zegt-ie bij monde van mij aan het eind van deze bijeenkomst.'

Dus Meyer zou het eindoordeel vellen. Ironisch, dat de man die mogelijk het doodsvonnis over Joe zou uitspreken zijn partner en grootste weldoener van de afgelopen zeven jaar was.

Aan de andere kant: zoiets was meer regel dan uitzondering in hun branche. Je vijanden kwamen zelden dicht genoeg bij je in de buurt om je te liquideren. Zodat het vuile werk gewoonlijk door je vrienden moest worden opgeknapt.

In de grote zaal benedendeks zaten Sam Daddano, Carlos Marcello en Rico DiGiacomo. Meyer kwam na Joe binnen en deed de deur achter zich dicht. Naast Rico waren dus alleen de drie senatoren van de Commissie aanwezig, wat betekende dat een bijeenkomst niet veel serieuzer kon worden dan dit.

Carlos Marcello runde New Orleans al vanaf zijn tienerjaren; hij had het territorium geërfd van zijn vader en het vak was hem met de paplepel ingegoten. Zolang je buiten zijn territorium bleef, dat zich ook uitstrekte over Mississippi, Texas en half Arkansas, was Carlos een plezierige man om zaken mee te doen. Maar als iemand ook maar in de buurt van zijn gebied geld rook en kansen zag, boerde het moeras zo nu en dan delen op van de gelukzoeker die zich had verkeken en niet scherp voor ogen had gehad waar Marcello's rijk begon en zijn recht om adem te halen eindigde. Net als de meeste mannen in de Commissie stond hij bekend om zijn kalme optreden en hang naar redelijkheid, tot het moment waarop de redelijkheid als zakenmodel tegen haar eigen grenzen aan liep.

Sam Daddano was tien jaar lang de man van de entertainmentindustrie en de vakbonden geweest voor de maffia, waarna zijn succesvolle optreden in die sector hem naar een toppositie in de afdeling Chicago lanceerde toen de oude Pascucci op een regenachtige voorjaarsochtend in Lincoln Park tegen een beroerte aanliep. Sam had de belangen van de maffia in westelijke richting uitgebreid en alle vakbonden in de filmwereld in handen gekregen. Zelfs de platenbusiness was hij te slim af geweest. Sam hoefde maar naar een stuiver te kijken, zeiden ze, of die werd een dubbeltje. Hij was broodmager en al sinds zijn tienerjaren kalend. Hij was begin vijftig maar hij zag er – ook al sinds eeuwen – vijftien jaar ouder uit door zijn schilferige en met levervlekken bezaaide huid, alsof hun zaken al zijn lichaamssappen opgebruikten en de hele dag bezig waren hem leeg te zuigen.

Meyer nam plaats aan het andere uiteinde van de tafel. Hij zette zijn aktetas neer en maakte een keurige uitstalling van zijn sigaretten, gouden aansteker, gouden pen en het schriftje waarin hij af en toe een gedachte krabbelde – nooit een feit, zeker nooit een feit – en altijd in code, altijd in het Jiddisch. De kleine man in hoogsteigen persoon: Meyer Lansky. De architect van hun hele bouwwerk, zo kil en onverstoorbaar als een man met een hartslag maar zijn kon. Voor Joe was hij de beste benadering van een mentor in het vak. Hij had Joe onmiskenbaar het meeste geleerd van wat hij wist over de casinowereld, terwijl Joe Meyer het meeste had bijgebracht van wat hij wist over Cuba. Zodra die rotoorlog voorbij was zouden ze de kans krijgen hier serieus te gaan verdienen.

Of niet. Meyer ging dat geld wellicht helemaal in z'n eentje verdienen als Joe zijn jury er niet van wist te overtuigen dat het zou lonen om hem meer tijd in de frisse buitenlucht te gunnen.

Joe ging tegenover Rico zitten, die hem nu voor het eerst zijn ware gezicht toonde. Joe las er de bodemloze machtshonger aan af die hij had moeten zien toen hij hem vijftien jaar geleden voor het eerst ontmoette, toen Rico eigenlijk nog vooral een kwajongen was. Maar zelfs toen al bezat Rico de kostbaarste eigenschap voor een man met zijn ambities: je kon niet in zijn ziel kijken. Het enige wat je zag was je eigen weerspiegeling in zijn ogen. Rico speelde het klaar je buiten de deur te houden door je het gevoel te geven dat het enige waarvan hij droomde was dat jij hém zou binnenlaten. Nu staarde hij Joe aan over de tafel, een open glimlach op zijn open gezicht, en hij keek alsof hij elk ogenblik over de tafel zou kunnen duiken om Joe met zijn blote handen aan stukken te scheuren.

Joe maakte zich weinig illusies over zijn eigen fysieke capaciteiten – drie keer in zijn leven had hij echt gevochten met iemand en drie keer had hij verloren. Rico was opgegroeid in Port Tampa als zoon, kleinzoon en neef van dokwerkers. Joe keek over de tafel terug naar zijn verrader en Dions overweldiger, en liet van geen angst blijken, want het minste of geringste teken daarvan zou een erkenning van schuld of gebrek aan ballen zijn geweest, die beide zijn lot in deze kamer bezegeld zouden hebben. Maar de waarheid was dat als hij hier levend uit kwam, Rico nooit meer zou ophouden hem dood te wensen.

'Het gaat erom,' zei Carlos Marcello om de vergadering te openen, 'hoeveel schade je vorige week hebt veroorzaakt, Joe.'

'Ik veroorzaakt heb,' zei Joe, de tafel rondkijkend. 'Hoeveel schade ík veroorzaakt heb.'

Sam Daddano zei: 'Jij had afgesproken met die neger Dix en tien minuten later legt-ie vier nikkerpartners van Rico om. Was dat toeval, Joe?'

'Ik had Dix verteld dat hij zich pratend noch vechtend uit de shit kon werken die hij zich op de hals had gehaald en dat hij in het reine moest zien te komen met zijn Schepper. Ik...'

'Dat zou voor jou misschien ook een goed advies zijn,' zei Rico met een glimlach richting Joe.

Joe negeerde hem. 'Ik had geen idee dat Dix dat zou opvatten als een aanmoediging om een kapperszaak in puin te schieten en Little Lamar te doden.'

'En toch,' zei Meyer, 'is dat wel gebeurd. En dan die kwestie bij de bakkerij.'

'Hij is dood, trouwens,' zei Rico tegen Joe.

Joe keek hem aan.

'Montooth. Stapte gisteren in zijn auto en die auto ging van *boem*. Iemand vond zijn balzak versmolten met de zijkant van een brandkraan aan de overkant van de straat.'

Joe zei niets. Schonk Rico een lege blik en stak een sigaret op. Vorige week had Joe zich neergelegd bij de dood van Montooth Dix. Toen was het niet gebeurd. En dus had zijn hart zich buiten zijn medeweten opengezet voor de mogelijkheid dat Montooth het nog een paar jaar bovengronds zou uithouden.

Nu was hij dood. Doordat een slang in mensengedaante geen genoegen nam met de fiches die op tafel lagen en vond dat hem het hele casino toekwam. Krijg de tyfus, Rico. En iedereen die is zoals jij. Ik maak je prins, jij wilt koning worden. Ik maak je koning, jij wilt God worden.

Joe wendde zich weer tot de man aan het hoofd van de tafel. 'Je wilde het over de bakkerij hebben.'

'Ja.'

'Was die aanslag gesanctioneerd, trouwens?'

Sam Daddano hield Joe's blik even vast. 'Jazeker.'

'Waarom ben ik er niet over gehoord? Ik zit in deze Commissie.'

'Met alle respect,' zei Meyer, 'maar we konden je niet vertrouwen. Jij hebt Dion Bartolo bij verschillende gelegenheden als je broer bestempeld. Jouw oordeel zou vertroebeld zijn geweest.'

Joe liet dat tot zich doordringen. 'En dat complot tegen mij. Was dat niets dan rook?'

Meyer knikte.

'Een ideetje van mij,' zei Rico, behulpzaam als altijd, zijn handen gevouwen voor zich op tafel, een stem van fluweel. 'Ik wilde je uit de gevarenzone hebben zodra die aanslag losging. Geloof het of niet. Ik dacht: die pakt zijn zoon bij de kraag en maakt dat-ie wegkomt, gaat ergens zitten wachten tot het voorbij is. Ik probeerde je te beschermen.'

Joe wist niet wat hij daarop moest zeggen, dus richtte hij zich weer tot iedereen. 'Jullie hebben de liquidatie van mijn vriend en baas goedgekeurd. Vervolgens raakte mijn zoon verstrikt in een schietpartij met al die geïmporteerde schutters... uit Brooklyn, mag ik aannemen? Midnight Rose's Candy Store?'

Carlos Marcello knipperde bevestigend.

'Daar staat een stel lui van buiten, in mijn territorium, op mijn baas te schieten, terwijl mijn zoon in een auto in diezelfde straat zit, en dan wou iemand hier aan deze tafel mij m'n reactie kwalijk nemen?'

'Je hebt drie van onze vrienden gedood die dag,' zei Daddano. 'Plus iemand verlamd.'

Joe kneep zijn ogen half dicht. Vragend.

'Dave Imbruglia.'

Dus dat was inderdaad Dave die hij in de rug had geschoten.

Rico zei: 'Die moet de rest van zijn leven in een zak poepen, arme donder.'

'Toen ik die straat in reed,' zei Joe tegen de bazen, 'was het eerste wat ik zag, behalve een stel kerels die erop los stonden te knallen alsof het niks was, het hoofd van mijn zoon boven de achterbank in Dions auto.'

'We wisten niet dat hij daar was,' zei Rico.

'Dus daarom is het oké? Ik zag Slick Tony Bianco en Jerry the Nose met z'n tweeën Carmine Orcuioli lek schieten en vervolgens hun Thompsons op mijn zoon richten. Ja, natuurlijk nam ik die onder mijn auto, wat dacht je. Sal Romano schoot ik neer omdat hij zijn machinegeweer op mijn auto leegschoot. En Imbruglia schoot ik in zijn rug omdat hij met een geweer op mijn baas vuurde. Wat Freddy aangaat, ja, die heb ik neergeschoten. En...'

'Godverdomme vier keer.'

'...dat deed ik omdat hij een wapen op mijn zoon gericht had.'

'Sal zegt dat Freddy's wapen helemaal niet op je zoon gericht was.' Meyer Lansky knikte. 'Hij zegt dat het naar de grond wees, Joe.'

Joe knikte, alsof dat volkomen begrijpelijk was. 'Sal bevond zich aan de andere kant van de auto, dus die zat aan de andere kant van de straat. En in feite zat hij niet eens. Hij lag opgerold op de grond omdat ik z'n heup eraf had geschoten. Hoe moet hij iets gezien hebben?'

Carlos Marcello maande met een handgebaar tot kalmte. 'Maar waarom dacht je dat Freddy je zoon wilde ombrengen?'

'Zei je nou "dacht", Carlos? Zou jij dat denken als dat jouw zoon was in die auto?' Hij keek Sam Daddano aan. 'Of jouw Robert?' Hij keek Meyer aan. 'Als het Buddy was? Ik dacht het niet. Ik zag een man met een geweer naar mijn zoon wijzen. En toen haalde ik mijn trekker over zodat hij die van hem niet kon overhalen.'

'Joe,' zei Rico beheerst, 'kijk me aan. Recht in mijn ogen. Want op een dag zal ik je afmaken. Met mijn eigen blote handen en een lepel.'

'Rico,' zei Carlos Marcello, 'alsjeblieft.'

'We zijn hier als volwassenen onder elkaar,' zei Meyer. 'Als mannen die een lastige zakelijke kwestie bespreken. Het lijkt me duidelijk dat Joe nergens onderuit probeert te draaien. Hij zoekt geen uitvlucht.'

'Hij heeft mijn broer vermoord.'

Carlos Marcello zei: 'Maar je broer had een wapen op zijn zoon gericht. Daar is weinig onenigheid over, lijkt me. Je wapen richten op een blank kind, Rico, dat is een eerloze handeling, daar wil ik van jou goddomme geen andere mening over horen.'

Rico was aan boord gegaan in de veronderstelling dat de enige die er niet meer levend af zou komen Joe was, maar inmiddels zag hij de weerspiegeling van zijn eigen lijk in Carlos Marcello's zwarte ogen.

Sam Daddano richtte zijn blik op Joe. 'Aan de andere kant heb jij een *made man* en twee gewaardeerde vrienden gedood. Je hebt ons een hoop geld gekost.'

'Een hoop geld,' stemde Meyer in.

'En niet alleen nu,' zei Sam, 'maar nog jarenlang, door al die slechte publiciteit. Dat is eten uit onze mond, geld uit onze zak. Geld waar we op gerekend hadden. En dat zul je ons op geen enkele manier nog kunnen vergoeden.'

'Ik geloof van wel,' zei Joe.

Carlos Marcello schudde zijn grote hoofd. 'Joseph, dat denk je tegen beter weten in. De zooi die jij en Rico vorige week in Tampa hebben veroorzaakt zal ons droogleggen.'

Joe zei: 'Wat als ik Charlie uit Dannemora zou kunnen krijgen?'

Meyers aansteker bleef halverwege zijn sigaret in de lucht hangen. Carlos Marcello's hoofd bleef steken in een schuine positie.

Sam Daddano staarde Joe met open mond aan.

Rico keek de kamer rond. 'Is dat alles? Ik zou zeggen, splijt ook even de Golf van Mexico, als je toch bezig bent.'

Carlos Marcello wapperde met zijn handen naar Rico alsof hij een vlieg wilde verjagen. 'Spreek klare taal, Joseph.'

'Twee weken geleden sprak ik een vent van de Marine Inlichtingendienst.'

'Maar we horen dat dat niet zo lekker liep,' zei Meyer.

'Klopt. Maar ik merkte wel dat ik hem bijna over de streep had. Het gaat om net dat laatste beetje overtuigingskracht. De vs heeft de afgelopen vijf maanden tweeënnegentig schepen verloren – zowel militaire schepen als koopvaarders. Ze staan doodsangsten uit, maar ze houden zichzelf voor: "Oké, maar langs de kust is het tenminste nog nooit voorgekomen." Maar als wij ze ervan kunnen overtuigen dat de enigen die kunnen verhinderen dat Hitler straks over Madison Avenue paradeert, dat wij dat zijn? Dan zullen ze Charlie na de oorlog vrijlaten. En op z'n allerminst zullen ze ons met rust laten en geld laten verdienen.'

'En hoe brengen we ze aan het verstand dat ze ons nodig hebben?'

'We laten een schip zinken.'

Rico DiGiacomo slaakte een vermoeide zucht. 'Wat heeft die man toch met schepen? Heb je er tien jaar geleden niet ook al eens een opgeblazen?'

'Veertien jaar,' zei Joe. 'De regering heeft op dit moment een boot in Port Tampa liggen, een oud cruiseschip dat ze aan het ombouwen zijn tot een oorlogsbodem.'

'Dat was vroeger The Neptune,' zei Rico. 'Die ken ik.'

'En jij hebt daar jongens aan het werk, toch?'

Rico knikte naar de andere mannen. 'We doen het niet slecht, maar het is geen melkkoe. Een beetje oud ijzer hier, wat koper daar, een hoop oude metalen bedbodems die niet terechtkomen waar ze zouden moeten, dat soort shit.'

'De Amerikaanse overheid wil dat die schuit tegen juni klaar is voor troepentransport. Heb ik dat goed?'

'Niet fout in ieder geval.'

'Dus...'

Carlos Marcello's mondhoeken begonnen te trillen. Sam Daddano liet een korte blaflach horen. Meyer Lansky glimlachte.

'Stel iemand saboteert dat schip. En laat het eruitzien alsof de moffen erachter zitten, of hadden kunnen zitten.' Joe leunde achterover, tikte een onaangestoken sigaret tegen de zijkant van zijn koperen Zippo. 'Dan komt de regering op z'n knieën naar ons toe.' Hij liet zijn ogen langs de mannen in de kamer gaan. 'En daarmee hebben jullie dan allemaal aan de wieg gestaan van Charlie Luciano's vrijlating.'

Geknik alom, een tikje tegen zijn ingebeelde hoed van Meyer Lansky.

De hartklopping in Joe's keel vertraagde. Misschien zou hij toch nog heelhuids van boord raken.

'Oké, oké,' zei Rico. 'Laten we er even van uitgaan dat hij gelijk heeft en het werkt. En ik zeg niet dat ik het geen goed plan vind. Niemand die ooit getwijfeld heeft aan de vent z'n verstand, alleen aan zijn maag voor het harde werk. Maar hoe zit het met hier?'

'Sorry?' zei Joe.

'Hier.' Rico zette een vinger op het tafelblad. 'Hij mag straks een koninkrijk bouwen met Meyer hier op Cuba, nu ik hem uit Tampa heb gezet en hij betrapt is met zijn pik in de vrouw van de burgemeester.' Hij keek Joe aan. 'Jawel, Romeo, iedereen weet het inmiddels. Groot gedonder thuis.' Hij trok een paar keer zijn wenkbrauwen op en zocht de ogen van de bazen. 'Krijg ik nog een aandeel in de activiteiten hier? Een kleinigheidje om me vooruit te helpen?'

Joe keek naar Meyer. Cuba was het in de watten gelegde prinsesje van Meyer en Joe; ze beschermden haar tegen alles in de wereld wat haar kon bezoedelen. En daar kwam Rico DiGiacomo aan haar zitten met zijn handen vol vuil en besmettingsgevaar. Meyer keek Joe aan met een berustend soort woede, een blik waaruit sprak: dit is onafwendbaar maar ik neem het jou kwalijk.

'Wou je een stuk van Cuba?' vroeg Carlos.

Rico DiGiacomo hield zijn duim en wijsvinger een haardikte van elkaar en zei: 'Klein stukje.'

Carlos en Sam keken naar Meyer.

Meyer kaatste het meteen door naar Joe. 'Joe en ik hebben dat land waar we een hotel neerzetten als de oorlog voorbij is. Hotel, casino, de hele reut. Bij jullie allemaal bekend.'

'Hoe groot is jullie aandeel, Joe?'

'Ik heb twintig procent, Meyer heeft hetzelfde. Pensioenfonds heeft de rest.'

'Dan geef je vijf aan Rico.'

'Vijf,' zei Joe.

'Vijf is redelijk,' zei Rico DiGiacomo.

'Nee,' zei Joe, 'drie is redelijk. Ik geef je drie.'

Rico polste de stemming in het vertrek voor hij antwoord gaf. 'Akkoord, drie.'

Joe wisselde opnieuw een blik van verstandhouding met Meyer. Ze wisten allebei wat er zojuist gebeurd was. Al hadden ze Rico een half procent gegeven, dan nog zou het resultaat hetzelfde zijn geweest: hij had een voet tussen de deur. Wat hij net in Tampa had gedaan, kon hij op een dag ook in Havana doen.

Fuck.

Rico was nog niet klaar. 'Dan is er nog de persoonlijke genoegdoening.'

'Dat jij de eer krijgt voor het vrijlaten van Charlie uit Dannemora en een aandeel in de operatie op Cuba is niet genoeg voor je?' vroeg Marcello.

'Voor mij is het genoeg, Carlos,' zei Rico plechtig. 'Maar is het genoeg voor mijn broer, dat is de vraag.'

De mannen keken elkaar aan.

'Hij heeft een punt,' gaf Meyer uiteindelijk toe.

'Wat kan ik doen?' vroeg Joe. 'Ik kan de kogels niet terugdoen in het pistool.'

'Rico heeft een broer verloren,' zei Daddano.

'Maar ik heb geen broer om ertegenover te stellen.'

'Jawel hoor,' zei Rico.

Het kostte hem nog geen halve seconde om in te zien wat hem overduidelijk had moeten zijn vanaf het moment dat deze bijeenkomst was aangekondigd. Zijn blik ontmoette Rico's grijns.

'Een broer voor een broer,' zei Rico.

'Je wilt dat ik Dion prijsgeef.'

Rico schudde zijn hoofd.

'Nee?'

'Nee,' zei Rico. 'We willen dat je Dion doodt.'

Joe zei: 'Dion is niet...'

'Je moet ons niet beledigen,' zei Carlos Marcello. 'Niet doen, Joseph.'

Meyer stak een sigaret aan met de peuk van de vorige. Meyer vulde een asbak sneller dan een kamer vol gokverslaafden. 'Je weet dat de Commissie niet lichtvaardig een doodvonnis uitspreekt. Maak ons of jezelf niet te schande door voor hem te gaan pleiten.'

'Het is een laag stuk vreten,' zei Daddano, 'en hij gaat er godverdomme aan. De vraag is alleen nog hoe en wanneer.'

Een stilte, in het bijzonder een contemplatieve stilte, zou onmiddellijk als zwakte worden opgevat en daarom wachtte Joe geen moment. 'Dan wordt het meteen morgenvroeg. Klaar. Willen jullie hem oppikken? Moet ik hem ergens heen sturen?'

Als ze hem een nacht de tijd gaven, zou hij er iets op verzinnen. Hij had geen idee wat, maar iets. Maar stuurden ze iemand met hem mee terug, dan zou hij niet weten wat voor wonderen hij nog kon bewerkstelligen. Of niet.

'Morgen is prima,' zei Meyer.

Joe keek neutraal voor zich uit, alsof het antwoord hem totaal onberoerd liet.

'Het zou niet eens morgenvroeg hoeven,' zei Daddano. 'Tegen het eind van de dag is best.'

'Zolang het maar gebeurt,' zei Carlos Marcello.

'Door jou.' Rico's stoel kraakte toen hij erin achteroverleunde.

Joe vertrok geen spier. 'Door mij.'

Vier knikjes.

'Jij,' zei Rico. 'Je molt hem zoals je mijn broer hebt gedaan. Zelfde pistool. En elke keer als je er dan naar kijkt, jij stuk... telkens als je ernaar kijkt, denk je aan mijn broer en aan die van jou.'

Joe liet zijn blik langs alle mannen aan tafel gaan. 'Geen probleem.'

'Sorry,' zei Rico, 'maar dat hoorde ik niet.'

Joe keek hem aan.

'Ik meen het. Ik heb van die oorsuizingen soms, alsof er een fluitketel in mijn oor zit. Wat zei je?'

Joe wachtte een paar tikken van de klok boven de deur.

'Ik zei dat ik Dion zal doden. Geen probleem.'

Rico klopte lichtjes op de tafel. 'Nou, mooi, dan zou ik deze bijeenkomst geslaagd willen noemen.'

'Jij noemt deze bijeenkomst helemaal niks,' zei Carlos Marcello. 'Wij schrijven bijeenkomsten uit en wij schorsen ze.'

Rico ging weer zitten, en op dat moment kwamen er drie mannen de kamer in. Viv liep voorop en kwam links om de tafel heen naar Joe, zijn indroevige ogen de hele tijd op hem gericht. Toen hij bij Joe was, ging hij recht achter zijn stoel staan. Joe kon zijn ademhaling horen.

De tweede man, Carl the Bowler, kwam langs de andere kant van de tafel en stelde zich op tussen Sam Daddano en Rico DiGiacomo, zijn handen gekruist over zijn middel. Rico keek naar Saint Viv, de beul, achter de man die zijn broer had vermoord. Zijn blik kruiste die van Joe en hij kon er niets aan doen – er kwam een glimlach op zijn gezicht.

De derde man die binnenkwam was een vreemde. Hij was graatmager en nerveus en keek strak naar de vloer tot hij bij Meyer was. Hij zette een tas voor hem neer, haalde er een zwarte map uit en legde die op tafel. Hij sprak een volle minuut gedempt in Meyers oor, en toen hij klaar was bedankte Meyer hem en zei dat hij maar iets te eten moest gaan halen.

De man volgde het kleed de kamer uit, zijn magere schouders opgetrokken, zijn kalende hoofd glanzend in het licht.

Meyer schoof de map over de tafel heen naar Rico. 'Van jou, toch?'

Rico sloeg hem open en bladerde. 'Ja.' Hij sloot de map, schoof hem terug. 'Wat doet dat ding helemaal hier?'

Meyer vroeg: 'Is dit jouw grootboek? Dit is alles wat jij voor ons verdient?'

Rico's ogen gingen licht heen en weer toen hij zijn sigaret opstak. Voor het eerst sinds een tijdje, vermoedde Joe, voelde hij dat hij een stap achterliep in het spel. 'Ja, Meyer. Dit is de map met de cash die ik jullie elke maand stuur. Dezelfde die Freddy altijd bij zich had in die tas van krokodillenleer van hem.'

'En het handschrift is van jou, geen twijfel aan?' De vraag kwam van Carlos Marcello.

Rico was niet blij met de wending die het gesprek nam, maar hij had geen andere keuze dan te antwoorden. 'Ja. Allemaal van mij.'

'En niemand anders had er ergens iets tussen kunnen krabbelen?'

'Nee. Nee. Geen sprake van. Je kent die hanenpoten van me; fraai is anders, maar ze zijn echt van mij.'

Meyer knikte, alsof daarmee alles op z'n plaats viel, en bond de map dicht met een lint. 'Dank je, Rico.'

'Geen probleem. Graag gedaan.'

Meyer stak zijn hand in de tas en haalde een tweede map tevoorschijn. Hij smeet hem op tafel.

En op dat moment haakte Rico weer aan bij het spel.

'Ho,' zei hij. 'Wat krijgen we nou?'

'Dit is een tweede grootboek.' Meyer schoof het over de tafel naar hem toe. 'Herken je de hanenpoten?'

Rico sloeg het open. Hij bladerde. Zijn ogen schoten heen en weer over de pagina's. Hij keek Meyer aan. 'Ik snap het niet. Is dit een kopie?'

'Dat leek eerst wel zo. Toen lieten we de boekhouder er nog eens naar kijken. Volgens hem heb je ermee gesjoemeld.'

'Nee.'

'Voor een vrolijke dertigduizend dit jaar, vorig jaar veertig.'

'Nee, Meyer. Nee.' Rico keek om zich heen naar de anderen, tot zijn blik bleef kleven aan Joe en hij wist hoe het zat. 'Nee!'

Toen Carl the Bowler de plastic zak over zijn hoofd schoof stak Rico zijn handen in de lucht, maar Sam Daddano greep zijn polsen. Hij en Carl the Bowler draaiden Rico om in zijn stoel en Carl knoopte de zak dicht in Rico's nek.

Carlos Marcello zei tegen Joe: 'Wie kan hem vervangen? Jij niet.'

Toen Joe Bobo Frechetti in de arm nam om in Rico's kantoor in te breken dacht hij oprecht dat er een tweede grootboek zou zijn. Maar mocht de nood zich voordoen, dan had hij Bobo's zwager, meester-vervalser Ernie Boch, paraat aan de zijlijn.

De nood deed zich voor.

Rico's brandende sigaret rolde naar het midden van de tafel. Meyer stak er zijn hand naar uit en doofde hem in de asbak die voor hem stond.

'Ken je die gast die alle dagen rondhangt in de Italiaanse vereniging in Ybor?' vroeg Joe.

'Trafficante?' zei Marcello.

'Ja. Die is er klaar voor.'

Bobo had het grootboek overhandigd aan zijn zwager Ernie, die Rico's handschrift had gekopieerd: de lussende kapitalen, de i's en de j's zonder punten, de hellende t's en de afgeplatte n'en. De rest was eenvoudig een kwestie van een bedrag afromen hier en een paar nullen wegwerken daar.

Rico's voeten schopten zo hard tegen Sam Daddano's stoel dat die eruit zou zijn gevlogen als hij Rico's polsen niet zo stevig vast had gehad.

'Trafficante is een prima verdiener,' kreeg Daddano er met moeite uit. Hij begon buiten adem te raken.

Marcello keek Meyer aan en Meyer zei: 'Ik heb hem altijd een redelijke vent gevonden.'

Marcello zei: 'Dan wordt het Trafficante.'

Rico's lichaam liep leeg, de lucht verspreidde zich in het vertrek. Hij staakte zijn geschop. Zijn armen vielen slap langs zijn lichaam.

Carl the Bowler hield de zak voor alle zekerheid nog twee minuten op z'n plaats terwijl Joe de andere mannen achter elkaar aan naar buiten zag lopen.

Toen Joe opstond om de kamer te verlaten gunde hij het lijk nog een laatste blik, waarna hij zijn sigaretten pakte. Hij wuifde met zijn hand tegen de stank die het uitwasemde.

Dat is het enige wat je hebt gedaan met je tijd op deze wereld, Rico: de lucht bederven.

En de verkeerde Ier besodemieteren.

24

Ik stuur je een ansicht

Onderweg in de auto naar een appartement dat hij aanhield in de oude stad, overdacht Joe de wegen die hem openstonden.

Hij zag er twee.

Dion, zijn oudste vriend, doden.

Of hem niet doden en er zelf aangaan.

Zelfs als hij Dion ombracht, kon de Commissie toch nog tot liquidatie van Joe besluiten. Hij had ze geld gekost en een knoeiboel achtergelaten. Dat hij nu heelhuids van die boot gekomen was, betekende nog niet dat hij veilig was.

Zijn chauffeur, Manuel Gravante, zei: 'Baas, Angel kwam langsrijden toen u op de boot zat. Hij zei dat er nog een pakje voor u is, thuis.'

'Wat voor pakje?'

'Het was een doos, zei Angel.' Manuel hield zijn handen een centimeter of dertig uit elkaar en legde ze weer op het stuur. 'Hij zei dat het op uw naam naar het paleis was gestuurd. Een knecht van de kolonel heeft het bezorgd.'

'Wie is de afzender?'

'Een zekere Dix.'

Dat moest dan een van zijn laatste handelingen op aarde geweest zijn.

Jezus, dacht Joe. Zal er nog iemand van ons over zijn als dit allemaal achter de rug is?

Hij had het pakje verwacht, maar opende het toch voor alle zekerheid op de binnenplaats achter zijn flat. Als Joe, zoals velen dachten, negen levens had, raakte hij er twee kwijt op het moment dat hij de flappen van de doos opende en de rook naar buiten stroomde. Hij deed een sprong naar achteren en bleef roerloos staan terwijl nieuw zweet zijn weg vond in een pak dat al eerder van zweet doordrenkt was geweest. De witte damp sloeg van het droogijs, walste over de flappen van de doos en loste op tussen de palmbladeren boven zijn hoofd. Toen hij had vastgesteld dat de bron inderdaad droogijs was, wachtte hij tot de laatste damp was verdwenen, waarna hij de kleinere doos uit het pak tilde en op de stenen tafel zette.

De doos was gebutst op alle vier de hoeken. Olieachtige vlekken op de kant waar het karton met de inhoud in aanraking was geweest. De woorden op de bovenkant, CHINETTI BAKERY, CENTRO YBOR, waren bezaaid met bloedspetters. Het koordje zat nog steeds kruislings om het karton. Joe sneed het door met dezelfde schaar als waarmee hij de grote doos had geopend. Binnenin zat de torta al cappuccino, hoewel die nauwelijks nog als zodanig herkenbaar was. Hij was ingezakt en zag aan een kant groen van de schimmel. Hij stonk.

Elke week de afgelopen twee jaar, weer of geen weer, warm en vochtig of koud en buiig, was Dion naar de bakkerij gegaan en met een cake in een doos weer naar buiten gekomen.

Maar was dat het enige wat erin had gezeten?

Joe tilde de bedorven cake op.

Het enige wat eronder lag was vlekkerig vetvrij papier en een rond stukje karton. Hij had het mis gehad. Hij voelde zijn hart nog tekeergaan in zijn borst terwijl een warme rivier van opluchting de rest van zijn lichaam doorstroomde. Nu vond hij zijn verdenkingen beschamend. Hij keek omhoog naar het raam van de slaapkamer waar Dion de eerste nacht had doorgebracht, de nacht voordat Meyer bevestigde dat er vanuit Tampa huurmoordenaars van Rico onderweg waren. De volgende ochtend hadden ze Dion verplaatst en onder toezicht en bescherming van de lijfwacht van de kolonel ondergebracht op een plek zo'n dertig mijl naar het zuiden, hetgeen Joe een lieve som kostte.

Joe zond een stil verzoek om verontschuldiging naar zijn vriend.

Toen richtte hij zich weer op de cake in de doos en luisterde naar de zwartste stem in zijn hart. Hij tilde het vetvrije papier op en vervolgens het ronde kartonnetje.

En daar lag hij.

De envelop.

Hij maakte hem open. Hij liet het stapeltje honderdjes door zijn vingers gaan en vond ten slotte het witte velletje helemaal onderaan. Hij las wat erop stond. Een naam, meer niet. Maar meer was ook niet nodig. De tekst van het briefje deed er niet toe. Het briefje zelf vertelde het hele verhaal.

Elke week in de afgelopen twee jaar was Dion naar Chinetti's Bakery in Seventh gegaan om zich vol te stoppen met gebak en om zijn dagorders te krijgen van hetzij een FBI-man, hetzij een smeris betreffende welke jongens hij er vervolgens bij moest lappen.

Joe vouwde het briefje dubbel, stopte het in zijn portefeuille en deed vervolgens het karton, het vetvrije papier en de cake terug in de doos. Hij deed het deksel er weer op, ging op het stoeltje naast zijn rozenstruiken zitten. Het besef dat hij er alleen voor stond in deze kwestie – echt verdomme helemaal alleen – dreigde hem van zijn stoel te stoten. Hij stond op en verstopte zijn verdriet en zijn woede in een vers nieuw vakje in zichzelf. Op zijn zesendertigste, na twintig jaar aan de verkeerde kant van de wet, had hij talloze van die vakjes. Ze lagen verzegeld opgeslagen door zijn hele binnenste. Hij vroeg zich af of ze ooit allemaal tegelijk zouden openspringen en of dat dan zijn dood zou betekenen. Dat, of dat hij de grens van zijn opslagcapaciteit zou bereiken en zou bezwijken door gebrek aan lucht.

Hij viel in slaap in zijn werkkamer, rechtop zittend in de grote leren leunstoel. Toen hij midden in de nacht zijn ogen opsloeg, stond de jongen voor de haard, waarin het vuur was gedoofd tot gloeiende kooltjes. Hij droeg een rode pyjama die sterk deed denken aan een pyjama die Joe als kind had gedragen.

'Is dat het?' vroeg Joe. 'Ben jij mijn tweelingbroer die in de baarmoeder is gestorven? Of ben jij mij?'

De jongen hurkte neer, blies op de kooltjes.

'Ik heb nog nooit gehoord dat iemand een geest van zichzelf had die hem achtervolgde,' zei Joe. 'Ik geloof niet dat dat mogelijk is.'

De jongen keek over zijn schouder naar Joe, alsof hij wilde zeggen: alles is mogelijk.

In het donker van de kamer waren ook nog anderen. Joe kon hun aanwezigheid voelen, al zag hij ze niet.

Toen hij opnieuw naar de haard keek waren de kooltjes uit en was de ochtend al aangebroken.

Het huis waar hij Dion en Tomas had verstopt stond in Nazareno, diep in de binnenlanden van de provincie Habana. Erachter lagen Havana en de Atlantische Oceaan. De andere kant op had je bergen, oerwoud en ten slotte de sprankelende Caribische Zee. Het was in het hart van het suikerrietgebied, en zo kwam het dat Joe het ontdekt had. Het huis was oorspronkelijk gebouwd als landhuis voor de Spaanse *comandante* van het leger dat was gekomen om een opstand van Cubaanse landarbeiders neer te slaan, in 1880. De barakken van de soldaten die dat neerslaan hadden uitgevoerd, waren sinds lang in onbruik geraakt en door de jungle heroverd, maar het landhuis van de comandante was in zijn oorspronkelijke glorie behouden gebleven: acht slaapkamers en veertien balkons, alles omringd door hoge ijzeren omheiningen en poorten.

El Presidente – kolonel Fulgencio Batista – had Joe hoogstpersoonlijk voorzien van twaalf soldaten, genoeg om een aanval van Rico Di-Giacomo en zijn mannen af te slaan, mochten ze de locatie ontdekken. Maar Joe wist dat het werkelijke gevaar niet van Rico zou komen, zelfs al had die zijn bezoek aan de boot overleefd. Het zou van Meyer komen. En niet van buitenaf maar van een van de goed bewapende soldaten binnen.

Hij trof Tomas en Dion aan in Dions slaapkamer. Dion leerde de jongen schaken, een spel waarin Dion zelf amper uit de voeten kon, maar hij kende tenminste de spelregels. Joe zette de papieren boodschappentas op de vloer. In zijn andere hand had hij de medicijntas die dokter Blake hem had gegeven in Ybor. Hij hield hem in zijn hand terwijl hij in de deuropening stond en een tijdje naar het tweetal keek en Dion Tomas alles uitlegde over de oorzaken van de strijd in Europa. Hij vertelde over de woede over het Verdrag van Versailles, over Mussolini, die Ethiopië was binnengevallen, over de annexatie van Oostenrijk en Tsjechoslowakije.

'Op dat moment hadden ze dat gekloot van die vent de kop moeten indrukken,' zei Dion. 'Als je iemand eenmaal hebt laten weten dat-ie best een beetje mag stelen, zal-ie er niet meer mee ophouden tot je 'm zijn hand afhakt. Maar als je dreigt hem zijn hand af te hakken voordat hij naar dat stuk brood grijpt, en hij ziet aan je blik dat je het meent, dan zal hij wel een manier vinden om met minder toe te kunnen.'

'Gaan wij verliezen?' vroeg Tomas.

'Wat verliezen?' vroeg Dion. 'We hebben geen vastgoed in Frankrijk.'

'Maar waarom vechten we dan?'

'Nou ja, we vechten tegen de jappen omdat die ons hebben aangevallen. En die kleine rotmof van een Hitler bleef maar op onze schepen jagen, maar de echte reden waarom we vechten is omdat die man gewoon een gek is en weg moet.'

'Dat is alles?'

'Zo ongeveer wel. Soms moet een vent gewoon verdwijnen.'

'Waarom zijn de Japanners boos op ons?'

Dion deed zijn mond open om antwoord te geven, maar deed hem weer dicht. Na een tijdje zei hij: 'Weet je, ik weet het niet eens. Ik bedoel, het zijn jappen, dus die zijn niet zoals jij of ik, maar ik heb geen idee waarom ze eigenlijk zo geïrriteerd zijn geraakt. Zal ik het voor je opzoeken?'

Tomas knikte.

'Afgesproken. Bij ons volgende spelletje weet ik alles wat je moet weten over de jappen en hun achterbakse manieren.'

Tomas lachte en zei: 'Schaakmat.'

'Zo, een achterbakse aanval zeker?' Dion keek naar het bord. 'Wie weet ben je zelf een halve jap.'

Tomas keek om naar Joe. 'Ik heb gewonnen, pap.'

'Ik zie het. Goed gedaan.'

Tomas stond op van het bed. 'Gaan we hier gauw weg?'

Joe knikte. 'Ja, gauw. Ga je maar even opfrissen, ik geloof dat mevrouw Alvarez een lunch voor je maakt beneden.'

'Goed. Dag, oom Dion.'

'Dag, jongen.'

'Schaakmat,' zei Tomas, waarop hij snel de deur uit liep. 'Ha.'

Joe zette de boodschappentas bij het voeteneinde van het bed en de tas van de dokter op het nachtkastje. Hij pakte het schaakbord van Dions schoot. 'Hoe voel je je?'

'Elke dag een stukje beter. Nog wel zwak, hoor, maar het gaat de goeie kant op. Ik heb een lijstje van kerels die we volgens mij kunnen vertrouwen. Sommigen zitten in Tampa, maar veel zijn jongens van onze operatie in Boston. Als jij erheen zou kunnen gaan om ze over te halen om over een maand of misschien een week of zes naar Tampa te komen, zouden we de stad terug kunnen pakken. Sommige van die gasten zullen wel duur zijn. Zo'n Kevin Byrne zal echt niet uit pure loyaliteit z'n acht kinderen onder de arm nemen en zijn territorium in Boston achterlaten. We zullen flink over de brug moeten komen. En Mickey Adams, die zal ook niet goedkoop zijn, maar als ze ja zeggen, is hun belofte goud waard. En als ze nee zeggen, zullen ze nooit aan iemand laten weten dat je in de stad was. Zulke lui z...'

Joe zette het schaakbord op de ladekast. 'Ik zat gisteren in een vergadering met Meyer, Carlos en Sammy Turnips.'

Dion verschoof zijn hoofd op het kussen. 'Zo.'

'Tja.'

'En hoe ging dat?'

'Nou, ik leef nog.'

Dion snoof. 'Die zouden jou nooit afmaken.'

'In feite,' zei Joe, terwijl hij op de rand van het bed ging zitten, 'hadden ze m'n graf al voor me uitgekozen. Ik heb er een dik uur boven gedobberd.'

'Was die bijeenkomst op een boot? Ben je nou helemaal gek geworden of hoe zit het?'

'Ik had geen keus. Als de Commissie zegt dat je moet komen, kan je dat maar beter doen. Was ik weggebleven, dan hadden ze ons ondertussen allemaal al afgemaakt.'

'Zouden ze langs die wachten komen, denk je? Ik denk het niet.'

'Dat zijn wachten van Batista. Batista neemt geld van mij aan, maar ook van Meyer. Dat wil dus zeggen dat als wij met z'n tweeën ruzie krijgen, hij het grootste bedrag pakt van wie zich maar als eerste meldt en de rest aan de goden overlaat. Niemand hoeft langs die wachten. Het zouden die wachten zijn die ons afmaken.'

Dion probeerde een zoveelste andere houding in het bed, haalde een halve sigaar uit zijn asbak en stak die opnieuw aan. 'Dus, je hebt de Commissie gesproken.'

'En Rico DiGiacomo.'

Dions blik slalomde langs de sigarenrook, tot de vlam ten slotte pakte en de tabak knisperde. 'Die zal wel een tikje van de kook zijn geweest over zijn broer.'

'Dat is wel heel zacht uitgedrukt. Hij eiste mijn hoofd.'

'Hoe ben je er dan mee teruggekomen?'

'Ik heb ze dat van jou beloofd.'

Dion ging nog eens verliggen, en Joe begreep dat hij probeerde in de tas te kijken. 'Je hebt ze dat van mij beloofd.'

Joe knikte.

'Waarom zou je dat doen, Joe?'

'Enige manier waarop ik lopend van die boot af kon komen.'

'Wat zit er in die tas, Joe?'

'Ze hebben me te verstaan gegeven dat die aanslag op jou niet iets uit de hoge hoed van Rico was. Hij had hun goedkeuring.'

Dion broedde daar een poosje op, zijn ogen klein en naar binnen gericht, zijn gezicht bleek weggetrokken. Hij bleef trekjes van zijn sigaar nemen, maar Joe vroeg zich af of hij zich er zelfs maar bewust van was. Na een minuut of vijf zei hij: 'Ik weet dat de inkomsten gedaald zijn, de laatste paar jaar onder mijn beheer. Ik weet dat ik te veel vergok op de paardenrennen, maar...' Hij viel opnieuw stil, nam nog een paar trekjes van zijn sigaar om de brand erin te houden. 'Hebben ze ook gezegd waarom ik eraan moet?'

'Nee. Maar ik heb wel een paar ideeën.' Joe stak zijn hand in de tas en haalde de doos van Chinetti's tevoorschijn. Hij zette hem bij zijn vriend op schoot en zag het bloed uit Dions gezicht wegtrekken.

'Wat is dat?'

Joe grinnikte.

Dion vroeg het nog eens: 'Wat is dat? Komt dat van Chinetti's?'

Joe stak zijn hand in de tas met spullen van dokter Blake en haalde er een volle injectiespuit met morfine uit. Voldoende om een hele kudde giraffes mee plat te spuiten. Hij tikte hem tegen de muis van zijn hand terwijl hij peinzend zijn oudste vriend opnam.

'Smerige doos,' zei Dion. 'Zit onder het bloed.'

'Ja, smerig,' stemde Joe in. 'Waarmee hadden ze je klem?'

'Luister, ik weet niet wat je...'

'Wat wisten ze over je?' Joe tikte de spuit af tegen Dions borst.

'Hé, Joe, ik weet dat het er verdacht uitziet.'

'Omdat het dat ook is.'

'Maar soms is iets niet wat het lijkt.'

Joe tikte de spuit tegen Dions been. *Tik, tik, tik.* 'Maar in de meeste gevallen wel.'

'Joe, wij zijn broers. Je gaat toch niet…'

Joe zette de punt van de naald tegen Dions keel. Hij deed het zonder omhaal – het ene moment tikte de naald tegen Dions scheenbeen en het volgende stond de punt strak tegen de slagader links van zijn adamsappel. 'Je hebt me al eens eerder verraden. Dat heeft me drie jaar in de bak gekost. En niet in de eerste de beste bak, maar in Charlestown. En toch heb ik je niet laten vallen. De tweede keer dat ik voor zo'n keus stond hebben ze negen van mijn jongens afgeslacht omdat ik besloot je trouw te blijven. Herinner je je Sal nog? Herinner je je Lefty en Arnaz en Kenwood? Esposito en Parone? Allemaal dood omdat ik je niet aan Maso Pescatore uitleverde, toen, in '33.' Hij bewoog de naaldpunt schrapend over Dions hals naar beneden en langs de andere kant weer omhoog. 'En nu sta ik opnieuw voor de keus. Behalve dat ik inmiddels een zoon heb, D.' Hij drukte de punt van de naald door de huid en zette zijn duim op de schuif. Hij hield zijn stem onder controle en vroeg: 'Dus waarom vertel je me godverdomme niet wat ze bij de FBI over je weten?'

Dion staakte zijn pogingen om de naald te kunnen zien en keek Joe aan. 'Wat weten ze nou altijd over mensen zoals wij? Ze hebben bewijzen ook. Ze hadden een telefoongesprek van een jaar geleden van me waarin ik opdracht gaf die zak van een Pinellas door z'n knieën te schieten. Ze hadden foto's van me van toen we die boot losten die jij uit Havana had gestuurd, in '41.'

'Ben jij bij dat lossen geweest? Wat mankeert je?'

'Was slordig van me. Ik verveelde me.'

Joe moest zich bedwingen om de naald niet direct in zijn oogbol te steken.

'Wie legde het contact?'

'Hij werkte voor Anslinger.'

De narcoticabrigade, onder de fanatieke Harry Anslinger, was de enige politie-eenheid die zijn zaakjes ook maar een beetje op een rijtje had. En al heel lang leefde de verdenking dat dat misschien kwam doordat Anslinger informatie van binnenuit kreeg.

Dion zei: 'Ik zou nooit iets tegen jou ondernomen hebben.'

'O nee?'

'Nee. Dat weet je wel.'

'O ja?'

Joe dumpte de beschimmelde cake op Dions schoot.

'Wat krijgen we nou?'

'Stil.' Joe haalde de envelop tevoorschijn die hij de vorige avond onder de cake had aangetroffen. Hij smeet hem richting Dion, die hem tegen zijn kin kreeg. 'Maak open.'

Met trillende vingers opende Dion de envelop. Hij haalde er de stapel biljetten uit – tweeduizend in honderdjes – en het briefje helemaal onderop. Hij opende het briefje en sloot zijn ogen.

'Laat maar zien, D. Laat zien welke naam erop staat.'

'Dat ze vroegen om info wil nog niet zeggen dat ik die gegeven zou hebben. Heel vaak doe ik het ook niet.'

'Laat zien die naam. Laat zien wie hun volgende doelwit was.'

Dion draaide het briefje naar hem toe.

COUGHLIN.

'Ik zou nooit...'

'Hoeveel leugens wou je me nog laten geloven? Hoelang moet dit feest nog zo doorgaan? Je zegt maar steeds ik zou niet zus, ik zou nooit zo, ik kon niet anders. Wat wil je nu van mij – dat ik het goddomme met je eens ben? Oké, prima, ik ben het met je eens. Jij bent een man met principes die doet of-ie een man zonder eer is. En ik, ik ben gewoon de schlemiel die alles kwijt is – mijn huis, mijn goeie naam en mijn leven kan ik er nog steeds bij inschieten – omdat ik een rat in bescherming nam.'

'Je beschermde een vriend.'

'Mijn zoon zat in de auto. Je hebt mijn zoon meegenomen naar je vaste contactpunt met die klootzakken van de FBI. Mijn zoon.'

'Van wie ik houd als...'

Joe maakte een snelle beweging naar voren en zette de naald onder Dions linkeroog. 'Jou wil ik niet meer horen over houden van. Niet in deze kamer.'

Dion ademde zwaar door zijn neus, maar zei niets.

'Ik denk dat jij mensen verlinkt omdat het in je aard ligt. Je vindt het spannend. Ik weet het niet zeker, maar dat vermoed ik. En als je iets maar vaak genoeg doet, dan versmelt je ermee. Al die andere eigenschappen van jou, dat is allemaal gelul.'

'Joe, luister. Luister nou.'

Joe voelde zich vernederd toen hij een hete traan over Dions wang zag rollen en besefte dat het een traan uit zijn eigen oog was. 'Waar zou ik nou nog in moeten geloven? Hè? Wat is er nog over?'

Dion antwoordde niet.

Joe haalde zijn tranen op door zijn neus. 'Op een paar minuten lopen van hier is een suikerplantage.'

Dion knipperde. 'Weet ik. Een jaar of vijf geleden hebben jij en Esteban me daar rondgeleid.'

'Angel Balimente verwacht ons daar over een paar uur. Ik zal je aan hem overgeven en hij zal je de provincie uit loodsen naar een boot. Vanavond ben je van het eiland. Als ik ooit nog van je hoor of als ik ooit hoor dat jij ergens je kop weer opsteekt, maak ik je af. Als een lamme geit met schuim op z'n bek. Duidelijk?'

'Hoor nou...'

Joe spuugde hem in zijn gezicht.

Dion kneep zijn ogen dicht en huilde nu ook, met schokkende borst.

'Of het duidelijk was, vroeg ik.'

Dion hield zijn ogen gesloten en zwaaide met zijn arm heen en weer voor zijn gezicht. 'Duidelijk.'

Joe stond op van het bed, liep naar de deur. 'Doe wat je moet doen. Pak je spullen, neem afscheid van Tomas, eet wat, je ziet maar. Mocht je gezien worden buiten het huis voordat ik je kom halen, dan hebben de wachten opdracht om je ter plekke neer te schieten.'

Hij ging de kamer uit.

Buiten, op de stenen veranda, stond een aangeslagen Tomas. 'Maar wanneer zie ik je weer?'

'O,' zei Dion, 'gauw genoeg. Dat weet je.'

'Dat weet ik niet. Echt niet.'

Dion knielde naast hem. Het kostte hem enige moeite en weer opstaan zou waarschijnlijk nog lastiger zijn. 'Je weet wat je vader en ik doen voor de kost.'

'Ja.'

'Wat is het dan?'

'Illegaal.'

'Dat ook, maar het is meer dan dat. Wij noemen het "ons ding" want dat is nou precies was het is – een paar kerels zoals ik en jouw vader zitten samen in een, hoe zal ik het noemen... in een onderneming. En die is van ons alleen. We vallen niemand lastig die er niet bij hoort, we vallen niet jouw land binnen of stelen je land omdat onze ogen groter zijn dan onze maag. We verdienen geld. En tegen betaling beschermen we andere mensen die op dezelfde manier hun geld proberen te verdienen. En als we in de problemen komen kunnen we niet naar de politie of de burgemeester lopen. We staan er alleen voor, als mannen. En soms is dat een bittere pil om te slikken. Daarom moet ik nu weg. Want je hebt zelf gezien wat er in Tampa is gebeurd. Je hebt gezien wat ervan komt als wij het niet met elkaar eens zijn binnen dat ding van ons. Dan kan het er serieus aan toegaan, hè?'

Hij lachte en Tomas lachte ook.

'Bloedserieus, hè?'

'Ja,' zei Tomas.

'Maar dat is best. Het zijn juist de serieuze dingen die het leven de moeite waard maken. Al het andere – de meiden, de lol, de malle spelletjes en dagen van luieren – heel leuk allemaal, maar je houdt er niks aan over. De serieuze dingen, die blijven hangen en geven je het gevoel dat je leeft. En nu is het dus behoorlijk serieus en je vader heeft een manier bedacht om mij eruit te krijgen, maar nu moet ik weg, misschien wel voor altijd.'

'Nee.'

'Ja. Maar luister. Kijk, kijk me aan.' Hij pakte Tomas bij zijn schouders zodat ze elkaar nu recht in de ogen keken. 'Op een dag krijg je een ansichtkaart. Zonder dat er verder iets op geschreven staat. Alleen die kaart. En de plaats op die kaart, wat denk je? Dat is niet de plaats waar ik ben, maar waar ik wás. En dan weet je dat je oom Dion ergens rondloopt. Dat hij zich redt.'

'Oké. Oké.'

'Jouw vader en ik, Tomas, wij tweeën geloven niet in koningen of prinsen of presidenten. Wij geloven dat we allemaal koning en prins en president zijn. Wij zijn allemaal wat we besluiten dat we willen zijn en er is niemand die ons iets anders wijsmaakt. Begrepen?'

'Ja.'

'Ga nooit op je knieën, voor niemand.'

'Jij zit nu zelf op je knieën.'

'Dat is omdat jij familie bent.' Hij grinnikte. 'Goed, help me nu maar overeind als je wilt, kerel. Shit.'

'Hoe moet ik jou overeind helpen?'

'Gewoon je hoofd zo houden, niet bewegen.'

Hij zette zijn grote klauw boven op Tomas' hoofd en duwde zich op.

'Au.'

'Pas op hoor, een kerel jammert niet, potverdorie.' Tegen Joe zei hij: 'Je moet die jongen nog wel wat flinker maken.' Hij kneep Tomas in zijn biceps. 'Heb ik gelijk of niet?'

Tomas maaide naar zijn hand.

'Tot ziens, kerel.'

'Tot ziens, oom Dion.'

Hij zag dat zijn vader Dions koffer van de veranda tilde, waarna hij Dion en zijn vader nakeek terwijl ze het erf over liepen en de heuvel afdaalden in de richting van de plantage, en hij hoopte vurig dat dit niet het hele leven was: een aaneenschakeling van afscheid nemen.

Maar hij was bang van wel.

25

Riet

Joe en Dion volgden een pad dat door het hart van de plantage liep. De arbeiders spraken van 'het laantje naar het kleine huis', omdat aan het eind ervan een geel geverfd huisje stond dat de vorige eigenaar daar had laten neerzetten als speelhuis voor zijn dochter. Het was niet groter dan een gereedschapsschuurtje, maar gebouwd in victoriaanse stijl. In het begin van de jaren dertig, tijdens de hoogtijdagen van de illegale rum, toen de suikerprijs op z'n top was, had de eigenaar de plantage verkocht aan Suarez Sugar Ltd., het bedrijf van Joe en Esteban. De dochter van de eigenaar was toen allang volwassen en had het eiland verlaten, het speelhuis dat ze achterliet was gebruikt voor de opslag van spullen en af en toe als slaapplek voor kleinere mannen. Op zeker moment hadden ze het raam in de muur naar het westen eruit gehaald, er een plank onder getimmerd en het ding ingericht als kroeg, met een paar houten tafeltjes ervoor. Op deze daad van naastenliefde bleek geen zegen te rusten, omdat dronken arbeiders snel tot vechten geneigd bleken; het experiment werd definitief beëindigd toen twee rietkappers elkaar met machetes te lijf gingen, waarbij beiden verminkt raakten en niet meer inzetbaar waren voor het werk op de plantage.

Joe droeg Dions koffer. Veel zat er niet in – een paar overhemden, een broek, sokken en ondergoed, een paar schoenen, twee flacons eau de cologne en een tandenborstel – maar Dion was nog te zwak om hem het hele eind in de namiddaghitte door een veld met suikerriet te dragen.

Het riet stond ruim twee meter hoog. De rijen lagen een flinke pas uit elkaar. In het westen waren arbeiders een veld aan het afbranden. Het vuur verteerde de bladeren maar niet de stengels met hun kostbare, suikerhoudende sap, die naar de suikermolen getransporteerd zouden worden. Gelukkig kwam de zwoele wind uit het oosten, zodat de rook niet over de andere velden dreef. Soms was het precies andersom en zou je denken dat de hemel van de wereld getrokken was en vervangen door een plafond van kolkende wolken zo groot als zeppelins en zo donker als gietijzer. Maar vandaag vertoonde de hemel zich blakend blauw, hoewel langs de horizon al een waas van oranje opwaarts kroop.

'Dus dat is het plan?' vroeg Dion. 'Angel neemt me mee over die heuvels?'

'Ja.'

'Waar is de boot?'

'Aan de andere kant van de heuvels, neem ik aan. Het enige wat ik zeker weet is dat die boot je naar Isla de Pinos brengt. Daar blijf je een tijdje. Dan komt iemand anders je oppikken om je naar Kingston of Belize te brengen.'

'Je weet niet welke van de twee.'

'Nee. En ik wil het niet weten ook.'

'Doe mij maar Kingston. Daar praten ze Engels.'

'Je spreekt Spaans. Wat maakt het uit?'

'Ik kan geen Spaans meer horen.'

Ze liepen een tijdje zwijgend voort over de zachte bodem. Voor hen, op de hoogste heuvel, rees de suikermolen op die als een strenge ouder uitkeek over de tienduizend hectare grote plantage. Op de op een na hoogste heuvel stonden de huizen van de bedrijfsleiders: koloniale villa's met een veranda rondom de hele eerste verdieping. De voormannen woonden in gelijksoortige woningen een eindje heuvelafwaarts, maar die huizen waren gesplitst en bestonden nu uit zes tot acht wooneenheden. Langs de randen van de akkers stonden de golfplatenhutjes van de arbeiders. Aarden vloeren, veelal, een paar voorzien van stromend water, de meeste niet. Achter elk vijfde hutje stond een buitenplee.

Dion schraapte zijn keel. 'Dus, stel dat het me meezit, dan loop ik straks rond op Jamaica. Maar wat dan? Wat moet ik daarna gaan doen?'

'Verdwijnen.'

'Hoe zie je dat voor je, zonder geld?'

'Je hebt tweeduizend dollar. Zuurverdiend geld.'

'Dat is er zo doorheen op de vlucht.'

'Hé, weet je wat? Ik zal er niet wakker van liggen, D.'

'Ik dacht het toch wel.'

'Vertel, hoe zie jij dat?'

'Als ik geen geld heb, zal ik meer opvallen. En dan zal ik ook wanhopiger zijn. Waarschijnlijk sneller geneigd tot onbezonnen gedrag. En daarbij... Jamaica? Hoeveel zaken hebben we daar niet gedaan in de jaren twintig en dertig? Denk je niet dat iemand me daar op een gegeven ogenblik zal herkennen?'

'Misschien. Daar zou ik nog eens wat langer bij...'

'Nee, nee. Daar zou jij allang aan gedacht hebben. De Joe die ik ken zou ergens onderweg een flinke tas met geld en een paar paspoorten voor me verstopt hebben. Die zou gezorgd hebben voor mensen die klaarstonden om mijn haar te verven of me een valse baard aan te meten, dat soort dingen.'

'De Joe die jij kent heeft daar geen tijd voor. De Joe die jij kent moet als de donder zorgen dat-ie jou het land uit krijgt.'

'De Joe die ik ken had allang bedacht hoe hij me op Isla del Pinto van geld ging voorzien.'

'Isla de Pinos.'

'Stomme naam.'

'Dat is Spaans.'

'Ik weet dat het Spaans is. Ik zei alleen maar dat ik het verdomme een stomme naam vind. Hoor je me? Stom, gewoon.'

'Wat is er stom aan Pijnboomeiland?'

Dion schudde verschillende keren zijn hoofd en zei niets.

In de rij naast hen schuurde iets langs de rietstengels. Een hond natuurlijk, speurend naar prooi. Langs de akkerranden maar ook tussen de rijen slopen voortdurend bruinige terriërs rond die met hun vlijmscherpe tanden ratten doodden. De honden, met hun glanzende, donkere ogen, waren soms zo gespitst op hun werk dat ze in roedels een landarbeider te lijf gingen als ze een rat aan hem roken. Een teef met spikkels op de flanken die Luz heette was zo'n legende – ze had eens op één dag 273 knagers gedood – dat ze een hele maand in het kleine huis had mogen slapen.

Gewapende mannen hielden de wacht over de akkers, zogenaamd

om dieven bij het riet vandaan te houden, maar in werkelijkheid om de arbeiders aan het werk te houden en degenen die schulden hadden niet te laten ontkomen. Alle arbeiders hadden schulden. Dit is geen plantage, had Joe gedacht toen hij en Esteban voor het eerst kwamen kijken, maar een gevangenis. Ik heb aandelen in een gevangenis. Wat ook de reden was waarom Joe niet bang hoefde te zijn voor de wachters, want die waren zonder uitzondering bang voor hem.

'Ik sprak al Spaans,' zei Dion, 'twee jaar voordat jij dat kon. Weet je nog dat ik zei dat dat de enige manier was om het hoofd boven water te houden in Ybor? En jij zei: "Maar dit is Amerika. Ik wil verdomme mijn eigen taal spreken."'

Joe had dat nooit gezegd, maar hij knikte toch toen Dion hem over zijn schouder aankeek. Ergens rechts van hen hoorde hij opnieuw de hond, met een schouder vegend langs de rietstengels.

'Ik was jouw gids, destijds, in '29. Weet je nog? Je stapte uit die trein uit Boston met je krijtwitte velletje en je geschoren gevangeniskop. Zonder mij was je totaal verloren geweest, had je geen kant op gekund.'

Joe zag dat Dion over de hoge stengels heen naar de oranje en blauwe lucht keek. Het was een vreemde mengeling van kleuren – het blauw van de dag dat zijn uiterste best deed om te blijven hangen terwijl de oranje blos van de namiddag was begonnen aan zijn opmars naar een bloedrode schemering.

'Die kleuren hier, dat klopt gewoon niet. Veel te veel. Net als in Tampa. Wat hadden we nou helemaal in Boston? We hadden blauw, we hadden grijs en we hadden een spikkel geel als de zon zich liet zien. De bomen waren groen. Het gras was groen en het werd verdomme geen twee meter hoog. Alles was begrijpelijk.'

'Ach ja.' Joe vermoedde dat Dion het geluid van zijn eigen stem wilde horen.

Het was nog een kleine vijfhonderd meter naar het gele huis, een wandelingetje van vijf minuten over een droge weg. Tien minuten over de rulle aarde.

'Hij heeft dat voor zijn dochter gebouwd, toch?'

'Dat zeggen ze.'

'Hoe heette ze?'

'Weet ik niet.'

'Hoe kun je zoiets nou niet weten?'

'Makkelijk zat… Ik weet het gewoon niet.'

'Nooit gehoord ook?'

'Best mogelijk. Ik weet het niet. Misschien toen we het hier kochten en het verhaal voor de eerste keer hoorden. Hij heette Carlos, de vorige eigenaar, maar zijn dochter? Hoe kom je d'r in godsnaam bij dat ik zou weten hoe ze heette?'

'Het voelt gewoon niet goed.' Hij spreidde zijn armen uit naar de akkers en de heuvels. 'Ik bedoel maar, ze heeft hier rondgelopen. Ze heeft hier gespeeld, heen en weer gerend, water gedronken, gegeten.' Hij haalde zijn schouders op. 'Ze hoort een naam te hebben, dacht ik zo.' Hij keek over zijn schouder naar Joe. 'Wat is er van haar geworden? Weet je dat dan tenminste wel?'

'Ze is volwassen geworden.'

Dion richtte zijn blik weer naar voren. 'Je meent het. Maar wat is er van haar gewórden? Heeft ze een lang leven gehad? Of had ze een reisje geboekt op de Lusitania?'

Joe haalde zijn pistool uit zijn zak, liet het langs zijn rechterbeen hangen. In zijn linkerhand droeg hij nog steeds Dions koffer, waarvan het ivoren handvat klam en glad begon aan te voelen in de namiddaghitte. In de film was het zo dat als Cagney of Edward G een vent doodschoot, het slachtoffer een grimas trok en vervolgens beleefd omviel en stierf. Zelfs als zo iemand in de buik getroffen was, wat een wond gaf die, wist Joe, het slachtoffer naar de lucht deed graaien, op de grond deed stampen en om zijn moeder, zijn vader en zijn god deed roepen. Het enige wat hij niet deed was meteen doodgaan.

'Ik weet helemaal niets over haar leven,' zei Joe. 'Ik weet niet of ze nog leeft of hoe oud ze nu zou zijn. Ik weet alleen dat ze van het eiland vertrokken is.'

Het gele huis kwam dichterbij.

'En jij?'

'Wat?'

'Ga jij nog weer van het eiland af?'

Een man die een kogel midden in zijn borst kreeg ging ook niet automatisch meteen dood. Een kogel had vaak tijd nodig om zijn werk te doen. Een afgevijlde kogel kon terugketsen van een bot en het hart schampen in plaats van het binnendringen. En ondertussen bleef het slachtoffer bij bewustzijn. Hij jammerde of lag te kronkelen alsof hij in een tobbe kokend water was gegooid.

'Ik zou niet weten of er op dit moment een plek is waar ik heen kan,' zei Joe. 'Veiliger dan hier kan ik het niet krijgen voor Tomas en mij.'

'Jezus, wat mis ik Boston.'

Joe had kerels met een kogel in het hoofd krabbend aan hun wond zien rondlopen, totdat hun lichaam de knop omdraaide en hun benen het ten slotte begaven. 'Ik mis Boston ook.'

'Wij zijn hier niet voor gemaakt.'

'Waar niet voor?'

'Al dat warme, natte weer. Je hersens worden er week van, je gaat ervan malen.'

'Heb je me daarom verraden... vochtigheid?'

Het enige direct dodelijke schot was als je de loop tegen de achterkant van de schedel plaatste, onder aan de hersenen. Anders kon een kogel vreemde wegen bewandelen.

'Ik heb jou nooit verraden.'

'Je hebt ons verraden. Je hebt ons ding verraden. Dat komt op hetzelfde neer.'

'Helemaal niet.' Dion keek achterom naar Joe, zijn ogen registreerden zonder verbazing het pistool in zijn hand. 'Voordat er ons ding was, was er óns ding.' Hij wees van zijn eigen borst naar die van Joe. 'Jij, ik en mijn arme domme broer Paulo, God hebbe zijn ziel. En daarna werden we... Wat werden we eigenlijk, Joe?'

'Deel van iets groters,' zei Joe. 'En, Dion, acht jaar lang heb jij de zaak in Tampa gerund, dus ga me nou niet sentimenteel lopen doen over vroeger met weemoedig gejammer over een flatje driehoog achter aan Dot Avenue, zonder lift of ijskast en met een verstopte plee op de tweede verdieping.'

Dion richtte zijn blik voor zich en liep verder. 'Hoe heet dat ook weer als je weet dat iets op een bepaalde manier in elkaar zit maar dat je toch gelooft in het tegenovergestelde?'

'Geen idee,' zei Joe. 'Een paradox?'

Dion haalde zijn schouders op. 'Dat moet het wel zijn. Dus, ja, Joseph...'

'Noem me niet zo.'

'…ik weet best dat ik net acht jaar lang de boel heb gerund en me de tien jaar daarvoor omhooggewerkt heb in de organisatie. En misschien, als ik de kans kreeg om het allemaal over te doen, zou ik het weer precies zo doen. Maar de para…' Hij keek achterom naar Joe.

'Dox,' zei Joe. 'Paradox.'

'De paradox is dat ik echt wou dat jij en ik nog altijd betaalkantoortjes pakten en banken buiten de stad verkenden.' Hij keek met een droeve glimlach achterom. 'Ik wou dat we nog steeds bandieten waren.'

'Maar dat zijn we niet meer,' zei Joe. 'We zijn gangsters.'

'Ik zou jou nooit aan die lui hebben verraden.'

'Wat wou je verder nog zeggen?'

Dion keek op naar de heuvels voor hen en wat hij zei, kwam eruit als een verzuchting. 'O, shit.'

'Wat is er?'

'Niks. Gewoon shit. Het is allemaal shit.'

'Het is niet allemaal shit. Er is ook veel goeds in de wereld.' Joe liet Dions koffer op de grond vallen.

'Als dat zo is, horen wij daar niet bij.'

'Nee.' Joe strekte zijn arm achter Dions rug en zag zijn schaduw hetzelfde doen op de grond voor zijn voeten.

Dion zag het ook. Hij trok zijn schouders op en zijn volgende stap was een haperende stap, maar hij bleef lopen. 'Ik denk niet dat je het kunt,' zei hij.

Joe dacht het ook niet. Hij had al last van lichte zenuwtrekkingen onder de huid rond zijn pols en duim.

'Ik heb eerder gedood,' zei Joe. 'En ik heb er maar één keer wakker van gelegen.'

'Gedood, best,' zei Dion. 'Maar dit is moord.'

'Daar heb jij anders nooit moeilijk over gedaan, over moord.' Joe had moeite zijn stem te beheersen nu hij zijn hart in zijn keel voelde kloppen.

'Weet ik. Maar dit gaat niet om mij. Dit gaat om jou, en jij hoeft dit niet te doen.'

'Ik denk het wel,' zei Joe.

'Je kunt me laten vluchten.'

'Waarheen? Door de jungle? Je krijgt een prijs op je hoofd waarvan iedere loonslaaf hier in dit veld zijn eigen suikerplantage zou kunnen kopen. En een halfuur na jou zou ikzelf ook dood in een greppel liggen.'

'O, dus dit gaat om jouw leven.'

'Waar het om gaat is dat jij een rat bent. Dat jij alles ondermijnt wat wij samen hebben opgebouwd, daar gaat het om.'

'We zijn al meer dan twintig jaar vrienden.'

'Je hebt ons verraden.' Joe's stem beefde meer zelfs dan zijn hand. 'Je hebt recht in mijn gezicht tegen me gelogen, elke dag opnieuw, en ik had er bijna mijn zoon door verloren.'

'Je was mijn broer.' Ook Dions stem trilde nu.

'Tegen je broer lieg je niet.'

Dion bleef staan. 'Maar vermoorden kun je hem wel?'

Ook Joe bleef staan, liet het pistool zakken, sloot zijn ogen. Toen hij ze opsloeg hield Dion zijn rechterwijsvinger op. Hij had daar een litteken, zo flauw lichtroze dat het alleen bij direct zonlicht te zien was.

'Heb jij dat van jou nog?' vroeg hij.

Als kwajongens hadden ze in een verlaten stalhouderij in Zuid-Boston met een scheermesje een snee gemaakt in hun rechterwijsvinger en de toppen tegen elkaar gehouden. Een dom ritueel. Een belachelijke bloeddeed.

Joe schudde zijn hoofd. 'Het mijne is verdwenen.'

'Grappig,' zei Dion. 'Het mijne niet.'

'Verder dan een paar honderd meter zou je niet komen,' zei Joe.

'Ik weet het,' fluisterde Dion. 'Ik weet het.'

Joe haalde een zakdoek uit zijn zak en veegde er zijn gezicht mee af. Hij keek langs de hutjes van de landarbeiders, de plantagewoningen en de suikermolen naar de donkergroene heuvels in de verte. 'Hooguit een paar honderd meter.'

'Maar waarom heb je me niet gewoon bij het huis gedood?'

'Om Tomas.'

'Ah.' Dion knikte en schopte met zijn schoen tegen de rulle aarde. 'Denk je dat het al geschreven staat, ergens onder een rotsblok of zo?'

'Wat bedoel je?'

'Hoe we aan ons eind komen?' Dions ogen hadden iets gulzigs gekregen door het streven alles in zich op te nemen – ze wilden de hemel drinken, de velden verslinden en de heuvels inademen. 'Vanaf het moment dat de dokter ons uit de baarmoeder haalt, denk jij dat er ergens geschreven staat: jij zult levend verbranden, jij zult van een boot vallen, jij zult sterven op een naamloze akker?'

Joe zei: 'Jezus –' Meer niet.

Opeens zag Dion er leeg en afgebrand uit. Zijn armen hingen slap langs zijn lichaam, hij zakte half door zijn heup.

Na een tijdje begonnen ze weer te lopen.

'Denk jij dat we onze vrienden in een volgend leven terugzien? Dat we allemaal weer bij elkaar komen?'

'Weet ik niet,' zei Joe. 'Ik hoop het.'

'Ik denk van wel.' Dion keek weer omhoog naar de hemel. 'Ik denk...'

De wind draaide, uit het westen kwamen een paar ijle rookflarden aandrijven.

'Charlotte,' zei Joe.

'Wat?'

Voor hen schoot een terriër over het pad. Joe schrok omdat hij van links kwam, niet van rechts, waar hij hem tijdens hun wandeling een paar keer had gehoord. Hij sprong grommend tussen het riet. Ze hoorden zijn prooi piepen. Eén keer maar.

'Ik weet het weer. Zo heette dat meisje. De dochter van de vorige eigenaar.'

'Charlotte.' Dion glimlachte. 'Dat is een goede naam.'

Van ergens achter de heuvels klonk een haast onhoorbaar gerommel van onweer, hoewel de lucht alleen geurde naar smeulend suikerrietblad en vochtige aarde.

'Het is mooi,' zei Dion.

'Wat?'

'Dat gele huis.'

Ze waren het tot een meter of vijftig genaderd.

'Ja,' zei Joe. 'Het is mooi.'

Hij haalde de trekker over. Hij sloot zijn ogen op het laatste moment, maar toch verliet de kogel het wapen met een scherpe knal en zakte Dion op handen en knieën op de grond. Joe boog zich over zijn vriend. Het bloed stroomde uit de opening in zijn achterhoofd. Het doordrenkte zijn haar, drupte van de linkerkant van zijn hoofd en liep langs zijn hals in de zachte bodem. Dions hersenen lagen bloot, zag Joe, maar hij bleef ademhalen, een wanhopig puffen uit een onstilbare honger naar lucht. Hij ademde vochtig sissend in en keerde zijn gezicht naar Joe. Een glazig oog vond hem, een oog waar het bewustzijn uit wegholde – de kennis van wie hij was, van hoe hij hier op handen en knieën was terechtgekomen, van een geleefd leven en van de namen van zo talloos veel gewone dingen was al verdwenen. Zijn lippen bewogen, maar woorden kwamen er niet.

Joe vuurde een tweede kogel in zijn slaap, waarop Dions hoofd met een ruk de andere kant op veerde en hij zonder een geluid te maken op de grond zakte.

Toen Joe zijn rug rechtte tussen het suikerriet viel zijn blik op het kleine, gele huis.

Hij hoopte dat de ziel echt bestond en dat die van Dion nu oprees door de blauw met oranje lucht. Hij hoopte dat het meisje dat ooit in het gele huis had gespeeld ergens veilig was. Hij bad voor haar ziel en bad voor zijn eigen ziel, ook al wist hij dat die gedoemd was.

Hij keek uit over de velden en zag hoe uitgestrekt ze waren, en hij zag de volle uitgestrektheid van Cuba daarachter, maar het was Cuba niet. Overal waar hij zou wonen, waarheen hij ook reisde of waar hij ook maar een voet zou zetten, was van nu af aan het land waar Kaïn Abel had gedood.

Ik ben gedoemd. En alleen.

Of toch niet? vroeg hij zich af. Is er een pad dat ik nog niet kan zien? Een uitweg. Een weg die afbuigt.

De stem die antwoordde klonk vermoeid en koud.

Kijk naar het lichaam aan je voeten. Kijk ernaar. Je vriend. Je broer. En stel die vraag nu nog eens.

Hij draaide zich om om terug te lopen – voor het opruimen van het lichaam was al gezorgd – en verstijfde. Daar, dertig meter verderop, tussen de rijen, zat Tomas op zijn knieën in de zachte aarde, zijn mond open, zijn gezicht betraand. Onthutst. Kapot. Voor altijd voor hem verloren.

26

Wezen

Een week later, toen ze het appartement in Havana leegruimden, waarschuwde Manuel Joe dat er beneden een Amerikaanse vrouw naar hem vroeg.

Op weg naar de deur kwam Joe langs Tomas, die gepakt en gezakt klaarzat op zijn bed. Hij ving zijn blik op en knikte hem toe, maar Tomas keek weg.

Joe bleef in de deuropening staan. 'Jongen.'

Tomas keek naar de muur.

'Jongen, kijk me aan.'

Uiteindelijk gehoorzaamde Tomas en staarde hem aan op de manier zoals hij al de hele week had gekeken. Het was geen blik van woede; Joe had gehoopt dat zijn verdriet zou omslaan in woede. Met woede wist hij om te gaan. Maar in plaats daarvan was Tomas' gezicht een landkaart van wanhoop.

'Het gaat over,' zei Joe voor misschien de vijftigste keer sinds het suikerrietveld. 'Het verdriet gaat voorbij.'

Tomas' mond ging open. Onderhuids bewogen zijn spieren.

Joe wachtte. Hoopte.

'Mag ik nu weer de andere kant op kijken?'

Joe ging naar beneden. Hij passeerde de lijfwachten in de hal en vervolgens de twee buiten de voordeur.

Ze stond op straat, net voor de stoeprand; het lome middagverkeer deed stof opdwarrelen achter haar rug. Ze droeg een lichtgele jurk, haar donkerrode haar zat achterover in een knot. Ze had een kleine koffer in elke hand en ze leek zich vast te klampen aan haar stijve en keurige houding, alsof de grote leugen die ze was zou instorten als ze ook maar een spier ontspande.

'Je had gelijk,' zei ze.

'Waarover?'

'Alles.'

'Kom van de straat af.'

'Jij hebt altijd gelijk. Hoe voelt dat?'

Hij dacht aan Dion, languit in de zachte aarde die zwart zag van zijn bloed.

'Verschrikkelijk,' zei hij.

'Mijn man heeft me er natuurlijk uit gegooid.'

'Het spijt me.'

'Mijn ouders noemden me een hoer. Ze zeiden dat als ik mijn gezicht in Atlanta zou laten zien, ze me publiekelijk om de oren zouden geven en me daarna nooit meer zouden aankijken.'

Joe zei: 'Kom alsjeblieft van de straat.'

Ze deed het. Ze zette haar koffers voor hem op de stoep. 'Ik heb niets meer.'

'Je hebt mij.'

'Zul je je niet afvragen of ik gekomen ben omdat ik van je hou of omdat ik geen andere mogelijkheden meer had?'

'Misschien.' Hij pakte haar handen. 'Maar niet zo dat ik er 's nachts van zal wakker liggen.'

Er kwam een klein, donker lachje, waarop ze een stapje terugdeed, terwijl ze nog steeds zijn handen vasthield, maar nog slechts bij zijn vingertoppen. 'Je bent veranderd.'

'O ja?'

Ze knikte. 'Er ontbreekt iets aan je.' Ze liet een zoekende blik over zijn gezicht gaan. 'Nee, nee. Wacht. Je bent iets kwijtgeraakt. Wat is het?'

Alleen mijn ziel, als je gelooft dat die bestaat.

'Niets waar ik niet zonder kan,' zei hij. Hij tilde haar koffers op en ging haar voor naar binnen.

'Joseph!'

Hij zette haar koffers op de vloer in de hal en wendde zich tot waar de stem vandaan kwam, want wie hem ook geroepen mocht hebben, had wel heel erg geklonken als zijn overleden vrouw.

Nee, niet heel erg. Precies.

Hij zag haar bij de volgende hoek, daar liep ze, met de grote hoed die ze 's zomers graag droeg en in haar hand een lichtoranje parasol. Ze droeg een eenvoudige witte jurk. Ze keek hem een keer over haar schouder aan en sloeg de hoek om.

Joe stapte het trottoir op.

Vanuit de hal zei Vanessa vragend: 'Joe?' Maar hij liep door, de straat in.

De blonde jongen stond op de stoep aan de overkant, tussen het flatgebouw en de bioscoop. Opnieuw droeg hij kleren die zeker twintig of vijfentwintig jaar uit de tijd waren, een grijs wollen knickerbockerpakje met een bijpassende pet, maar deze keer was zijn gezicht herkenbaar: de iets diepliggende blauwe ogen, de smalle neus, de hoge jukbeenderen, de scherpe kaaklijn, de bescheiden lengte voor zijn leeftijd.

Zelfs voordat hij glimlachte wist Joe wie hij was. De laatste keer had hij het al geweten, hoewel dat volkomen onbegrijpelijk was geweest. En dat was het nog steeds.

De jongen voegde een zwaai bij zijn glimlach, maar het enige wat Joe zag was het gat waar zijn twee voortanden hadden moeten zitten.

Zijn vader en moeder kwamen langs. Ze waren jonger en ze liepen hand in hand. Hun kleren waren ook erg ouderwets en van mindere kwaliteit dan ze later droegen, rond de tijd van zijn geboorte. Ze keken niet naar hem, en al liepen ze hand in hand, heel gelukkig deden ze niet aan.

Sal Urso, al tien jaar dood, zette zijn voet op een brandkraan en strikte zijn schoenveter. Dion en zijn broer, Paulo, zaten te dobbelen tegen de muur van het flatgebouw. Hij zag mensen uit Boston die gestorven waren aan de Spaanse-griepepidemie van 1919 en een non van de Hemelpoortschool van wie hij niet geweten had dat ze dood was. Overal om hem heen zag hij niet-levenden: mannen die de dood hadden gevonden in de gevangenis van Charlestown, mannen die waren omgekomen in de straten van Tampa, mannen die hij eigenhandig had gedood en mannen die hij had laten doden. Hij zag een paar vrouwen die hij niet kende, zelfmoordgevallen, te oordelen naar de polsen van de een of de kring om de nek van een ander. Aan het eind van de straat was Montooth Dix bezig Rico DiGiacomo in elkaar te slaan, terwijl Emma Gould, een vrouw die hij ooit bemind had maar aan wie hij in geen jaren meer had gedacht, met een fles wodka in haar blauwige hand en haar haren en jurk drijfnat over het trottoir zwalkte.

Al zijn doden. Ze vulden de straat en verstopten de trottoirs.

Hij liet zijn hoofd zakken, midden op de drukke straat in de oude stad van Havana. Hij liet zijn hoofd zakken en sloot zijn ogen.

Ik wens jullie het beste, zei hij tegen zijn doden. *Ik wens jullie alle goeds.*

Maar ik ga me nergens voor verontschuldigen.

Toen hij weer opkeek, zag hij Hector, een van zijn lijfwachten, de verkeerde kant op lopen en de hoek om slaan waar hij ook Graciela had zien verdwijnen.

Maar al zijn geesten waren verdwenen.

Behalve de jongen. De jongen keek Joe met een schuin hoofd aan, alsof hij verbaasd was dat hij dichterbij kwam.

Joe vroeg: 'Ben jij mij?'

De jongen leek door die vraag in verwarring gebracht.

Omdat hij niet meer de jongen was. Hij was Vivian Ignatius Brennan. Saint Viv. De Poortwachter. De begrafenisondernemer.

'Je hebt gewoon te veel fouten gemaakt,' zei Saint Viv vriendelijk. 'Het is te laat om terug te gaan en ze allemaal te herstellen. Te laat.'

Joe zag het pistool in zijn hand niet eens, tot het moment waarop Vivian de kogel in zijn hart joeg. Veel geluid gaf het niet, niet meer dan een zacht plofje.

Door de klap werden Joe's benen onder hem weggeslagen. Hij viel op straat. Hij zette een hand op de straatstenen en probeerde overeind te komen, maar zijn hakken kregen geen grip op de stenen. Bloed vloeide uit het gat midden in zijn borst en morste in zijn schoot. Zijn longen floten door het gat.

Achter Vivian stopte de vluchtauto; van ergens dichtbij klonk het wanhopige gillen van een vrouw.

Tomas, als je dit ziet, in godsnaam, kijk de andere kant op.

Vivian richtte het pistool op Joe's voorhoofd.

Joe zette de muizen van zijn handen op de straatstenen en probeerde iets vurigs in zijn blik te leggen.

Maar hij was bang. Hij was doodsbang.

En hij wilde zeggen wat ze allemaal zeiden: *wacht.*

Maar hij deed het niet.

De lichtflits uit de loop leek een regen van vallende sterren.

Toen hij zijn ogen opende zat hij op een strand. Het was nacht. Overal om hem heen heerste duisternis, alleen het schuim op de golven en het zand lichtten wit op.

Hij stond op en liep naar het water.

Hij liep en bleef lopen.

Maar hoe hij ook liep, dichterbij kwam hij niet. Het water zelf kon hij niet zien; hij hoorde slechts de klap van de golven wanneer die braken op de zwarte muur voor hem.

Na een tijdje ging hij weer zitten.

Hij wachtte tot er anderen zouden komen. Hij hoopte op hun komst. Hij hoopte dat hier meer zou zijn dan een donkere nacht, een verlaten strand en golven die nooit helemaal de kust bereikten.